D0539708

J'y reste quelquefois tout seul, quand Mlle Balandreau est en retard. Les élèves sont allés souper, conduits par mon père.

Comme le temps me semble long ! C'est vide, muet, et s'il vient quelqu'un, c'est le lampiste qui n'aime pas mon père non plus, je ne sais pourquoi : un vieux qui a une loupe, une casquette de peau de bête et une veste grise comme celle des prisonniers : il sent l'huile, marmotte toujours entre ses dents, me regarde d'un œil dur, m'ôte brutalement ma chaise de dessous moi, sans m'avertir, met le quinquet[1] sur mes cahiers, jette à terre mon petit paletot, me pousse de côté comme un chien, et sort sans dire un mot. Je ne dis rien non plus, et ne parle pas davantage quand mon père revient. On m'a appris qu'il ne fallait pas « rapporter ». Je ne le fais point, je ne le ferai jamais dans le cours de mon existence de collégien, ce qui me vaudra bien des tortures de la part de mes maîtres.

Puis, je ne veux pas que, parce qu'on m'a fait mal, il puisse arriver du mal à mon père, et je lui cache qu'on me maltraite, pour qu'il ne se dispute pas à propos de moi. Tout petit, je sens que j'ai un devoir à remplir, ma sensibilité comprend que je suis un fils de galérien, pis que cela ! de garde-chiourme ! et je supporte la brutalité du lampiste.

J'écoute, sans paraître les avoir entendues, les moqueries qui atteignent mon père ; c'est dur pour un enfant de dix ans.

Il est arrivé que j'ai eu très faim, quelques-uns de ces soirs-là, quand on tardait trop à venir. Le réfectoire lançait des odeurs de grillé, j'entendais le cliquetis des fourchettes à travers la cour.

---

1. Lampe à huile.

Comme je maudissais Mlle Balandreau qui n'arrivait pas !

J'ai su depuis qu'on la retenait exprès ; ma mère avait soutenu à mon père que, s'il n'était pas une poule mouillée, il pourrait me fournir mon souper avec les restes du sien, ou avec le supplément qu'il demanderait au réfectoire.

« Si c'était elle, il y a longtemps que ce serait fait. Il n'avait qu'à mettre cela dans du papier. Elle lui donnerait une petite boîte, s'il voulait. »

Mon père avait toujours résisté — le pauvre homme. La peur d'être vu ! le ridicule s'il était surpris — la honte ! Ma mère tâchait de lui forcer la main de temps en temps, en me laissant affamé, dans son étude, à l'heure du souper. Il ne cédait pas, il préférait que je souffrisse un peu, et il avait raison.

Je me souviens pourtant d'une fois où il s'échappa du réfectoire, pour venir me porter une petite côtelette panée qu'il tira d'un cahier de thèmes où il l'avait cachée : il avait l'air si troublé et repartit si ému ! Je vois encore la place, je me rappelle la couleur du cahier, et j'ai pardonné bien des torts plus tard à mon père, en souvenir de cette côtelette chipée pour son fils, un soir, au lycée du Puy...

Le proviseur s'appelle Hennequin[1], — envoyé en disgrâce dans ce trou du Puy.

Il a écrit un livre : *Les Vacances d'Oscar.*

On les donne en prix, et après ce que j'ai entendu dire, ce que j'ai lu à propos des gens qui étaient auteurs, je suis pris d'une vénération profonde,

---

1. Nom réel du proviseur du Puy, Armand Hennequin, auteur d'ouvrages pédagogiques.

Jules Vallès

JACQUES VINGTRAS I

L'Enfant

Édition présentée, établie et annotée
par Denis Labouret

Maître de conférences
à l'Université de Paris-Sorbonne

Gallimard

PRÉFACE

Lire Vallès aujourd'hui

Il n'y a pas si longtemps, L'Enfant passait pour une œuvre mineure. Jules Vallès était d'abord le communard, l'engagé enragé, et l'interprétation de ses textes était orientée par cette image — chez ses admirateurs, qui le lisaient par sympathie politique, comme chez ses contempteurs, qui l'excluaient du champ de la littérature consacrée. Il n'y a pas si longtemps, les anthologies ignoraient Vallès.

Les choses ont changé depuis un quart de siècle. Vallès, qui ne cesse de dénoncer l'ennui au collège, a repris le chemin de l'école. Il a sa place dans les manuels, il est recommandé dans les classes, il a les faveurs de l'Université. Voilà L'Enfant, témoignage douloureux d'une « bête à concours », mis au programme des examens et concours. Voilà la lecture de ce « procès de la famille » (le mot est de Vallès) conseillée par les parents. Voilà Vallès banalisé, classicisé, canonisé — au risque, et ce serait le comble, d'ennuyer. Destin paradoxal pour un auteur qui a toujours lutté contre toute forme de consécration institutionnelle, et qui a tant souffert lui-même des livres du passé imposés par les maîtres.

Ne boudons pas, bien sûr, cette reconnaissance. Un écrivain hors du commun a enfin conquis le vaste public qu'il méritait, et on peut s'en féliciter. Mais le consensus n'est pas dépourvu d'ambiguïtés. Si L'En-fant rencontre maintenant un accueil si favorable, n'est-ce pas au prix de lectures convenues qui affa-dissent sa verve critique et qui manquent ses qualités littéraires propres ? D'une certaine façon en effet, la morale dominante d'aujourd'hui trouve dans le roman matière à satisfaction. Qui contesterait cette critique de la violence parentale au nom de l'épa-nouissement de l'enfant ? Qui donc prendrait la dé-fense d'un système scolaire figé dans la reproduction de modèles archaïques, quand l'« adaptation » et la « réforme » sont les maîtres mots du discours offi-ciel ? Dans le rejet des langues anciennes au profit des disciplines scientifiques et techniques, la société a depuis longtemps donné raison à Vallès. Ne serait-on pas tenté alors de faire de L'Enfant un récit édifiant, exemplaire, bien conforme au jugement que notre temps éclairé, en toute bonne conscience, porte sur un siècle arriéré où existaient encore le fouet, le discours latin et la distribution des prix ? Et on lirait Vallès pour ses bons sentiments, après l'avoir longtemps ignoré pour son immoralité... Dit-on qu'il est mo-derne ? Cela peut vouloir dire : il est comme nous, il ne nous dérange guère. On ne sort pas alors d'une lec-ture moralisante et idéologique : on s'est contenté d'en inverser les signes et les critères.

Intégré au patrimoine de notre culture, L'Enfant offre un objet de choix pour les études critiques et pour les sciences humaines. Chacun y trouve son compte. Le sociologue et l'historien verront là, non sans raisons, un document précieux pour l'analyse des efforts de promotion sociale, par le savoir et par l'épargne, d'une petite bourgeoisie fraîchement issue de la paysannerie sous la monarchie de Juillet. Le psychanalyste se penche avec attention, non sans raisons, sur le derrière endolori du petit Jacques Vingtras et sur les marques de virilité de sa mère castratrice, symptômes d'une pathologie caractéristique. L'expert en sciences de l'éducation peut analyser, non sans raisons, la hiérarchie étouffante du collège louis-philippard comme un contre-modèle significatif, et le comportement de l'enfant comme la base d'une réflexion sur le vécu de l'« apprenant ». Chacune de ces lectures a sa légitimité. Mais chacune tend à situer l'intérêt du texte ailleurs que dans son tissu proprement littéraire, ailleurs que dans les inflexions particulières de sa voix. Si L'Enfant n'est plus qu'exemple (sociologique), type (historique) ou cas (psychologique), peut-on encore entendre cette voix ? Si l'on met simplement à plat les données de l'énoncé, peut-on être sensible au souffle de l'énonciation ?

Il arrive ainsi que la consécration soit occultation. On réserve l'invention d'un style à Flaubert ou à Proust ; L'Enfant serait d'abord un témoignage ou un document — à l'expression simple et directe, « facile ». Un texte transparent, sans épaisseur : L'Enfant s'efface devant l'enfant. Le lecteur partage les émotions d'une vie, sans s'arrêter aux aspérités d'une écriture. Or, en admettant que le roman produise cette impression de vie, de sensation brute, de reflet d'un monde — ce qui, pour une part, répond d'ailleurs aux intentions de Vallès —, il reste à en comprendre la cause : l'art par lequel le texte produit un tel effet. Et ce qui frappe alors, c'est la complexité d'un roman polyphonique, traversé de contradictions, en équilibre instable. Le travail de l'écriture garantit la dynamique du récit parce qu'il fait en sorte de ne jamais se figer, et maintient constamment la tension et le mouvement. Là est l'originalité de L'Enfant, *et ce qui fait qu'il peut encore surprendre et provoquer : aux antipodes des techniques réalistes de ses contemporains qui tentent de dissimuler la source du discours pour mieux donner l'illusion du* fait vrai, *Vallès ne cesse d'exhiber le* Je-Vingtras, *son* dire au présent, *avec ses ratés, ses reliefs et ses excès, traces de la libération qui est à l'œuvre par les mots et d'une mémoire vivante en lutte contre les censures et les refoulements du passé. La « délivrance » de Vallès, pour reprendre le mot qui donne son titre au dernier chapitre, se situe moins dans l'histoire de son personnage que dans les choix d'écriture par lesquels, confronté à la difficulté de trouver les mots pour se dire, il invente une langue.*

Vallès est bien conscient, en effet, des risques inhérents à toute recomposition du passé dans un livre. Dès les années 1860, dans la « Lettre de Junius », dans Les Réfractaires, *il évoquait les « victimes du livre », dont le rapport au monde est altéré par des textes trompeurs : « Pas une de nos émotions n'est franche[1]. » Quand on a beaucoup lu, et à plus forte raison quand on fait métier d'écrire, à coup sûr la chair est triste : l'expression directe de la personne vivante, du corps, des sensations, semble impossible ; tout discours sur soi est déjà médiatisé par une littérature antérieure, saisi dans une gangue de clichés et d'images toutes faites dont on est prisonnier. Il faut pourtant relever le défi, affronter le paradoxe : «* LES VICTIMES DU LIVRE, *quel livre à faire[2] ! » Tel est le souci de Vallès : lutter par le livre contre la tyrannie des livres ; prendre pour cible, non pas tant sa mère,*

---

1. « Les Victimes du livre », in *Les Réfractaires*, *Œuvres*, Bibl. de la Pléiade, t. I, p. 230.
2. « Lettre de Junius », *Œuvres*, Bibl. de la Pléiade, t. I, p. 133.

ou son père professeur, ou le directeur de pension *Legnagna*, que les mots du discours établi dont ils sont, selon des modalités diverses, les victimes et les relais, et dont il est lui-même inévitablement tributaire. Il faut donc inventer la forme qui saura, elle, retrouver la chair sous les mots, empêcher les « souvenirs d'enfance » de se conformer artificiellement aux modèles littéraires, prendre acte de l'héritage culturel tout en s'en libérant. Il s'agit de donner forme aux forces (du sang, de la vie, de la révolte) sans les pétrifier par le livre. Vallès y parvient dans *L'Enfant* en assumant et en dépassant, en particulier, trois contradictions majeures : d'abord, entre le passé des souvenirs et le présent de l'écriture ; en second lieu, entre les discours d'autrui et la parole personnelle ; enfin, entre l'amertume du récit d'une enfance malheureuse et le rire du « blagueur ». C'est en cherchant à résoudre cette triple tension que le texte invente sa tonalité propre.

La mémoire au présent

L'Enfant *n'est pas une autobiographie.* Certes, le nom de Jacques Vingtras est tout compte fait plus proche du nom de l'auteur, par les initiales, que ne le sont les pseudonymes de La Chaussade et de Jean La Rue sous lesquels ont paru les premières éditions du texte. Mais il suffit à fonder le pacte de lecture sur l'acceptation de la fiction. Vallès entend raconter dans L'Enfant non son « histoire » mais « presque » son histoire[1], et la nuance change tout : il s'accorde le droit de trans-

---

1. Lettre à Hector Malot du 12 mars 1876, « Correspondance avec Hector Malot », édition Marie-Claire Bancquart, *Œuvres complètes*, Paris, E.F.R., 1968, p. 98. Voir la Notice à la fin de ce volume.

*former les noms propres, de maintenir les dates dans
le flou, de modifier surtout les conditions de son
entrée dans la famille (Jacques est présenté comme
un fils unique, à la différence de l'auteur) et de sa
sortie (rien n'est dit de la Révolution de 1848, pourtant décisive dans le devenir de Vallès). Il n'en est pas
moins confronté à l'enjeu de toute expérience autobiographique, qui met en relation, au moins, deux
temporalités : celle du vécu rapporté (bios : la vie) et
celle de la narration qui rapporte (graphein : écrire).
La mise en récit ne risque-t-elle pas de manquer le
foisonnement de la vie réelle ? Écrire le passé, c'est
en effet déjà le reconstruire, orienter le devenir selon
un sens et un parcours qui lui confèrent une unité
rétrospective.*

*Comme tout récit de vie, L'Enfant semble déployer
ainsi les étapes d'une enfance en suivant l'ordre chronologique. Les vingt-cinq chapitres du roman s'en-
chaînent au rythme des déplacements de la famille
Vingtras, du Puy à Saint-Étienne, de Saint-Étienne à
Nantes. La Loire fait office de vecteur spatial et tem-
porel ; et si Nantes symbolise une promesse de départ,
c'est Paris, lieu de délivrance et d'avenir, qui prendra
la place de l'ailleurs rêvé à l'embouchure du livre-
fleuve. Le cours de l'enfance progresse selon cet axe
géographique et social, des origines paysannes du
Velay aux promesses de la capitale, lieu prévisible, au
XIXe siècle, du début dans la vie. Cet ordre se conforme
à la carrière du père, dont les promotions et mutations scandent le roman : « Mon père a été appelé
comme professeur de septième à Saint-Étienne, par la
protection d'un ami. Il a dû filer dare-dare. [...]
Enfin nous partons. Adieu le Puy ! » Et plus tard :
« [...] une place est vacante à Nantes. [...] La nomi-*

nation arrive. Nous allons quitter Saint-Étienne. »
C'est peut-être à la surface de ce parcours linéaire que
le respect de l'exactitude biographique est le plus apparent : en Jacques Vingtras, il est aisé de reconnaître
Jules Vallès, de son enfance au Puy, où il est né en
1832, à son départ pour Paris en 1850 ou 1851. Le
père de Vallès a effectivement été nommé à Saint-
Étienne en 1840, et à Nantes en 1845. La linéarité de
la narration respecte les repères bien lisibles d'un cur-
riculum vitæ. Mais la profondeur du vécu de l'enfance
ne saurait se réduire à ces changements géographiques
et professionnels du père : cette part écrite de la vie,
cette part sociale de l'être, la plus proche de la réalité
vécue en apparence, est bien la plus superficielle.

Le temps linéaire est en effet, plus profondément,
travaillé par d'autres mutations, sensorielles et physiques celles-là. L'Enfant commence par des fessées,
s'attarde sur les vêtements ridicules imposés à son
fils par Mme Vingtras, raconte des chutes et des blessures, abonde en précisions alimentaires : plus encore
que l'histoire d'une conscience, Vallès raconte l'histoire d'un corps. Le devenir de Jacques, c'est l'apprentissage douloureux d'une peau[1], longtemps perçue
comme le simple prolongement du corps maternel
qui en a fait sa « chose » avant de parvenir enfin à la
séparation et à l'autonomie. Quand Mme Vingtras
promet une pièce de vingt sous à son fils en cas de
bons résultats scolaires, il n'en revient pas : « Mais
c'est une révolution alors ! Jusqu'ici je n'ai rien
eu qui fût à moi, pas même ma peau. » Le roman

1. Cet aspect de L'Enfant a été étudié dans une perspective psycha-
nalytique par Maryse Adam : « L'Enfant, roman de la peau, roman
drapeau », dans Les Amis de Jules Vallès, Revue d'études vallésiennes
(abrégée en AJV dans la suite de ces notes), n° 15, nov. 1992, p. 5 et
suiv.

s'ouvre sur deux scènes hautement symboliques :
« Mon premier souvenir date donc d'une fessée. Mon
second est plein d'étonnement et de larmes. » D'abord,
le fouet maternel ; ensuite, une blessure du père, qui
se coupe en fabriquant un jouet pour Jacques, et la
faute en est imputée à l'enfant : « Est-ce que je
n'aurais pas mieux aimé saigner, moi, et qu'il n'eût
point mal ? » La preuve de cette généreuse intention
est donnée à l'autre bout du roman : Jacques se bat
en duel pour défendre l'honneur de son père, et,
blessé à la cuisse, verse effectivement son sang. Mais
il tache ainsi son pantalon, suscitant les reproches de
sa mère avare et possessive, consciente de ne plus
contrôler désormais l'apparence vestimentaire de son
rejeton. Libéré de la culpabilité originelle, il s'affran-
chit de son père et se dégage de la mainmise de sa
mère sur sa toilette et sur son corps. L'Enfant s'achève
sur un dernier conseil maternel : « Une autre fois,
Jacques, mets au moins ton vieux pantalon ! » In-
jonction bien douce, comparée à l'autre forme d'at-
tention que Mme Vingtras accordait aux fesses de son
fils dans l'incipit... La dernière scène redéfinit ainsi la
place du corps de Jacques par rapport à ses parents :
guéri de sa blessure, il peut maintenant se « lever » et
« entrer dans la vie d'homme » ; la « délivrance » est
aussi naissance véritable. Le parcours du roman
s'achève clairement quand le corps de Jacques, maître
de soi, sort pour de bon de l'enfance.

Ce parcours nettement dessiné, du corps objet au
corps sujet, clôt le roman sur lui-même et assure sa
cohésion. Mais cette omniprésence du corps impose
dès lors une logique qui n'est plus seulement linéaire
et qui bouscule l'écriture chronologique de l'enfance.
Un autre principe de composition apparaît, fondé

sur le réseau des images, sur la répétition des scènes obsédantes, sur le retour cyclique d'oppositions élémentaires. La famille Vingtras a-t-elle vraiment progressé, d'une ville à l'autre ? À chaque arrivée dans un lieu nouveau, la même scène se reproduit : la mère et le fils sont toujours de trop, obstacles encombrants et ridicules qui perturbent le cadre social. À Nantes : « Notre spécialité est d'encombrer de notre présence et de gêner de nos bagages la vie des cités où nous pénétrons. » À Paris : « Nous payons, — et l'histoire d'Orléans, de la place de la Pucelle, de Nantes et du quai recommence. Nous sommes debout devant des colis et des cartons à chapeau qui s'écroulent. Ma mère ne peut pas entrer dans une ville sans embarrasser la voie... » Le récit n'ordonne pas alors les transformations d'un devenir : l'écoulement de la durée laisse place au retour de l'instant révélateur, de la scène emblématique. Plutôt qu'il ne progresse, selon un cheminement logique, de la prison de la petite enfance à la liberté de l'âge adulte, le roman fait alterner moments positifs d'ouverture, d'expansion (par exemple dans les chapitres « La Famille », « Vacances », « Voyage au pays », « Le Départ »), et moments négatifs de claustration et de contraction (« Le Collège », « La Toilette », « Les Joies du foyer », « Le Lycée »...), selon une structure binaire qui échappe à toute chronologie.

Les perturbations du récit sont encore plus apparentes dans la suite des chapitres, des paragraphes, des phrases. De la tentative d'« évasion » avortée à l'apparition de Mme Brignolin (chapitres XV et XVI), ou de la mort de Louisette au portrait d'un professeur de grec (XIX et XX), nulle transition : les chapitres sont disposés comme des blocs juxtaposés, presque auto-

nomes, voire interchangeables. À l'image du corps et du vêtement de l'enfant, le corps du texte[1] est « couturé, rapiécé », porte la marque de blessures, de collages et de coupures bien visibles. Les ellipses trouent le récit, les portraits l'interrompent très librement, les discontinuités le déchirent : d'où les paragraphes très brefs, ces unités rythmiques favorables à la notation, à l'impression, qui créent la scansion d'une prose tendue, resserrée, souvent poétique, et qui achèvent de décomposer la narration. Car le parcours apparent est entravé par les manifestations mêmes du discours, le temps du récit linéaire par le temps de l'énonciation. Quand il vient de finir L'Enfant, *qu'il croit « très drôle et très hardi », Vallès a le sentiment d'avoir laissé parler « la bonne fortune du souvenir, un stock de sensations vertes[2] » : c'est ce « stock » qui relie, par la mémoire sensible, les images du passé au présent de l'écriture, interdisant au travail de rédaction toute tentation de remise en ordre.* L'Enfant *est un livre d'odeurs et de saveurs, de contacts sensuels ou brutaux, de cris et de bruits, d'images fortes — parce qu'il se libère des contraintes narratives pour mieux accueillir le désordre vivant des sensations. La marche horizontale du récit, dès lors, importe moins que le feuilleté des impressions sensibles, riches d'échos et de résonances profondes. L'instant vaut pour lui-même, dans toute sa densité, suspendu hors de la durée :*

1. Métaphore fréquente chez Vallès, et qui a inspiré des études stimulantes : voir notamment Philippe Bonnefis, *Jules Vallès. Du bon usage de la lame et de l'aiguille*, Lausanne, L'Âge d'Homme, 1982 ; et Hélène Millot, « Entre inconfort et inconvenance : l'épreuve vestimentaire dans la Trilogie », *AJV*, n° 17, déc. 1993.

2. Lettre à Hector Malot du 17 juillet 1876, édition M.-C. Bancquart, *op. cit.*, p. 116.

On ne distingue que la cloche du couvent de
Sainte-Marie, et le bruit que fait un attelage à grelots dans la route blanche, là-bas...

« Écoute, mademoiselle Balandreau, on n'entend
que moi... »

Et je jette un cri, ou je lance une pierre bien haut,
qui emplit tout l'horizon et retombe[1].

*Si la tension entre le passé vécu et l'écriture pré-
sente est surmontée, c'est grâce à cet emploi du présent, qui rassemble dans une parole unifiante la
diversité des émotions et des souvenirs. Mais à quel
moment de référence se rapporte ce présent ? Il est en
réalité toujours instable, ambigu. Qui parle au présent, de Jacques enfant ou du narrateur adulte, du
narrateur Vingtras ou de l'auteur Vallès ? C'est l'in-
certitude qui est savoureuse et troublante, empêchant
là encore le texte de se fixer. Quand on lit : « Il ne
faut pas gâter les enfants », il est clair que l'auteur ne
mime le discours intérieur de l'enfant que pour laisser entendre le contraire de ce qu'il énonce, selon le
processus habituel de l'ironie : le propos maternel que
l'enfant reprend à son compte est ainsi mis à distance.
Lorsque le petit Jacques, « isolé » dans son pantalon grotesque, dit éprouver « les douleurs sourdes de
l'exil », il est probable que le romancier proscrit, de
son exil londonien, projette sur son passé ses douleurs actuelles. Le présent n'est donc pas un temps
ponctuel, superficiel : il met en relation des temps
éloignés, superpose différents moments du Moi. Il
semble relatif le plus souvent au moment de la parole
et de la pensée de l'enfant, situant ainsi l'instance du
discours au plus près des faits relatés, que l'on suit*

1. Chapitre VIII.

heure par heure, par exemple, dans le chapitre « Un drame ». Mais il autorise aussi bien l'intervention d'une conscience supérieure, capable de prendre ses distances avec le personnage enfant et de mettre en scène ses souffrances avec humour :

Ces noyaux sont des boutons, vert vif, vert gai, en forme d'olives, qu'on va, — voyez si Mme Vingtras épargne rien ! — qu'on va coudre tout le long, à la *polonaise* ! À la polonaise, Jacques !

Ah ! quand, plus tard, il fut dur pour les Polonais, quoi d'étonnant ! Le nom de cette nation, voyez-vous, resta chez lui cousu à un souvenir terrible... La redingote de la distribution des prix, la redingote à noyaux, aux boutons ovales comme des olives et verts comme des cornichons[1].

Grâce à ses ambiguïtés, l'emploi du présent donne donc accès à différentes couches temporelles. Aux avantages du présent de narration, qui raconte des faits passés comme s'ils étaient présents, il ajoute les bénéfices du discours indirect libre, qui fait entrer dans les pensées de l'enfant ; et il postule toujours une voix adulte, dans le présent de l'énonciation romanesque qui établit une communication vivante et pressante avec le lecteur. Une telle extension du présent est exceptionnelle : là réside une originalité majeure de L'Enfant[2]. *Vallès avait déjà expérimenté cette technique narrative dans* Le Testament d'un blagueur (1869), *dont les éléments autobiographiques*

1. Chapitre v.
2. Sur ce point, voir les travaux de Philippe Lejeune : « Techniques de narration dans le récit d'enfance », *Colloque Jules Vallès 1975*, Presses Universitaires de Lyon, 1976 ; et *Je est un autre*, Paris, Seuil, coll. « Poétique », 1980.

annoncent L'Enfant. *Mais la forme même d'un testament introduit par un récit rétrospectif supposait
alors l'extinction de la voix adulte, reléguée par le suicide du héros dans le passé d'une vie négative. Dans*
L'Enfant, *d'entrée de jeu, le lecteur est placé de plain-
pied dans la dynamique d'une conscience vivante,
dont l'avenir restera ouvert en fin de parcours. Il
s'agit bien d'un* roman, *non d'un récit — au sens où
Sartre opposera le présent du premier, fidèle au mouvement de la conscience percevante, au passé explica-
tif du second, condamné à manquer le Moi véritable[1].
Par le présent, Vallès se prémunit contre le risque
d'une mise à mort narrative de la vie passée : première solution pour produire un « livre de sensations », non un écrit trompeur et sclérosant.*

Naissance de la parole

*La place ambiguë de l'énonciation montre bien que
le discours de* L'Enfant *n'est pas simple : le mono-
logue intérieur est en réalité polyphonique. Et non
seulement le* Je *qui parle est un sujet pluriel — enfant et adulte, naïf et critique —, mais le discours de
Jacques est lui-même constamment tissé d'autres discours, aux prises avec de multiples autres voix. Le
roman raconte l'histoire d'un corps, mais d'un corps
qui accède à la parole, difficilement, douloureusement,
à partir de la parole des autres[2]. Le cheminement du
discours vers l'appropriation d'une voix personnelle
restaure alors un parcours narratif, un apprentissage,*

1. Voir *Situations I*, Paris, Gallimard, Coll. blanche, 1947, p. 16.
2. On pourra lire sur ce thème l'analyse de Guillemette Tison :
« *L'Enfant* : l'émergence de la parole de Jacques », *AJV*, n° 17, déc. 1993,
p. 13 et suiv.

*mais en faisant du langage l'objet même, la question
centrale du roman. C'est par cette dimension réflexive
que le texte, s'interrogeant sur l'origine et sur les conditions d'une parole libre, acquiert toute sa puissance à
la fois critique et littéraire.*

*Au commencement était l'*infans* : l'enfant, au sens
premier du mot latin, « celui qui ne parle pas ». Le
titre du roman est à entendre en ce sens : sortir de
l'enfance, ce sera effectivement, pour Jacques, apprendre à parler en son nom. Au commencement est
la parole de Mme Vingtras : « Ma mère dit qu'il ne
faut pas gâter les enfants [...].» Et Jacques, à moins
de se manifester par des cris, se contente d'intériori-
ser le discours parental : « [...] ma mère a bien fait de
me battre. » Autant le discours de Jacques occupe le
devant de la scène dans la conduite du récit, autant
le personnage est silencieux dans les situations qu'il
rapporte :*

Une servante est venue et m'a dit :

« C'est vous, le petit Choufloux, qui venez pour
aider à la cuisine ? »

Je n'ai pas osé dire que non, et on m'a fait laver
la vaisselle toute la nuit[1].

*Jacques ne cesse d'entendre des voix, comme la
« Pucelle d'Orléans », mais c'est la mère Vingtras, par
dérision, qui prend la place de Dieu : « Aujourd'hui
encore [...], j'entends, comme Jeanne d'Arc, une voix :
"Jacques ! les cabinets sont en bas !"» Apprendre à
parler, dans une famille qui prétend se conformer aux
convenances bourgeoises, c'est d'abord imiter, repro-
duire les formules enseignées. Pour la fête de son*

---

1. Chapitre v.

*père, Jacques apprend par cœur un « compliment »,
peine à l'écrire (« j'éborgne les* o*, j'emplis d'encre la
queue des* g*, et je fais chaque fois un pâté sur le mot
"allégresse" »), et ne pourra pas le dire : gêné par les
fleurs qu'il porte et par le « rouleau » du texte écrit, il
glisse dans le lit, renverse le pot de géranium, est
chassé de la chambre à coups de pied... Face à face
impossible : le dialogue, même ritualisé, n'a pas eu
lieu.*

*Quant à l'école, elle systématise la pratique du pla-
giat : les travaux d'écriture sont des exercices d'imitation. Il ne faut surtout pas mettre* du sien *dans les
devoirs, comme le rappelle Legnagna. Jacques a bien
du mal, pourtant, à se mettre à la place de « Thémistocle haranguant les Grecs » ; mais on lui fait comprendre qu'il n'est au collège que « pour mâcher et
remâcher ce qui a été mâché par les autres ». Pour
briller, il faut apprendre à être « filou », à s'emparer
des mots des autres :*

Je vole à droite, à gauche, je ramasse des rejets
au coin des livres. Je suis même malhonnête quelquefois. J'ai besoin d'une épithète ; peu m'importe
de sacrifier la vérité ! Je prends dans le dictionnaire le mot qui fait l'affaire, quand même il dirait
le contraire de ce que je voulais dire. Je perds la
notion du juste[1] !

*L'école forme des perroquets, et ce n'est pas un
hasard si la question de l'imitation scolaire est abor-
dée, au chapitre* XXI*, par le biais d'un sujet de composition de vers latins qui évoque l'animal : « On
nous avait donné à raconter la mort d'un perroquet. »*

---

1. Chapitre XX.

Psittacus interiit ! Jam fugit psittacus, eheu ! « *Le perroquet est mort* » — *voilà la formule qui obtient le premier prix, pour un élève, ironise Vallès, « dont l'émotion s'est encore montrée plus vive, la douleur plus vraie » que l'émotion et la douleur de Jacques... Émotions inévitablement mensongères, engendrées par le psittacisme institutionnalisé du collège. Vallès peut donc rêver pour de bon à la « mort du perroquet », c'est-à-dire à la fin de ces apprentissages mimétiques. Il n'en est pas moins passé par là, et en garde pour toujours les traces. Les « humanités » lui collent à la peau : il ne pourra plus échapper au Livre. Aussi est-il significatif que sa maturation, à la fin du roman, tienne à deux découvertes initiatiques majeures : un livre d'histoire de la Révolution — et non la révolution réelle, bien plus proche de lui pourtant, de 1848 —, et le métier d'imprimeur — dans lequel pourraient se réinvestir les gestes et la force physique d'une vie paysanne idéalisée. Deux manières d'accomplir la réconciliation mythique du livre et de la vie, et non d'exclure le livre.*

L'Enfant *n'est donc pas un livre de sensations brutes : il dialogue constamment avec d'autres textes, d'autres littératures, d'Homère à Virgile, de Bossuet à La Fontaine, de l'histoire romaine à la rhétorique du* XVIIIe *siècle. Puisque l'on ne peut se défaire de cet héritage culturel, il importe de le détourner, de le subvertir, de le parodier, pour s'en libérer dans le mouvement même des citations et allusions qui le convoquent. Une parole libre peut naître dans la reprise des modèles, du moment qu'elle se les approprie sans s'y soumettre passivement. Vallès parodie ainsi le roman d'aventures ou* Les Confessions *de Rousseau, déforme l'Iliade ou des prières chrétiennes... Il reprend par bribes ces discours assimilés pour trou-*

ver sa voix, tout en désacralisant leur autorité par les nouveaux contextes où il les insère : la rhétorique latine, côtoyant le parler auvergnat de Mme Vingtras, est aisément discréditée. Loin de dissimuler ses emprunts, le texte les assume le plus souvent par une typographie explicite : guillemets, tirets, italiques, titres et noms, références culturelles. De ce point de vue encore, L'Enfant laisse bien visibles les marques du tissage qui le constitue : coutures, collages, montages... Rien de lisse ni de spontané dans un tel récit d'enfance, qui témoigne au contraire par ce patchwork des obstacles qu'il a dû surmonter et du travail qui le rend possible. Il est parole présente sur l'empêchement de la parole.

Aux interdits du père, incarnation d'une culture scolaire aliénante, Jacques réagit donc, en grandissant, par l'affirmation de son dire. Il arrivait à M. Vingtras de fermer violemment la bouche de son fils, au risque de lui briser les dents. La réponse de Jacques sera moins directe : quand son père en vient à perdre ses mots en bredouillant, vers la fin du roman, c'est par un mot écrit (« J'écris à mon père ! je rature, et je rature ! ») qu'il lui annonce finalement, tant la communication entre eux est devenue difficile, son intention de devenir ouvrier. Composé à un moment où Vallès est encore et toujours en quête d'expression libre, désireux de parler en son nom en dépit des censures et des interdits, L'Enfant poursuit à sa manière cette recherche, à distance, d'une compensation par l'écriture des silences et des discours imposés dans l'enfance, en préservant dans le relief et la mosaïque des paragraphes la trace critique de ses origines. Dans ces conditions, l'usage détourné de la culture classique ne risque plus d'ennuyer : il aurait même plutôt tendance à faire rire...

De la blague à l'humour

Vallès était connu avant la Commune pour son sens de la « blague ». Pour le journaliste du Second Empire, « blaguer, c'est narguer, c'est rire de, rire au nez de[1]*... ». Tel est le tempérament, moqueur et frondeur, que Vallès prête à son héros dans* Le Bachelier, *deuxième volet de la Trilogie : ce « Vingtras qui blague toujours*[2] *» est un « boute-en-train », un « rigolo qui sait faire rire*[3] *» ; il fait des calembours, rit de tout et de rien, donne à ses refus l'allure de plaisanteries. Le rire du blagueur ne pousse donc pas très loin la contestation : il est diversion, et même divertissement, plutôt que subversion. La blague, rire de l'instant, tourne l'adversaire en dérision : elle est surtout négative. En outre elle s'affadit, sous le Second Empire, dans les clichés complaisants de l'esprit boulevardier. Peu avant la Commune cependant, Vallès donne à la blague une fonction plus sérieuse. La blague sert de masque aux souffrances de la vie : elle est un moyen de faire face à la misère et à la mort. Le blagueur peut être alors un passionné, voire un violent. Dans* Le Testament d'un blagueur, *le mot est sans doute insuffisant : « On l'appelait "blagueur", parce qu'il riait de tout et ne ménageait rien. Comme on avait peur de lui, on avait essayé d'appliquer à son ironie un mot qui en diminuât la portée*[4]*. » Mais en associant la blague au destin de son personnage*

1. Roger Bellet, « La blague, la vie et la mort », *AJV*, n° 20, juin 1995, p. 6.
2. Folio classique, 1974, p. 120 (préface de Michel Tournier ; édition de Jean-Louis Lalanne).
3. *Ibid.*, p. 132.
4. *Œuvres*, Bibl. de la Pléiade, t. I, p. 1097.

Ernest Pitou, Vallès lui confère une signification exis-
tentielle nouvelle tout en la mettant à distance : le
suicide du « blagueur » prouve l'insuffisance de la
dérision contre le désespoir.

Le rire de Vallès, dans L'Enfant, va au-delà de cette
« blague ». Il ressuscite et prolonge chez l'adulte le
rire de l'enfant ; il suppose aussi la complicité d'une
histoire commune à « tous ceux qui crevèrent d'ennui au collège » ; il libère enfin des censures muti-
lantes. Chargé de fonctions éminemment positives, le
rire stimule le retour sur soi, cristallise le souvenir,
donne une conscience élargie du temps. Faire rire,
c'est alors une manière de faire mémoire, en assumant ses douleurs et ses ridicules passés. Avant
même le temps de l'exil, la fréquentation de l'Angleterre aura peut-être permis à Vallès d'apprendre, à la
lecture de Swift et de Dickens, qu'il existe un « rire
mélancolique et gai[1] » qui permet de surmonter la
tension entre le rire et les larmes. Cela s'appelle l'humour — même si le mot apparaît alors à peine, en
France, au sens que nous lui donnons aujourd'hui.
Au-delà de l'ironie, fondée essentiellement sur un rire
critique, L'Enfant s'élève à l'humour, par lequel le
rieur, devenu capable de rire de ses propres faiblesses
et contradictions, s'affermit de présenter sous un
jour comique les marques de son mal-être. Le Vingtras adulte du Bachelier et de L'Insurgé (dernier
volet de la Trilogie) ne se dérobera pas davantage
aux coups de cette autodérision humoristique qui, à

---

1. *Courrier du dimanche*, 17 septembre 1865, *Œuvres*, Bibl. de la
Pléiade, t. I, p. 552. À propos de Dickens, on lit dans la même page :
« C'est *l'humour* dans l'observation [...] : l'émotion arrive sur l'aile
humble et fine de la mélancolie, et, à cette émotion, se mêle une
gaieté tendre qui fait que l'on sourit [...]. » Vallès qualifie ailleurs
Swift d'« humoriste étrange » (*La Rue*, 14 décembre 1867, *Œuvres*,
Bibl. de la Pléiade, t. I, p. 1026).

*la différence de la dérision blagueuse, assure une
forme d'invulnérabilité*[1].

Cet humour se déploie largement dans l'évocation
de l'allure grotesque de l'enfant, tel qu'il est habillé
par les bons soins de sa mère. Le ridicule vestimentaire est l'occasion d'autoportraits savoureux et de
scènes clownesques :

Je suis en noir souvent, « rien n'habille comme le
noir », et en habit, en frac, avec un chapeau haut de
forme ; j'ai l'air d'un poêle.

Cependant, comme j'use beaucoup, on m'a acheté,
dans la campagne, une étoffe jaune et velue, dont je
suis enveloppé. Je joue l'ambassadeur lapon. Les
étrangers me saluent ; les savants me regardent[2].

*L'humour exploite l'ambiguïté de l'énonciation : le
texte ne mime pas uniquement la voix enfantine, il
introduit des analogies (« l'ambassadeur lapon ») qui
suggèrent une voix adulte. L'humour tire parti également de la parole rapportée, avec le rappel, entre
guillemets, d'un principe maternel. Mais il faut encore
autre chose : la concentration, en quelques lignes,
d'un fragment de vie particulièrement représentatif, et
l'amplification grotesque, qui transgresse toute mesure réaliste : c'est l'excès même des images qui permet de satisfaire, par la drôlerie des mots, ce désir
d'expansion dont est privé le corps représenté.*

1. Cette fonction de l'humour de la Trilogie de *Jacques Vingtras* est
parfaitement repérée par Marie-Claire Bancquart dans son *Jules Vallès*
(Paris, Seghers, 1971). Pour une analyse développée de cette question,
voir Denis Labouret, « Rire et Révolution : aspects de l'humour dans
la Trilogie », *AJV*, n° 2, oct. 1985 (Actes du colloque du Centenaire) ; et
« Le livre du rire et de la mémoire », *AJV*, n° 20, juin 1995 (numéro
spécial « Vallès ridens »).
2. Chapitre v.

Le narrateur du Bachelier *parlera de ce temps où il avait ses « habits grotesques », quand sa mère « faisait rire de [lui]*[1] *». Les contraintes dont le personnage n'a pu se défaire au temps où sa mère l'affublait d'un déguisement grotesque, c'est l'humour du roman qui en délivre. Au Moi de tourner en dérision ces déguisements, retournant le rire passivement subi en un rire parfaitement dominé. Il en va de même des multiples ressemblances animales. On peut rire de voir Jacques comparé à un « chien savant », à un « singe », à un « veau » ou à un « canard dont le derrière pousse » : le lexique du cirque et de l'animalité désigne l'éclatement d'une identité ; insaisissable sous la succession protéiforme d'apparences contradictoires, l'enfant ne peut se définir comme un Moi cohérent. Mais l'humour effectue, dans la distance critique d'un regard sur soi dépourvu de toute complaisance, le travail unifiant de la conscience réflexive. C'est le dédoublement du narrateur en un personnage dupe et comique d'une part, et une conscience humoristique critique d'autre part, qui est le principal ressort du rire dans* L'Enfant, *avant toute visée satirique contre la famille et l'école.*

Dans ce jeu des deux points de vue de l'enfant et de l'adulte, confondus dans un présent qui semble abolir le temps intermédiaire, se révèle une aptitude à replonger dans une vision enfantine du monde et des choses qui donne à l'humour de Vallès sa tonalité propre. On n'est pas loin de la définition que Kierkegaard donnait de l'humour : « L'humoristique apparaît du fait qu'on laisse l'enfantin se réfléchir dans la conscience totale. [...] L'humoriste possède l'enfantin mais n'est pas possédé par lui*[2]. » La distance où se*

1. *Op. cit.*, p. 197.
2. S. Kierkegaard, *Post-scriptum aux Miettes philosophiques*, Gallimard, « Classiques de la philosophie », 1941, p. 372.

situe l'humoriste permet à la mémoire de reconstruire
le passé et de lui donner sens en intégrant le point de
vue enfantin dans le point de vue de l'adulte. L'humour, pour Kierkegaard, englobe la mémoire de la
souffrance : « la douleur cachée de l'humoriste con-
tient une sympathie » que ne connaît pas l'ironiste.
Et la phrase proposée en guise d'exemple pourrait être
de Vallès — « [...] le bonheur de l'enfance de recevoir
des coups » : « Quand la réplique tomba, on en rit
[...]. On prit la réplique pour de l'ironie, ce qu'elle
n'était pas du tout. [...] elle contenait une résonance
de douleur qui est tout à fait incorrecte dans l'ironie[1]. »

On pourra trouver pourtant bien légers et faciles
maints jeux de mots de *L'Enfant*, ou au contraire bien
pesantes des situations grotesques dans lesquelles le
renversement carnavalesque des valeurs apparaît sans
nuances... Or les uns et les autres s'éclairent si l'on
saisit leur relation avec le corps souffrant de l'enfant,
si on les comprend en fonction du point de vue
enfantin par lequel sont filtrées les discordances du
discours parental et magistral. L'humour acquiert
alors toute sa force critique, sans perdre sa « résonance de douleur ». Si le rire surgit souvent de la
mise en scène du corps blessé, le sort réservé au nez
est particulièrement exemplaire : le nez de Jacques
doit être « clarifié », mis longuement à tremper en
prévision de la récitation classique, car « un nez vigoureusement clarifié permet d'avoir la voix claire »,
donc de bien dire. Voilà le corps de l'enfant victime
de l'alliance objective de Mme Vingtras et de l'Institution scolaire... Mais c'est par la voix et par le dire,
précisément, qu'il va se retourner plaisamment contre
ces deux instances d'autorité :

1. *Ibid.*, p. 372-373.

Seringue molle, mon nez a tiré et craché l'eau pendant une demi-heure, peut-être plus, et il me semble qu'on m'a vidé et que ma tête tient à mon cou comme un ballon rose à un fil ; le vent la balance. J'y porte la main. « Où est-elle ? — Ah ! la voilà ! » [...]

[...] je dis : « Baban ».

BABAN, pour appeler celle qui m'a donné le jour !

Oh ! baban, ba père ! pour dire : « Maman, ma mère. »

En classe, quand je récite le premier chant de l'*Iliade*, je dis : *Benin, aeïde ! — atchiou ! theia Beleiadeio, — atchiou !*

Je traîne dans le ridicule le vieil *Hobère* ! Atchoum[1] !

Le comique des déformations sonores fait coup double : le nom de mère *et le nom* d'Homère, *rapprochés par leur parenté sonore, sont victimes à leur tour. L'humour venge dans la matière même de la langue les servitudes de l'enfance, corporelles et culturelles.*

Les équivoques les plus drôles de L'Enfant *confirment la densité d'un texte capable, on l'a vu, de mettre en rapport au présent plusieurs couches de passé : un seul mot se charge de plusieurs histoires, superpose mémoire consciente et souvenirs enfouis. Quand dans un dialogue se heurtent le champ de référence d'un professeur de grec et celui de Mme Vingtras, le comique vient d'abord de la rencontre de deux systèmes de référence entre lesquels la communication est impossible :*

« Quelle imagination il a, et quelle facilité ! Minerve est sa marraine !

— Tante Agnès, dit ma mère.

1. Chapitre XX.

— Tantagnès, Tantagnétos, Tantagnététon.

— Vous dites, fait Mme Vingtras, qui semble effrayée par une de ces consonances, et a rougi du
génitif pluriel[1] ! [...] »

*Dialogue de sourds entre manque de savoir et savoir mécanique, entre réflexe de censure et réflexe
de culture : ce double sens de* Tantagnès, *interprété
différemment selon le code social et familial, provoque le rire en signalant cette contradiction majeure
dont le narrateur a tant souffert. Or la terminaison
en -*téton, *qui devrait être prononcée* tétôn *mais que
déforme Vallès, rappelle la mise en question du sein
originel sur laquelle s'ouvrait le roman :* « Ai-je été
nourri par ma mère ? » *— d'autant que le génitif, en
grec, est le cas de l'origine et de l'appartenance. L'humour qui vise sans doute, en surface, et la mère et
l'école, atteint une couche plus profonde. Le mot comique est polysémique : il joue sur plusieurs significations ; mais il est aussi* polymnésique : *il traverse
plusieurs strates de la mémoire, en un compromis qui
satisfait à la fois l'esprit cultivé et le plaisir infantile.*

L'humour de L'Enfant, *s'appliquant aux failles
des discours et institutions par lesquels, et contre
lesquels, grandit l'individu, ressaisit à sa manière
tout le mouvement d'une vie. Vallès embrasse la totalité inachevée de son existence en devenir, observée à la fois à distance et de l'intérieur, par le
pouvoir d'une voix narrative ambiguë et par le
moyen paradoxal d'un récit éclaté. Cette délivrance
par l'écriture est logiquement appelée à se poursuivre. Au moment où il écrit* L'Enfant, *Vallès pense
déjà à la suite. Récit dynamique de l'enfance d'un*

1. Chapitre xx.

révolté, *selon l'un des titres envisagés*[1], Vingtras, I *annonce* Vingtras, II *et* III, *et* L'Insurgé *donne lui-même tout son sens à* L'Enfant, *comme un Temps retrouvé éclairant la démarche depuis son commencement*[2]. *De même que le rire de l'individu Vallès prend ses racines dans un rire populaire qui lui donne une portée sociale, de même le sang personnel versé au sortir de l'enfance est destiné à rejoindre le sang des luttes. L'image sur laquelle s'achève* L'Insurgé *reprend ainsi le motif final de* L'Enfant, *élargi aux dimensions d'un symbole politique :*

Je regarde le ciel du côté où je sens Paris.

Il est d'un bleu cru, avec des nuées rouges. On dirait une grande blouse inondée de sang[3].

Cette ouverture, cet élan, cette mémoire vive empêchent radicalement L'Enfant *de se figer, de se refermer en un récit d'enfance transparent et achevé. Porté par des forces contraires, déchiré entre la terre et les textes, entre la nature enfouie, refoulée par la mère, et l'autorité de la culture reproduite par le père, le roman tire toute sa force d'un présent qui mine la tradition narrative et d'un dire qui mêle avec irrévérence les registres et les références — pour mieux affirmer la « liberté du rire*[4] ». *Puisse-t-il encore nous surprendre !*

Denis Labouret

---

1. Voir la Notice à la fin de ce volume.
2. La comparaison a été proposée par plusieurs critiques : voir notamment les préfaces de *L'Insurgé* par Émilien Carassus (Garnier-Flammarion, 1968) et par Marie-Claire Bancquart (Gallimard, Folio classique, 1975).
3. Folio classique, 1975, p. 334 (édition de Marie-Claire Bancquart).
4. « Vive au moins la liberté du rire ! » proclamait Vallès dans un article de 1867 (*La Rue*, 14 décembre 1867, *Œuvres*, Bibl. de la Pléiade, t. I, p. 1027).

L'Enfant

À TOUS CEUX

qui crevèrent d'ennui au collège
ou
qu'on fit pleurer dans la famille,
qui, pendant leur enfance,
furent tyrannisés par leurs maîtres
ou
rossés par leurs parents

Je dédie ce livre

JULES VALLÈS[1]

---

1. Cette dédicace, qui ne figurait pas dans la publication de *L'Enfant* en feuilleton dans *Le Siècle*, apparaît dans l'édition en volume de

1879. Elle est à mettre en relation avec les dédicaces des deux autres tomes de la Trilogie : « *À ceux qui, nourris de grec et de latin, sont morts de faim, je dédie ce livre* » *(Le Bachelier)* ; « AUX MORTS DE 1871. *À tous ceux qui, victimes de l'injustice sociale, prirent les armes contre un monde mal fait et formèrent, sous le drapeau de la Commune, la grande fédération des douleurs, je dédie ce livre* » *(L'Insurgé)*. La souffrance des victimes prend sens dans l'horizon de la révolte à venir : enfance douloureuse et insurrection libératrice s'éclairent mutuellement. Le destin d'un seul rejoint ainsi la trajectoire d'une génération. La dédicace recharge l'ensemble du roman d'un sens politique qui était beaucoup plus discret dans la version parue en feuilleton.

I
MA MÈRE

Ai-je été nourri par ma mère ? Est-ce une paysanne qui m'a donné son lait ? Je n'en sais rien. Quel que soit le sein que j'ai mordu, je ne me rappelle pas une caresse du temps où j'étais tout petit ; je n'ai pas été dorloté, tapoté, baisotté ; j'ai été beaucoup fouetté.

Ma mère dit qu'il ne faut pas gâter les enfants, et elle me fouette tous les matins ; quand elle n'a pas le temps le matin, c'est pour midi, rarement plus tard que quatre heures[1].

Mlle Balandreau[2] m'y met du suif.

---

1. Ce deuxième paragraphe et ceux qui suivent, jusqu'à « en cachette » (p. 36), reprennent presque mot pour mot le début du *Testament d'un blagueur*, publié par Vallès dans *La Parodie* en 1869 (*Œuvres*, Bibl. de la Pléiade, t. I, p. 1098). C'est surtout le nom de l'enfant qui a changé : Jacques Vingtras s'appelait Ernest Pitou.
2. Le personnage a dû exister réellement, mais n'a pas été identifié. Mlle Balandreau apparaît sous le même nom dans *Le Testament d'un blagueur*, où elle joue déjà ce rôle de mère « remplaçante » positive — et de comédienne.

C'est une bonne vieille fille de cinquante ans. Elle demeure au-dessous de nous. D'abord elle était contente : comme elle n'a pas d'horloge, ça lui donnait l'heure. « Vlin ! Vlan ! Zon ! Zon ! — voilà le petit Chose[1] qu'on fouette ; il est temps de faire mon café au lait. »

Mais un jour que j'avais levé mon pan, parce que ça me cuisait trop, et que je prenais l'air entre deux portes, elle m'a vu ; mon derrière lui a fait pitié.

Elle voulait d'abord le montrer à tout le monde, ameuter les voisins autour ; mais elle a pensé que ce n'était pas le moyen de le sauver, et elle a inventé autre chose.

Lorsqu'elle entend ma mère me dire : « Jacques, je vais te fouetter !

— Madame Vingtras, ne vous donnez pas la peine, je vais faire ça pour vous.

— Oh ! chère demoiselle, vous êtes trop bonne ! »

Mlle Balandreau m'emmène ; mais au lieu de me fouetter, elle frappe dans ses mains ; moi, je crie. Ma mère remercie, le soir, sa remplaçante.

« À votre service », répond la brave fille, en me glissant un bonbon en cachette.

Mon premier souvenir date donc d'une fessée. Mon second est plein d'étonnement et de larmes.

C'est au coin d'un feu de fagots, sous le manteau d'une vieille cheminée ; ma mère tricote dans un coin ; une cousine à moi, qui sert de bonne dans la maison pauvre, range sur des planches rongées quelques assiettes de grosse faïence avec des coqs à crête rouge, et à queue bleue.

---

1. Souvenir du *Petit Chose* d'Alphonse Daudet (1868), autre récit d'une enfance malheureuse auquel Vallès reprochera d'être un « conte » plutôt qu'une « vie d'enfant » (dans *La Rue* du 21 déc. 1879).

Mon père a un couteau à la main et taille un morceau de sapin ; les copeaux tombent jaunes et soyeux comme des brins de rubans. Il me fait un chariot avec des languettes de bois frais. Les roues sont déjà taillées ; ce sont des ronds de pommes de terre avec leur cercle de peau brune qui fait le fer... Le chariot va être fini ; j'attends tout ému et les yeux grands ouverts, quand mon père pousse un cri et lève sa main pleine de sang. Il s'est enfoncé le couteau dans le doigt. Je deviens tout pâle et je m'avance vers lui ; un coup violent m'arrête ; c'est ma mère qui me l'a donné, l'écume aux lèvres, les poings crispés.

« C'est ta faute si ton père s'est fait mal ! »

Et elle me chasse sur l'escalier noir, en me cognant encore le front contre la porte.

Je crie, je demande grâce, et j'appelle mon père ; je vois, avec ma terreur d'enfant, sa main qui pend toute hachée ; c'est moi qui en suis cause ! Pourquoi ne me laisse-t-on pas entrer pour savoir ? On me battra après si l'on veut. Je crie, on ne me répond pas. J'entends qu'on remue des carafes, qu'on ouvre un tiroir ; on met des compresses.

« Ce n'est rien », vient me dire ma cousine, en pliant une bande de linge tachée de rouge.

Je sanglote, j'étouffe : ma mère reparaît et me pousse dans le cabinet où je couche, où j'ai peur tous les soirs.

Je puis avoir cinq ans et me crois un parricide.

Ce n'est pas ma faute, pourtant !

Est-ce que j'ai forcé mon père à faire ce chariot ? Est-ce que je n'aurais pas mieux aimé saigner, moi, et qu'il n'eût point mal ?

Oui — et je m'égratigne les mains pour avoir mal aussi.

C'est que maman aime tant mon père ! Voilà
pourquoi elle s'est emportée.

On me fait apprendre à lire dans un livre où il y
a écrit en grosses lettres, qu'il faut obéir à ses père
et mère : ma mère a bien fait de me battre.

La maison[1] que nous habitons est dans une rue
sale, pénible à gravir, du haut de laquelle on embrasse tout le pays, mais où les voitures ne passent
pas. Il n'y a que les charrettes de bois qui y arrivent,
traînées par des bœufs qu'on pique avec un aiguillon.
Ils vont, le cou tendu, le pied glissant ; leur langue
pend et leur peau fume. Je m'arrête toujours à les
voir, quand ils portent des fagots et de la farine
chez le boulanger qui est à mi-côte ; je regarde en
même temps les mitrons tout blancs et le grand
four tout rouge, — on enfourne avec de grandes
pelles, et ça sent la croûte et la braise !

La prison est au bout de la rue, et les gendarmes
conduisent souvent des prisonniers qui ont les menottes, et qui marchent sans regarder ni à droite ni
à gauche, l'œil fixe, l'air malade.

Des femmes leur donnent des sous qu'ils serrent
dans leurs mains en inclinant la tête pour remer-
cier.

Ils n'ont pas du tout l'air méchant.

Un jour on en a emmené un sur une civière, avec
un drap blanc qui le couvrait tout entier ; il s'était
mis le poignet sous une scie, après avoir volé ; il
avait coulé tant de sang qu'on croyait qu'il allait
mourir.

1. La maison des Vallez, au Puy (Haute-Loire), se trouvait dans la
partie haute de la ville, à l'est.

Le geôlier, en sa qualité de voisin, est un ami de la maison ; il vient de temps en temps manger la soupe chez les gens d'en bas, et nous sommes camarades, son fils et moi. Il m'emmène quelquefois à la prison, parce que c'est plus gai. C'est plein d'arbres ; on joue, on rit, et il y en a un, tout vieux, qui vient du bagne et qui fait des cathédrales avec des bouchons et des coquilles de noix.

À la maison l'on ne rit jamais ; ma mère bougonne toujours. — Oh ! comme je m'amuse davantage avec ce vieux-là et le grand qu'on appelle le braconnier, qui a tué le gendarme à la foire du Vivarais[1] !

Puis, ils reçoivent des bouquets qu'ils embrassent et cachent sur leur poitrine. J'ai vu, en passant au parloir, que c'étaient des femmes qui les leur donnaient.

D'autres ont des oranges et des gâteaux que leurs mères leur portent, comme s'ils étaient encore tout petits. Moi je suis tout petit, et je n'ai jamais ni gâteaux, ni oranges.

Je ne me rappelle pas avoir vu une fleur à la maison. Maman dit que ça gêne et qu'au bout de deux jours ça sent mauvais. Je m'étais piqué à une rose l'autre soir, elle m'a crié : « Ça t'apprendra ! »

J'ai toujours envie de rire quand on dit la prière. J'ai beau me retenir ! Je prie Dieu avant de me mettre à genoux, je lui jure bien que ce n'est pas de lui que je ris, mais, dès que je suis à genoux, c'est plus fort que moi. Mon oncle a des verrues qui le démangent, et il les gratte, puis il les mord ; j'éclate.

1. Région de l'est du Massif central, à cheval sur les départements de la Haute-Loire et de l'Ardèche.

— Ma mère ne s'en aperçoit pas toujours, heureusement ; mais Dieu, qui voit tout, qu'est-ce qu'il peut
penser ?

Je n'ai pas ri pourtant, l'autre jour ! On avait
dîné à la maison avec ma tante de Vourzac et mes
oncles de Farreyrolles[1], on était en train de manger
la *tourte*, quand tout à coup il a fait noir. On avait
eu chaud tout le temps, on étouffait, et l'on avait
ôté ses habits. Voilà que le tonnerre a grondé. La
pluie est tombée à torrents, de grosses gouttes faisaient *floc* dans la poussière. Il y avait une fraîcheur de cave, et aussi une odeur de poudre ; dans
la rue, le ruisseau bouillait comme une lessive,
puis les vitres se sont mises à grincer : il tombait
de la grêle.

Mes tantes et mes oncles se sont regardés, et l'un
d'eux s'est levé ; il a ôté son chapeau et s'est mis à
dire une prière. Tous se tenaient debout et décou-
verts, avec leurs fronts jeunes ou vieux pleins de
tristesse. Ils priaient Dieu de n'être pas trop cruel
pour leurs champs, et de ne pas tuer, avec son
plomb blanc, leurs moissons en fleur.

Un grêlon a passé par une fenêtre, au moment où
l'on disait *Amen*, et a sauté dans un verre.

Nous venons de la campagne.

Mon père est fils de paysan[2] qui a eu de l'orgueil
et a voulu que son fils étudiât *pour être prêtre*. On a
mis ce fils chez un oncle curé pour apprendre le
latin, puis on l'a envoyé au séminaire.

Mon père — celui qui devait être mon père — n'y
est pas resté, a voulu être bachelier, arriver aux

---

1. Deux villages de la commune de Sanssac-l'Église, près du Puy.
2. Le grand-père de Jules Vallès, Jean-Louis Vallez, cultivateur,
était le frère de l'abbé Thomas Vallez, l'« oncle curé ».

honneurs, et s'est installé dans une petite chambre au fond d'une rue noire, d'où il sort, le jour, pour donner quelques leçons à dix sous l'heure, et où il rentre, le soir, pour faire la cour à une paysanne qui sera ma mère, et qui accomplit pour le moment ses devoirs de nièce dévouée près d'une tante malade.

On se brouille pour cela avec l'oncle curé, on dit adieu à l'Église ; on s'aime, on *s'accorde*, on s'épouse ! On est aussi au plus mal avec les père et mère, à qui l'on a fait des sommations pour arriver à ce mariage de la débine et de la misère.

Je suis le premier enfant de cette union bénie[1]. Je viens au monde dans un lit de vieux bois qui a des punaises de village et des puces de séminaire[2].

La maison appartient à une dame de cinquante ans qui n'a que deux dents, l'une marron et l'autre bleue, et qui rit toujours ; elle est bonne et tout le monde l'aime. Son mari s'est noyé en faisant le vin dans une cuve, ce qui me fait beaucoup rêver et me donne grand-peur des cuves, mais grand amour du vin. Il faut que ce soit bien bon pour que M. Garnier — c'est son nom — en ait pris jusqu'à mourir. Mme Garnier boit, tous les dimanches, de ce vin

---

1. Et le seul, d'après la suite du roman. Jules Vallès, en revanche, était le troisième enfant d'une famille de sept (voir la chronologie). L'auteur ne vise donc pas ici l'exactitude autobiographique, mais une autre forme de vérité, celle du triangle familial père-mère-enfant dont il accuse les traits pour en souligner la violence exemplaire.
2. La critique conservatrice a vu là un double sacrilège : Vallès souille, d'une phrase, et la Famille et la Religion. Léon Bloy commente ainsi ce passage : « Voilà comment ce noble homme parle du lit conjugal de ses parents, et il ne s'arrête plus. Comme il tient évidemment à *ruisseler d'inouïsme*, il fait ce que personne n'avait encore osé faire. Il déshonore ces pauvres gens » (« La frénésie du médiocre », *Le Chat noir*, 12 janvier 1884).

qui sent l'homme qu'elle a aimé : les souliers du mort sont aussi sur une planche, comme deux chopines vides.

On se grise pas mal dans la maison où je demeure.

Un abbé qui reste sur notre carré[1] ne sort jamais de table sans avoir les yeux hors de la tête, les joues luisantes, l'oreille en feu. Sa bouche laisse passer un souffle qui sent le fût, et son nez a l'air d'une tomate écorchée. Son bréviaire embaume la matelote.

Il a une bonne, Mlle Henriette, qu'il regarde de côté, quand il a bu. On parle quelquefois d'elle et de lui dans les coins.

Au second, M. Grélin. Il est lieutenant des pompiers, et, le jour de la Fête-Dieu, il commande sur la place. M. Grélin est architecte, mais on dit qu'il n'y entend rien, que « c'est lui qui est cause que le Breuil[2] est toujours plein d'eau, qu'il a coûté cinquante mille francs à la ville, et que, *sans sa femme...* ». On dit je ne sais quoi de sa femme. Elle est gentille, avec de grands yeux noirs, de petites dents blanches, un peu de moustache sur la lèvre ; elle fait toujours bouffer son jupon et sonner ses talons quand elle marche.

Elle a l'accent du Midi, et nous nous amusons à l'imiter quelquefois.

On dit qu'elle a des « amants ». Je ne sais pas ce que c'est, mais je sais bien qu'elle est bonne pour moi, qu'elle me donne, en passant, des tapes sur les joues, et que j'aime à ce qu'elle m'embrasse, parce

1. Palier.
2. Grande place du Puy, appelée aussi « Fer-à-Cheval » à partir de 1839.

qu'elle sent bon. Les gens de la maison ont l'air de l'éviter un peu, mais sans le lui montrer.

« Vous dites donc qu'elle est bien avec l'adjoint ?

— Oui, oui, au mieux !

— Ah ! ah ! et ce pauvre Grélin ? »

J'entends cela de temps en temps, et ma mère ajoute des mots que je ne comprends pas.

« Nous autres, les honnêtes femmes, nous mourons de faim. Celles-là, on leur fourre des places pour leurs maris, des robes pour leurs fêtes ! »

Est-ce que Mme Grélin n'est pas honnête ? Que fait-elle ? Qu'y a-t-il ! pauvre Grélin !

Mais Grélin a l'air content comme tout. Ils sont toujours à donner des caresses et des joujoux à leurs enfants ; on ne me donne que des gifles, on ne me parle que de l'enfer, on me dit toujours que je crie trop.

Je serais bien plus heureux si j'étais le fils à Grélin : mais voilà ! L'adjoint viendrait chez nous quand ma mère serait seule... Ça me serait bien égal à moi.

Mme Toullier reste au troisième : voilà une femme honnête !

Mme Toullier vient à la maison avec son ouvrage, et ma mère et elle causent des gens d'en bas, des gens de dessus, et aussi des gens de Raphaël et d'Espailly[1]. Mme Toullier prise, a des poils plein les oreilles, des pieds avec des oignons ; elle est plus honnête que Mme Grélin. Elle est plus bête et plus laide aussi.

Quels souvenirs ai-je encore de ma vie de petit enfant ? Je me rappelle que, devant la fenêtre, les

---

1. Deux villages proches du Puy, appelés aussi Rafayet et Espally ou Expailly.

oiseaux viennent l'hiver picorer dans la neige ; que
l'été, je salis mes culottes dans une cour qui sent
mauvais ; qu'au fond de la cave, un des locataires
engraisse des dindes. On me laisse pétrir des boulettes de son mouillé, avec lesquelles on les bourre,
et elles étouffent. Ma grande joie est de les voir suf-
foquer, devenir bleues. Il paraît que j'aime le bleu !

Ma mère apparaît souvent pour me prendre par
les oreilles et me calotter. C'est pour mon bien ;
aussi, plus elle m'arrache de cheveux, plus elle me
donne de taloches, et plus je suis persuadé qu'elle
est une bonne mère et que je suis un enfant ingrat.

Oui, ingrat ! car il m'est arrivé quelquefois, le
soir, en grattant mes bosses, de ne pas me mettre à
la bénir, et c'est à la fin de mes prières, tout à fait,
que je demande à Dieu de lui garder la santé pour
veiller sur moi et me continuer ses bons soins.

Je suis grand, je vais à l'école[1].

Oh ! la belle petite école ! Oh ! la belle rue ! et si
vivante, les jours de foire !

Les chevaux qui hennissent ; les cochons qui se
traînent en grognant, une corde à la patte ; les poulets qui s'égosillent dans les cages ; les paysannes en
tablier vert, avec des jupons écarlates ; les fromages
bleus, les *tomes* fraîches, les paniers de fruits ; les
radis roses, les choux verts !...

Il y avait une auberge tout près de l'école, et l'on
y déchargeait souvent du foin.

---

1. Probablement l'école privée de Mlle Labre, au Puy, fréquentée
par Jules vers 1837, avant le collège. Vallès l'évoquait déjà dans un
texte de 1865 repris dans *La Rue* : « Je pouvais bien avoir cinq ans, et
j'allais déjà à l'école. Pauvre mioche ! Tous les matins, je passais, avec
mon grand *cartable* pendant sur mes petites jambes, le nez barbouillé
de confitures, les mains pleines d'encre, accroché au jupon de ma
bonne » (*Œuvres*, Bibl. de la Pléiade, t. I, p. 668).

Le foin, où l'on s'enfouissait jusqu'aux yeux, d'où l'on sortait hérissé et suant, avec des brins qui vous étaient restés dans le cou, le dos, les jambes, et vous piquaient comme des épingles !...

On perdait ses livres dans la meule, son petit panier, son ceinturon, une galoche... Toutes les joies d'une fête, toutes les émotions d'un danger... Quelles minutes !

Quand il passe une voiture de foin, j'ôte mon chapeau et je la suis.

II

LA FAMILLE

Deux tantes du côté de ma mère, la tante Rosalie et la tatan Mariou[1]. On appelle cette dernière *tatan* ; je ne sais pourquoi, parce qu'elle est plus caressante peut-être. Je vois toujours son grand rire blanc et doux dans son visage brun : elle est maigre et assez gracieuse, elle est femme.

Ma tante Rosalie, son aînée, est énorme, un peu voûtée ; elle a l'air d'un chantre ; elle ressemble au père Jauchard, le boulanger, qui entonne les vêpres le dimanche et qui commence les cantiques quand on fait le chemin de la croix. Elle est l'*homme* dans son ménage ; son mari, mon oncle Jean, ne compte

1. La mère de Jules Vallès, Julie Pascal, avait un frère, Joseph (l'« oncle Joseph »), et une sœur, Anne-Marie (« Mariou », épouse du « laboureur » Louis Colomb et mère de « la Polonie »), ainsi qu'une demi-sœur, Marie-Rosalie Fabre, issue d'un premier mariage de sa mère ; cette « tante Rosalie » était mariée à Jean Colomb (l'« oncle Jean ») et mère de deux filles (Marie-Marguerite et Marie-Julie, les cousines Marguerite et Marianne dans *L'Enfant*).

pas : il se contente de gratter une petite verrue qui
joue le grain de beauté dans son visage fripé, tiré,
ridé. — J'ai remarqué, depuis, que beaucoup de
paysans ont de ces figures-là, rusées, vieillottes, pointues ; ils ont du sang de théâtre ou de cour qui s'est
égaré un soir de fête ou de comédie dans la grange
ou l'auberge, ils sentent le cabotin, le ci-devant, le
vieux noble, à travers les odeurs de l'étable à cochons et du fumier : ratatinés par leur origine, ils
restent gringalets sous les grands soleils.

Le mari de la tatan Mariou, lui, est bien un bou-
vier ! Un beau laboureur blond, cinq pieds sept
pouces, pas de barbe, mais des poils qui luisent sur
son cou, un cou rond, gras, doré ; il a la peau couleur de paille, avec des yeux comme des bleuets et
des lèvres comme des coquelicots ; il a toujours la
chemise entrouverte, un gilet rayé jaune, et son
chapeau à chenille tricolore ne le quitte jamais. J'ai
vu comme cela des dieux des champs dans des pay-
sages de peintres.

Deux tantes du côté de mon père.

Ma tante Mélie[1] est muette, — avec cela bavarde,
bavarde !

Ses yeux, son front, ses lèvres, ses mains, ses pieds,
ses nerfs, ses muscles, sa chair, sa peau, tout chez
elle remue, jase, interroge, répond ; elle vous har-
cèle de questions, elle demande des répliques ; ses
prunelles se dilatent, s'éteignent ; ses joues se gonflent, se rentrent ; son nez saute ! elle vous touche
ici, là, lentement, brusquement, pensivement, folle-
ment ; il n'y a pas moyen de finir la conversation. Il
faut y être, avoir un signe pour chaque signe, un

---

1. Amélie, l'une des deux sœurs de Jean-Louis Vallez, le père de
Vallès.

geste pour chaque geste, des reparties, du trait, regarder tantôt dans le ciel, tantôt à la cave, attraper sa pensée comme on peut, par la tête ou par la queue, en un mot, se donner tout entier, tandis qu'avec les commères qui ont une langue, on ne fait que prêter l'oreille : rien n'est bavard comme un sourd-muet.

Pauvre fille ! elle n'a pas trouvé à se marier. C'était certain, et elle vit avec peine du produit de son travail manuel ; non qu'elle manque de rien, à vrai dire, mais elle est coquette, la tante Amélie !

Il faut entendre son petit grognement, voir son geste, suivre ses yeux, quand elle essaye une coiffe ou un fichu ; elle a du goût : elle sait planter une rose au coin de son oreille morte, et trouver la couleur du ruban qui ira le mieux à son corsage, près de son cœur qui veut parler...

Grand-tante Agnès[1].

On l'appelle la « béate ».

Il y a tout un monde de vieilles filles qu'on appelle de ce nom-là[2].

« M'man, qu'est ce que ça veut dire, une béate ? »

Ma mère cherche une définition et n'en trouve pas ; elle parle de consécration à la Vierge, de vœux d'innocence.

« L'innocence. Ma grand-tante Agnès représente l'innocence ? C'est fait comme cela, l'innocence ! »

Elle a bien soixante-dix ans, et elle doit avoir les cheveux blancs ; je n'en sais rien, personne n'en sait rien, car elle a toujours un serre-tête noir qui lui colle comme du taffetas sur le crâne ; elle a, par

---

1. Sœur du grand-père de Vallès et du grand-oncle curé, de son vrai nom Aimée-Marie Besse, dentellière au Puy.
2. Les *béates* : communauté religieuse du diocèse du Puy, spécialisée dans l'éducation des jeunes filles et l'industrie de la dentelle.

exemple, la barbe grise, un bouquet de poils ici, une petite mèche qui frisotte par là, et de tous côtés des poireaux[1] comme des groseilles, qui ont l'air de bouillir sur sa figure.

Pour mieux dire, sa tête rappelle, par le haut, à cause du serre-tête noir, une pomme de terre brûlée et, par le bas, une pomme de terre germée : j'en ai trouvé une gonflée, violette, l'autre matin, sous le fourneau, qui ressemblait à grand-tante Agnès comme deux gouttes d'eau.

« Vœux d'innocence. »

Ma mère fait si bien, s'explique si mal, que je commence à croire que c'est malpropre d'être béate, et qu'il leur manque quelque chose, ou qu'elles ont quelque chose de trop.

Béate ?

Elles sont quatre « béates » qui demeurent ensemble — pas toutes avec des poireaux couleur de feu sur une peau couleur de cendre, comme grand-tante Agnès, qui est coquette, mais toutes avec un brin de moustache ou un bout de favoris, une noix de côtelette[2], et l'inévitable serre-tête, l'emplâtre noir !

On m'y envoie de temps en temps.

C'est au fond d'une rue déserte, où l'herbe pousse.

Grand-tante Agnès est ma marraine, et elle adore son filleul.

Elle veut me faire son héritier, me laisser ce qu'elle a, — pas son serre-tête, j'espère.

Il paraît qu'elle garde quelques vieux sous dans un vieux bas, et quand on parle d'une voisine chez

---

1. Verrues.
2. Favoris qui s'élargissent vers le bas.

qui l'on a trouvé un sac d'écus dans le fond d'un pot à beurre, elle rit dans sa barbe.

Je ne m'amuse pas fort chez elle, en attendant qu'on trouve son pot à beurre !

Il fait noir dans cette grande pièce, espèce de grenier soutenu par des poutres qui ont l'air en vieux bouchon, tant elles sont piquées et moisies !

La fenêtre donne sur une cour, d'où monte une odeur de boue cuite.

Il n'y a que les rideaux de lit qui me plaisent, — ils suffisent à me distraire ; on y voit des bonshommes, des chiens, des arbres, un cochon ; ils sont peints en violet sur l'étoffe, c'est le même sujet répété cent fois. Mais je m'amuse à les regarder de tous les côtés, et je vois surtout toutes sortes de choses dans les rideaux de ma grand-tante, quand je mets ma tête entre mes jambes pour les regarder.

La chasse — c'est le sujet — me paraît de toutes les couleurs. Je crois bien ! Le sang me descend à la figure ; j'ai le cerveau comme un fond de barrique : c'est l'apoplexie ! Je suis forcé de retirer ma tête par les cheveux pour me relever, et de la replacer droit comme une bouteille en vidange.

On fait des prières à tout bout de champ : *Amen ! amen !* avant la rave et après l'œuf.

Les raves sont le fond du dîner qu'on m'offre quand je vais chez la béate ; on m'en donne une crue et une cuite.

Je racle la crue, qui semble mousser sous le couteau, et a sur la langue un goût de noisette et un froid de neige.

Je mords avec moins de plaisir dans celle qui est cuite au feu de la chaufferette que la tante tient toujours entre les jambes, et qui est le meuble indispensable des béates. — Huit jambes de béates :

quatre chaufferettes — qui servent de boîte à fil en
été, et dont elles tournent la braise avec leur clef en
hiver.

Il y a de temps en temps un œuf.

On tire cet œuf d'un sac, comme un numéro de
loterie, et on le met à la coque, le malheureux !
C'est un véritable crime, un *coquicide*, car il y a toujours un petit poulet dedans.

Je mange ce fœtus avec reconnaissance, car on
m'a dit que tout le monde n'en mange pas, que j'ai
le bénéfice d'une rareté, mais sans entrain, car je
n'aime pas l'avorton en mouillettes et le poulet à la
petite cuiller.

En hiver, les béates travaillent *à la boule* : elles
plantent une chandelle entre quatre globes pleins
d'eau, ce qui donne une lueur blanche, courte et
dure, avec des reflets d'or.

En été, elles portent leurs chaises dans la rue sur
le pas de la porte, et les *carreaux*[1] vont leur train.

Avec ses bandeaux verts, ses rubans roses, ses
épingles à tête de perle, avec les fils qui semblent
des traînées de bave d'argent sur un bouquet, avec
ses airs de corsage riche, ses fuseaux bavards, le
carreau est un petit monde de vie et de gaieté.

Il faut l'entendre babiller sur les genoux des den-
tellières, dans les rues de béates, les jours chauds,
au seuil des maisons muettes. Un tapage de ruche

---

1. *Carreau* : métier de la dentellière. La région du Puy est connue
pour ce travail de la dentelle : « Cette industrie enrégimente toute la
population féminine des campagnes, l'été, dans des ateliers en plein
air, l'hiver, dans des chambrées, autour d'une faible lampe dont les
bouteilles rondes de verre blanc pleines d'eau envoient un rayon de lumière clarifiée sur chaque carreau. On fait là, entre une bourrée et un
rosaire, des merveilles de grâce et de finesse. » (*Grand Dictionnaire
universel du XIXᵉ siècle*, Larousse, éd. 1870).

ou de ruisseau, dès qu'elles sont seulement cinq ou
six à travailler, — puis quand midi sonne, le silence !

Les doigts s'arrêtent, les lèvres bougent, on dit la
courte prière de l'Angélus. Quand celle qui la dit a
fini, tous répondent mélancoliquement : *Amen* ! et
les *carreaux* se remettent à bavarder...

Mon oncle Joseph, mon *tonton* comme je dis, est
un paysan qui s'est fait ouvrier. Il a vingt-cinq ans,
et il est fort comme un bœuf ; il ressemble à un
joueur d'orgue ; la peau brune, de grands yeux, une
bouche large, de belles dents ; la barbe très noire,
un buisson de cheveux, un cou de matelot, des
mains énormes toutes couvertes de verrues, — ces
fameuses verrues qu'il gratte pendant la prière !

Il est *compagnon du Devoir*[1], il a une grande canne
avec de longs rubans, et il m'emmène quelquefois
chez la Mère des menuisiers. On boit, on chante, on
fait des tours de force, il me prend par la ceinture,
me jette en l'air, me rattrape, et me jette encore. J'ai
plaisir et peur ! puis je grimpe sur les genoux des
compagnons ; je touche à leurs mètres et à leurs
compas, je goûte au vin qui me fait mal, je me
cogne au *chef-d'œuvre*, je renverse des planches, et
m'éborgne à leurs grands faux cols, je m'égratigne
à leurs pendants d'oreilles. Ils ont des pendants
d'oreilles.

« Jacques, est-ce que tu t'amuses mieux avec ces
"messieurs de la bachellerie" qu'avec nous ?

1. Membre d'une association d'ouvriers dont les règles et les rites
sont codifiés par une longue tradition. Les compagnons ont à réaliser
un *chef-d'œuvre* et se reconnaissent à certains signes (rubans, cannes,
boucles d'oreille). La *Mère* est la femme élue qui veille à la protection
des compagnons et à leur accueil dans chaque ville du « Tour de
France ».

— Oh ! mais non ! »

Il appelle « messieurs de la bachellerie » les instituteurs, professeurs, maîtres de latinage ou de des-
sin, qui viennent quelquefois à la maison et qui
parlent du collège, tout le temps ; ce jour-là, on
m'ordonne majestueusement de rester tranquille,
on me défend de mettre mes coudes sur la table, je
ne dois pas remuer les jambes, et je mange le gras
de ceux qui ne l'aiment pas ! Je m'ennuie beaucoup
avec ces messieurs de la bachellerie, et je suis si
heureux avec les menuisiers !

Je couche à côté de tonton Joseph, et il ne s'endort jamais sans m'avoir conté des histoires — il en
sait tout plein — puis il bat la retraite avec ses
mains sur son ventre. Le matin, il m'apprend à donner des coups de poing, et il se fait tout petit pour
me présenter sa grosse poitrine à frapper ; j'essaie
aussi le coup de pied, et je tombe presque toujours.

Quand je me fais mal, je ne pleure pas, ma mère
viendrait.

Il part le matin et revient le soir.

Comme j'attends après lui ! Je compte les heures
quand il est sur le point de rentrer.

Il m'emporte dans ses bras après la soupe, et il
m'emmène jusqu'à ce qu'on se couche, dans son petit
atelier, qu'il a en bas, où il travaille à son compte, le
soir, en chantant des chansons qui m'amusent, et en
me jetant tous les copeaux par la figure ; c'est moi
qui mouche la chandelle, et il me laisse mettre les
doigts dans son vernis.

Il vient quelquefois des camarades le voir et causer avec lui, les mains dans les poches, l'épaule
contre la porte. Ils me font des amitiés, et mon
oncle est tout fier : « Il en sait déjà long, le gaillard !
— Jacques, dis-nous ta fable ! »

Un jour, l'oncle Joseph partit.

Ce fut une triste histoire !

Mme Garnier, la veuve de l'ivrogne qui s'est noyé dans sa cuve, avait une nièce qu'elle fit venir de Bordeaux, lors de la catastrophe.

Une grande brune, avec des yeux énormes, des yeux noirs, tout noirs, et qui brûlent ; elle les fait aller, comme je fais aller dans l'étude un miroir cassé, pour jeter des éclairs ; ils roulent dans les coins, remontent au ciel et vous prennent avec eux.

Il paraît que j'en tombai amoureux fou. Je dis « il paraît », car je ne me souviens que d'une scène de passion, d'épouvantable jalousie.

Et contre qui ?

Contre l'oncle Joseph lui-même, qui avait fait la cour à Mlle Célina Garnier, s'y était pris, je ne sais comment, mais avait fini par la demander en mariage et l'épouser.

L'aimait-elle ?

Je ne puis aujourd'hui répondre à cette question ; aujourd'hui que la raison est revenue, que le temps a versé sa neige sur ces émotions profondes. Mais alors, — au moment où Mlle Célina se maria, j'étais aveuglé par la passion.

Elle allait être la femme d'un autre ! Elle me refusait, moi si pur. Je ne savais pas encore la différence qu'il y avait entre une dame et un monsieur, et je croyais que les enfants naissaient sous les choux.

Quand j'étais dans un potager, il m'arrivait de regarder ; je me promenais dans les légumes avec l'idée que moi aussi je pouvais être père...

Mais tout de même, je tressaillais quand ma tante me tapotait les joues et me parlait en bordelais. Quand elle me regardait d'une certaine façon, le cœur me tournait, comme le jour où, sur le Breuil, j'étais monté dans une balançoire de foire.

J'étais déjà grand : *dix ans*. C'est ce que je lui disais :

« N'épouse pas mon oncle Joseph ! Dans quelque temps, je serai un homme : attends-moi, jure-moi que tu m'attendras ! C'est pour de rire, n'est-ce pas, la noce d'aujourd'hui ? »

Ce n'était pas pour de rire, du tout ; ils étaient mariés bel et bien, et ils s'en allèrent tous les deux.

Je les vis disparaître.

Ma jalousie veillait. J'entendis tourner la clef.

Elle me tordit le cœur, cette clef ! J'écoutai, je fis le guet. Rien ! rien ! Je sentis que j'étais perdu. Je rentrai dans la salle du festin, et *je bus pour oublier*.

Je n'osais plus regarder l'oncle Joseph en face depuis ce temps-là. Cependant quand il vint nous voir, la veille de son départ pour Bordeaux, il ne fit aucune allusion à notre rivalité, et me dit adieu avec la tendresse de l'oncle, et non la rancune du mari !

Il y a aussi ma cousine Apollonie ; on l'appelle la Polonie.

C'est comme ça qu'ils ont baptisé leur fille, ces paysans !

Chère cousine ! grande et lente, avec des yeux bleu de pervenche, de longs cheveux châtains, des épaules de neige ; un cou frais, que coupe de sa noirceur luisante un velours tenant une croix d'or ; le sourire tendre et la voix traînante, devenant rose dès qu'elle rit, rouge dès qu'on la fixe. Je la dévore des yeux quand elle s'habille — je ne sais pas pourquoi —, je me sens tout chose en la regardant retenir avec ses dents et relever sur son épaule ronde sa chemise qui dégringole, les jours où elle couche dans notre petite chambre, pour être au marché la première, avec ses blocs de beurre fermes et blancs comme les moules de chair qu'elle a sur sa poitrine. On s'arrache le beurre de la Polonie.

Elle vient quelquefois m'agacer le cou, me menacer les côtes, de ses doigts longs. Elle rit, me caresse et m'embrasse ; je la serre en me défendant, et je l'ai mordue une fois ; je ne voulais pas la mordre, mais je ne pouvais pas m'empêcher de serrer les dents, comme sa chair avait une odeur de framboise... Elle m'a crié : Petit méchant ! en me donnant une tape sur la joue, un peu fort ; j'ai cru que j'allais m'évanouir et j'ai soupiré en lui répondant ; je me sentais la poitrine serrée et l'œil plus doux.

Elle m'a quitté pour se rejeter dans son lit ; en me disant qu'elle avait attrapé froid. Elle ressemble par-derrière au poulain blanc que monte le petit du préfet.

J'ai pensé à elle tout le temps, en faisant mes thèmes.

Je reste quelquefois longtemps sans la voir, elle garde la maison au village, puis elle arrive tout d'un coup, un matin, comme une bouffée.

« C'est moi, dit-elle, je viens te chercher pour t'emmener chez nous ! Si tu veux venir ! »

Elle m'embrasse ! Je frotte mon museau contre ses joues roses, et je le plonge dans son cou blanc, je le laisse traîner sur sa gorge veinée de bleu !

Toujours cette odeur de framboise.

Elle me renvoie, et je cours ramasser mes hardes et changer de chemise.

Je mets une cravate verte et je vole à ma mère de la pommade pour sentir bon, moi aussi, et pour qu'elle mette sa tête sur mes cheveux !

Mon paquet est fait, je suis graissé et cravaté : mais je me trouve tout laid en me regardant dans le miroir, et je m'ébouriffe de nouveau ! Je tasse ma cravate au fond de ma poche, et, le col ouvert, la casquette tombante, je cours avoir un baiser encore. Ça me chatouillait ; je ne lui disais pas.

Le garçon d'écurie a donné une tape sur la croupe du cheval, un cheval jaune, avec des touffes de poils près du sabot ; c'est celui de ma *tatan* Mariou, qu'on enfourche, quand il y a trop de beurre à porter, ou de fromages bleus à vendre. La bête va l'amble ta ta ta, ta ta ta ! toute raide ; on dirait que son cou va se casser, et sa crinière couleur de mousse roule sur ses gros yeux qui ressemblent à des cœurs de moutons.

La tante ou la cousine montent dessus comme des hommes ; les mollets de ma tante sont maigres comme des fuseaux noirs, ceux de ma cousine paraissent gras et doux dans les bas de laine blanche.

Hue donc ! Ho, ho !

C'est Jean qui tire et fait virer le cheval ; il a eu son picotin d'avoine et il hennit en retroussant ses lèvres et montrant ses dents jaunes.

Le voilà sellé.

« Passez-moi Jacquinou », dit la Polonie, qui est parvenue à abaisser sur ses genoux sa jupe de futaine et s'est installée à pleine chair sur le cuir luisant de la selle. Elle m'aide à m'asseoir sur la croupe.

J'y suis !

Mais on s'aperçoit que j'ai oublié mes habits roulés dans un torchon, sur la table d'auberge pleine de ronds de vin cernés par les mouches.

On les apporte.

« Jean, attachez-les. Mon petit Jacquinou, passe tes bras autour de ma taille, serre-moi bien. »

Le pauvre cheval a le tricotement sec et les os durs ; mais je m'aperçois à ce moment que ce que dit la fable qu'on nous fait réciter est vrai.

Dieu fait bien ce qu'il fait[1] !

Ma mère en me fouettant m'a durci et tanné la peau.

« Serre, je te dis ! Serre-moi plus fort ! »

Et je la serre sous son fichu peint semé de petites fleurs comme des hannetons d'or, je sens la tiédeur de sa peau, je presse le doux de sa chair. Il me semble que cette chair se raffermit sous mes doigts qui s'appuient, et tout à l'heure, quand elle m'a regardé en tournant la tête, les lèvres ouvertes et le cou rengorgé, le sang m'est monté au crâne, a grillé mes cheveux.

J'ai un peu desserré les bras dans la rue Saint-Jean. C'est par là que passent les bestiaux, et nous allions au pas. J'étais tout fier. Je me figurais qu'on me regardait, et je faisais celui qui sait monter : je me retournais sur la croupe en m'appuyant du plat de la main, je donnais des coups de talons dans les cuisses et je disais hue ! comme un maquignon.

Nous avons traversé le faubourg, passé le dernier bourrelier.

Nous sommes à Expailly[2] !

Plus de maisons ! excepté dans les champs quelques-unes ; des fleurs qui grimpent contre les murs, comme des boutons de rose le long d'une robe

---

1. « Dieu fait bien ce qu'il fait » : La Fontaine, « Le Gland et la Citrouille » (*Fables*, IX, 4, v. 1). Vallès « récite », cite et recite : dans *Le Testament d'un blagueur*, la même formule apparaissait dans le même contexte (*Œuvres*, Bibl. de la Pléiade, t. I, p. 1110).
2. Voir n. 1, p. 43.

blanche ; un coteau de vignes, et la rivière au bas —
qui s'étire comme un serpent sous les arbres, bornée d'une bande de sable jaune, plus fin que de la
crème, et piqué de cailloux qui flambent comme
des diamants.

Au fond, des montagnes. Elles coupent de leur
échine noire, verdie par le poil des sapins, le bleu
du ciel où les nuages traînent en flocons de soie ;
un oiseau, quelque aigle sans doute, avait donné un
grand coup d'aile et il pendait dans l'air comme un
boulet au bout du fil.

Je me rappellerai toujours ces bois sombres, la rivière frissonnante, l'air tiède et le grand aigle...

J'avais oublié que j'étais le cœur battant contre
le dos de la Polonie. Elle-même, ma cousine, semblait ne penser à rien, et je ne me souviens avoir
entendu que le pas du cheval et le beuglement
d'une vache...

III

LE COLLÈGE

Le collège[1]. — Il donnait, comme tous les collèges,
comme toutes les prisons, sur une rue obscure,
mais qui n'était pas loin du Martouret, le Martouret[2], notre grande place, où étaient la mairie, le
marché aux fruits, le marché aux fleurs, le rendez
vous de tous les polissons, la gaieté de la ville. Puis
le bout de cette rue était bruyant, il y avait des

1. Vallès entra au collège royal du Puy, situé rue du Bessat, en 1839.
2. Place du Puy, dans la ville basse.

cabarets, « des bouchons », comme on disait, avec
un trognon d'arbre, un paquet de branches, pour
servir d'enseigne. Il sortait de ces bouchons un
bruit de querelles, un goût de vin qui me montait
au cerveau, m'irritait les sens et me faisait plus
joyeux et plus fort.

Ce goût de vin ! — la bonne odeur des caves ! —
j'en ai encore le nez qui bat et la poitrine qui se
gonfle.

Les buveurs faisaient tapage ; ils avaient l'air sans
souci, bons vivants, avec des rubans à leur fouet et
des agréments plein leur blouse. — Ils criaient, *to-
paient*[1] en jurant, pour des ventes de cochons ou de
vaches.

Encore un bouchon qui saute, un rire qui éclate,
et les bouteilles trinquent du ventre dans les doigts
du cabaretier ! Le soleil jette de l'or dans les verres,
il allume un bouton sur cette veste, il cuit un tas de
mouches dans ce coin. Le cabaret crie, embaume,
empeste, fume et bourdonne.

À deux minutes de là, le collège moisit, sue l'ennui et pue l'encre ; les gens qui entrent, ceux qui
sortent, éteignent leur regard, leur voix, leur pas,
pour ne pas blesser la discipline, troubler le silence,
déranger l'étude.

Quelle odeur de vieux !...

C'est Mlle Balandreau qui m'y conduit. — Ma mère
est souffrante. — On me fait mon panier avant de
partir, et je vais m'enfermer là-dedans jusqu'à huit
heures du soir. À ce moment-là, Mlle Balandreau

1. Se tapaient dans la main en signe d'accord. Verbe issu du voca-
bulaire des compagnons du Tour de France.

revient et me ramène. J'ai le cœur bien gros quelquefois et je lui conte mes peines en sanglotant.

Mon père fait la première étude[1], celle des élèves de mathématiques, de rhétorique et de philosophie. Il n'est pas aimé, on dit qu'il est *chien*[2].

Il a obtenu du proviseur la permission de me garder dans son étude, près de sa chaire, et je suis là, piochant mes devoirs à ses côtés, tandis qu'il prépare son agrégation.

Il a eu tort de me prendre avec lui. Les grands ne sont pas trop méchants pour moi ; ils me voient timide, craintif, appliqué ; ils ne me disent rien qui me fasse de la peine, mais j'entends ce qu'ils disent de mon père, comment ils l'appellent ; ils se moquent de son grand nez, de son vieux paletot, ils le rendent ridicule à mes yeux d'enfant, et je souffre sans qu'il le sache.

Il me brutalise quelquefois dans ces moments-là. « Qu'est-ce que tu as donc ? — Comme il a l'air nigaud ! »

Je viens de l'entendre insulter et j'étais en train de dévorer un gros soupir, une vilaine larme.

Il m'envoie souvent, pendant l'étude du soir, demander un livre, porter un mot à un des autres pions qui est au bout de la cour, tout là-bas… il fait noir, le vent souffle ; de temps en temps, il y a des étages à monter, un long corridor, un escalier obscur, c'est tout un voyage : on se cache dans les coins pour me faire peur. Je joue au brave, mais je ne me sens bien à l'aise que quand je suis rentré dans l'étude où l'on étouffe.

1. Le père de Vallès a débuté au collège royal comme maître d'études, c'est-à-dire « pion ».
2. Sévère, exigeant.

d'une admiration muette pour l'auteur des *Vacances d'Oscar*, qui daigne être proviseur dans notre petite ville, proviseur de mon père, et qui salue ma mère quand il la rencontre.

J'ai dévoré *Les Vacances d'Oscar*.

Je vois encore le volume cartonné de vert, d'un vert marbré qui blanchissait sous le pouce et poissait les mains, avec un dos de peau blanche, s'ouvrant mal, imprimé sur papier à chandelle. Eh bien ! il tombe de ces pages, de ce malheureux livre, dans mon souvenir, il tombe une impression de fraîcheur chaque fois que j'y songe !

Il y a une histoire de pêche que je n'ai point oubliée.

Un grand filet luit au soleil, les gouttes d'eau roulent comme des perles, les poissons frétillent dans les mailles, deux pêcheurs sont dans l'eau jusqu'à la ceinture, c'est le frisson de la rivière.

Il avait su, cet Hennequin, ce proviseur dégommé, ce chantre du petit Oscar, traîner ce grand filet le long d'une page et faire passer cette rivière dans un coin de chapitre...

Le professeur de philosophie — M. Beliben[1] —, petit, fluet, une tête comme le poing, trois cheveux, et un filet de vinaigre dans la voix.

Il aimait à prouver l'existence de Dieu, mais si quelqu'un glissait un argument, même dans son sens, il indiquait qu'on le dérangeait, il lui fallait toute la table, comme pour une réussite.

Il prouvait l'existence de Dieu avec des petits morceaux de bois, des haricots.

1. Nom réel d'un professeur du Puy, futur inspecteur d'académie. Il incarne dans *L'Enfant* une philosophie finaliste qui est à plusieurs reprises la cible de Vallès.

« Nous plaçons ici un haricot, bon ! — là, une allumette. — Madame Vingtras, une allumette ? — Et
maintenant que j'ai rangé, ici les vices de l'homme,
là les vertus, j'arrive avec les FACULTÉS DE L'ÂME. »

Ceux qui n'étaient pas au courant regardaient du
côté de la porte s'il entrait quelqu'un, ou du côté de
sa poche, pour voir s'il allait sortir quelque chose.
Les facultés de l'âme, c'était de la haute, du chenu !
Ma mère était flattée.

« Les voici ! »

On se tournait encore, malgré soi, pour saluer ces
dames, mais Beliben vous reprenait par le bouton
du paletot et tapait avec impatience sur la table. Il
lui fallait de l'attention. Que diable ! voulait-on qu'il
prouvât l'existence de Dieu, oui ou non !

« Moi, ça m'est égal, et vous ? » disait mon oncle
Joseph à son voisin, qui faisait chut, et allongeait le
cou pour mieux voir.

Mon oncle remettait nonchalamment ses mains
dans ses poches et regardait voler les mouches.

Mais le professeur de bon Dieu tenait à avoir
mon oncle pour lui et le ramenait à son sujet,
l'agrippant par son amour-propre et s'accrochant à
son métier.

« Chadenas, vous qui êtes menuisier, vous savez
qu'avec le compas... »

Il fallait aller jusqu'au bout : à la fin le petit
homme écartait sa chaise, tendait une main, montrait un coin de la table et disait : « DIEU EST LÀ. »

On regardait encore, tout le monde se pressait
pour voir : tous les haricots étaient dans un coin avec
les allumettes, les bouts de bouchons et quelques
autres saletés, qui avaient servi à la démonstration de
l'Être suprême.

Il paraît que les vertus, les vices, les facultés de l'âme venaient toutes *fa-ta-le-ment* aboutir à ce tas-là. Tous les haricots y sont. Donc Dieu existe. C.Q.F.D.

IV
LA PETITE VILLE

La porte de Pannesac[1].

Elle est en pierre, cette porte, et mon père me dit même que je puis me faire une idée des monuments romains en la regardant.

J'ai d'abord une espèce de vénération, puis ça m'ennuie ; je commence à prendre le dégoût des monuments romains.

Mais la rue !... Elle sent la graine et le grain.

Les culasses[2] de blé s'affaissent et se tassent comme des endormis, le long des murs. Il y a dans l'air la poussière fine de la farine et le tapage des marchés joyeux. C'est ici que les boulangers ou les meuniers, ceux qui font le pain, viennent s'approvisionner.

J'ai le respect du pain.

Un jour je jetais une croûte, mon père est allé la ramasser. Il ne m'a pas parlé durement comme il le fait toujours.

1. À l'extrémité de la rue Pannesac, au Puy, sur l'enceinte extérieure de la ville basse. Cette porte fortifiée fut partiellement détruite en 1850 : il en reste une tour aujourd'hui.
2. *Culasse* : mesure de capacité pour les grains ; le mot désigne aussi le sac de cette contenance.

« Mon enfant, m'a-t-il dit, il ne faut pas jeter le pain ; c'est dur à gagner. Nous n'en avons pas trop pour nous, mais si nous en avions trop, il faudrait le donner aux pauvres. Tu en manqueras peut-être un jour, et tu verras ce qu'il vaut. Rappelle-toi ce que je te dis là, mon enfant ! »

Je ne l'ai jamais oublié.

Cette observation, qui, pour la première fois peut-être dans ma vie de jeunesse, me fut faite sans colère, mais avec dignité, me pénétra jusqu'au fond de l'âme ; et j'ai eu le respect du pain depuis lors.

Les moissons m'ont été sacrées, je n'ai jamais écrasé une gerbe, pour aller cueillir un coquelicot ou un bluet ; jamais je n'ai tué sur sa tige la fleur du pain !

Ce qu'il me dit des pauvres me saisit aussi et je dois peut-être à ces paroles, prononcées simplement ce jour-là, d'avoir toujours eu le respect, et toujours pris la défense de ceux qui ont faim.

« Tu verras ce qu'il vaut. »

Je l'ai vu.

Aux portes des allées sont des mitrons en jupes comme des femmes, jambes nues, petite camisole bleue sur les épaules.

Ils ont les joues blanches comme de la farine et la barbe blonde comme de la croûte.

Ils traversent la rue pour aller boire une goutte, et blanchissent, en passant, une main d'ami qu'ils rencontrent, ou une épaule de monsieur qu'ils frôlent.

Les patrons sont au comptoir, où ils pèsent les miches, et eux aussi ont des habits avec des tons blanchâtres, ou couleur de seigle. Il y a des gâteaux, outre les miches, derrière les vitres : des brioches comme des nez pleins, et des tartelettes comme du papier mou.

À côté des haricots ou des graines charnues comme des fruits verts ou luisant comme des cailloux de rivière, les marchands avaient du plomb dans les écuelles de bois.

C'était donc là ce qu'on mettait dans un fusil ? ce qui tuait les lièvres et traversait les cœurs d'oiseaux ? On disait même que les charges parfois faisaient balle et pouvaient casser un bras ou une mâchoire d'homme.

Je plongeais mes doigts là-dedans, comme tout à l'heure j'avais plongé mon poing dans les sacs de grain, et je sentais le plomb qui roulait et filait entre les jointures comme des gouttes d'eau. Je ramassais comme des reliques ce qui était tombé des écuelles et des sacs.

Les articles de pêche aussi se vendaient à Pannesac.

Tout ce qui avait des tons vifs ou des couleurs fauves, gros comme un pois ou comme une orange, tout ce qui était une tache de couleur vigoureuse ou gaie, tout cela faisait marque dans mon œil d'enfant triste, et je vois encore les bouchons vernis de rouge et les belles lignes luisantes comme du satin jaune.

Avoir une ligne, la jeter dans le frais des rivières, ramener un poisson qui luirait au soleil comme une feuille de zinc et deviendrait d'or dans le beurre !

Un goujon pris par moi !

Il portait toute mon imagination sur ses nageoires !

J'allais donc vivre du produit de ma pêche ; comme les insulaires dont j'avais lu l'histoire dans les voyages du capitaine Cook[1].

J'avais lu aussi qu'ils faisaient des vitres à leurs huttes avec de la colle de poisson, et je voyais le jour où je placerais les carreaux à toutes les fenêtres de ma famille ; je me proposais de gratter tout ce qui « mordrait » et de mettre ce résidu d'écaille et de fiente dans ma grande poche.

Je le fis plus tard, mais la fermentation, au fond de la poche, produisit des résultats inattendus, à la suite desquels je fus un objet de dégoût pour mes voisins.

Cela ébranla ma confiance dans les récits des voyageurs, et le doute s'éleva dans mon esprit.

Il y avait une épicerie dans le fond de Pannesac, qui ajoutait aux odeurs tranquilles du marché une odeur étouffée, chaude, violente, qu'exhalaient les morues salées, les fromages bleus, le suif, la graisse et le poivre.

C'était la morue qui dominait, en me rappelant plus que jamais les insulaires, les huttes, la colle et les phoques fumés.

Je lançais un dernier regard sur Pannesac, et je manquais régulièrement d'être écrasé, près de la porte de pierre.

Je me jetais de côté pour laisser passer les grands chariots qui portaient tous ces fonds de campagne, ces jardins en panier, ces moissons en sac. Ces chariots avaient l'air des voitures de fête dans les mascarades italiennes, avec leur monde d'enfarinés et de pierrots à dos d'Hercule !

1. *James Cook* : navigateur britannique (1728-1779). Ses célèbres *Voyages* furent traduits en français de 1774 à 1785.

Là-haut, tout là-haut, est l'École normale[1].

Le fils du directeur vient me prendre quelquefois pour jouer.

Il y a un jardin derrière l'école, avec une balançoire et un trapèze.

Je regarde avec admiration ce trapèze et cette balançoire ; seulement il m'est défendu d'y monter.

C'est ma mère qui a recommandé aux parents du petit garçon de ne pas me laisser me balancer ou me pendre.

Mme Haussard, la directrice, ne se soucie pas d'être toujours à me surveiller, mais elle m'a fait promettre d'obéir à ma mère. J'obéis.

Mme Haussard aime bien son fils, autant que ma mère m'aime ; et elle lui permet pourtant ce qu'on me défend !

J'en vois d'autres, pas plus grands que moi, qui se balancent aussi.

Ils se casseront donc les reins ?

Oui, sans doute ; et je me demande tout bas si ces parents qui laissent ainsi leurs enfants jouer à ces jeux-là ne sont pas tout simplement des gens qui veulent que leurs enfants se tuent. Des assassins sans courage ! des monstres ! qui, n'osant pas noyer leurs petits, les envoient au trapèze — et à la balançoire !

Car enfin, pourquoi ma mère m'aurait-elle condamné à ne point faire ce que font les autres ?

Pourquoi me priver d'une joie ?

Suis-je donc plus cassant que mes camarades ?

Ai-je été recollé comme un saladier ?

Y a-t-il un mystère dans mon organisation ?

---

1. Les écoles normales d'instituteurs ont été créées par la loi Guizot de 1833, date marquante dans l'histoire de l'enseignement en France.

J'ai peut-être le derrière plus lourd que la tête !

Je ne peux pas le peser à part pour être sûr.

En attendant je rôde, le museau en l'air, sous le petit gymnase, que je touche du doigt en sautant comme un chien après un morceau de sucre placé trop haut.

Mais que je voudrais donc avoir la tête en bas !

Oh ma mère ! ma mère !

Pourquoi ne me laissez-vous pas monter sur le trapèze et me mettre la tête en bas !

Rien qu'une fois !

Vous me fouetterez après, si vous voulez !

Mais cette mélancolie même vient à mon secours et me fait trouver les soirées plus belles et plus douces sur la grande place qui est devant l'école, et où je vais, quand je suis triste d'avoir vu le trapèze et la balançoire me tendre inutilement les bras dans le jardin !

La brise secoue mes cheveux sur mon front et emporte avec elle ma bouderie et mon chagrin.

Je reste silencieux, assis quelquefois comme un ancien sur un banc, en remuant la terre devant moi avec un bout de branche, ou relevant tout d'un coup ma tête pour regarder l'incendie qui s'éteint dans le ciel...

« Tu ne dis rien, me fait le petit de l'École normale, à quoi penses-tu ?

— À quoi je pense ? Je ne sais pas. »

Je ne pense pas à ma mère, ni au bon Dieu, ni à ma classe ; et voilà que je me mets à bondir ! Je me fais l'effet d'un animal dans un champ, qui aurait cassé sa corde ; et je grogne, et je caracole comme un cabri, au grand étonnement de mon petit camarade, qui me regarde gambader, et s'attend à me voir brouter.

J'en ai presque envie.

V
LA TOILETTE

Un jour, un homme qui voyageait m'a pris pour une curiosité du pays, et m'ayant vu de loin, est accouru au galop de son cheval. Son étonnement a été extrême, quand il a reconnu que j'étais vivant. Il a mis pied à terre, et s'adressant à ma mère, lui a demandé respectueusement si elle voulait bien lui indiquer l'adresse du tailleur qui avait fait mon vêtement.

« C'est moi », a-t-elle répondu, rougissant d'orgueil.

Le cavalier est reparti et on ne l'a plus revu.

Ma mère m'a parlé souvent de cette apparition, de cet homme qui se détournait de son chemin pour savoir qui m'habillait[1].

Je suis en noir souvent, « rien n'habille comme le noir », et en habit, en frac, avec un chapeau haut de forme ; j'ai l'air d'un poêle.

Cependant, comme j'use beaucoup, on m'a acheté, dans la campagne, une étoffe jaune et velue, dont je suis enveloppé. Je joue l'ambassadeur lapon. Les étrangers me saluent ; les savants me regardent.

---

1. Tout ce début du chapitre v reprend un passage du *Testament d'un blagueur* (*Œuvres*, Bibl. de la Pléiade, t. I, p. 1101-1102).

Mais l'étoffe dans laquelle on a taillé mon pantalon se sèche et se racornit, m'écorche et m'ensanglante.

Hélas ! Je vais non plus vivre, mais me traîner.

Tous les jeux de l'enfance me sont interdits. Je ne puis jouer aux barres, sauter, courir, me battre. Je rampe seul, calomnié des uns, plaint par les autres, inutile ! Et il m'est donné, au sein même de ma ville natale, à douze ans, de connaître, isolé dans ce pantalon, les douleurs sourdes de l'exil.

Mme Vingtras y met quelquefois de l'espièglerie.

On m'avait invité pendant le carnaval à un bal d'enfants. Ma mère m'a vêtu en charbonnier. Au moment de me conduire, elle a été forcée d'aller ailleurs ; mais elle m'a mené jusqu'à la porte de M. Puissegat, chez qui se donnait le bal[1].

Je ne savais pas bien le chemin et je me suis perdu dans le jardin ; j'ai appelé.

Une servante est venue et m'a dit :

« C'est vous, le petit Choufloux, qui venez pour aider à la cuisine ? »

Je n'ai pas osé dire que non, et on m'a fait laver la vaisselle toute la nuit.

Quand le matin ma mère est venue me chercher, j'achevais de rincer les verres ; on lui avait dit qu'on ne m'avait pas aperçu ; on avait fouillé partout.

Je suis entré dans la salle pour me jeter dans ses bras : mais, à ma vue, les petites filles ont poussé des cris, des femmes se sont évanouies, l'apparition

---

1. Le même épisode est relaté, presque dans les mêmes termes, dans *Le Testament d'un blagueur* (*ibid.*, p. 1102-1103). Les noms ont changé : M. Puysaigon est devenu M. Puissegat, Uchefol est devenu Choufloux.

de ce nain, qui roulait à travers ces robes fraîches, parut singulière à tout le monde.

Ma mère ne voulait plus me reconnaître ; je commençais à croire que j'étais orphelin !

Je n'avais cependant qu'à l'entraîner et à lui montrer, dans un coin, certaine place couturée et violacée, pour qu'elle criât à l'instant : « C'est mon fils ! » Un reste de pudeur me retenait. Je me contentai de faire des signes, et je parvins à me faire comprendre.

On m'emporta comme on tire le rideau sur une curiosité.

La distribution des prix est dans trois jours.

Mon père, qui est dans le secret des dieux, sait que j'aurai des prix, qu'on appellera son fils sur l'estrade, qu'on lui mettra sur la tête une couronne trop grande, qu'il ne pourra ôter qu'en s'écorchant, et qu'il sera embrassé sur les deux joues par quelque autorité.

Mme Vingtras est avertie, et elle songe…

Comment habillera-t-elle son fruit, son enfant, son Jacques ? Il faut qu'il brille, qu'on le remarque, — on est pauvre, mais on a du goût.

« Moi d'abord, je veux que mon enfant soit bien mis. »

On cherche dans la grande armoire où est la robe de noce, où sont les fourreaux de parapluie, les restes de jupe, les coupons de soie.

Elle s'égratigne enfin à une étoffe criante, qui a des reflets de tigre au soleil ; — une étoffe comme une lime, qui exaspère les doigts quand on la touche, et qui flambe au grand air comme une casserole ! Une belle étoffe, vraiment, et qui vient de la grand-mère, et qu'on a payée à prix d'or. « Oui, mon enfant, à prix d'or, dans l'ancien temps.

« Jacques, je vais te faire une redingote avec ça, m'en priver pour toi !... » et ma mère ravie me regarde du coin de l'œil, hoche la tête, sourit du sourire des sacrifiées heureuses.

« J'espère qu'on vous gâte, monsieur », et elle sourit encore, et elle dodeline de la tête, et ses yeux sont noyés de tendresse.

« C'est une folie ! tant pis ! on fera une redingote à Jacques avec ça. »

On m'a essayé la redingote, hier soir, et mes oreilles saignent, mes ongles sont usés. Cette étoffe crève la vue et chatouille si douloureusement la peau !

« Seigneur ! délivrez-moi de ce vêtement ! »

Le Ciel ne m'entend pas ! La redingote est prête.

Non, Jacques, elle n'est pas prête. Ta mère est fière de toi ; ta mère t'aime et veut te le prouver.

Te figures-tu qu'elle te laissera entrer dans ta redingote, sans ajouter un grain de beauté, une mouche, un pompon, un rien sur le revers, dans le dos, au bout des manches ! Tu ne connais pas ta mère, Jacques !

Et ne la vois-tu pas qui joue, à la fois orgueilleuse et modeste, avec des noyaux verts !

La mère de Jacques lui fait même kiki dans le cou. Il ne rit pas. — Ces noyaux lui font peur !...

Ces noyaux sont des boutons, vert vif, vert gai, en forme d'olives, qu'on va, — voyez si Mme Vingtras épargne rien ! — qu'on va coudre tout le long, à la *polonaise*[1] ! À la polonaise, Jacques !

Ah ! quand, plus tard, il fut dur pour les Polonais, quoi d'étonnant ! Le nom de cette nation, voyez-

1. Espèce de redingote ornée de brandebourgs.

vous, resta chez lui cousu à un souvenir terrible...
la redingote de la distribution des prix, la redingote
à noyaux, aux boutons ovales comme des olives et
verts comme des cornichons.

Joignez à cela qu'on m'avait affublé d'un chapeau
haut de forme que j'avais brossé à rebrousse-poil et
qui se dressait comme une menace sur ma tête.

Des gens croyaient que c'étaient mes cheveux et
se demandaient quelle fureur les avait fait se hé-
risser ainsi. « Il a vu le diable », murmuraient les
béates en se signant...

J'avais un pantalon blanc. Ma mère s'était saignée
aux quatre veines.

Un pantalon blanc à sous-pieds !

Des sous-pieds qui avaient l'air d'instruments
pour un pied-bot et qui tendaient la culotte à la
faire craquer.

Il avait plu, et, comme on était venu vite, j'avais
des plaques de boue dans les mollets, et mon pantalon blanc trempé par endroits, collé sur mes cuisses.

« MON FILS », dit ma mère d'une voix triomphante
en arrivant à la porte d'entrée et en me poussant
devant elle.

Celui qui recevait les cartes faillit tomber de son
haut et me chercha sous mon chapeau, interrogea
ma redingote, leva les mains au ciel.

J'entrai dans la salle.

J'avais ôté mon chapeau en le prenant par les
poils ; j'étais reconnaissable, c'était bien moi, il n'y
avait pas à s'y tromper, et je ne pus jamais dans la
suite invoquer un alibi.

Mais, en voulant monter par-dessus un banc pour
arriver du côté de ma classe, voilà un des sous-pieds
qui craque, et la jambe du pantalon qui remonte

comme un élastique : mon tibia se voit, — j'ai l'air
d'être en caleçon cette fois ; — les dames, que mon
cynisme outrage, se cachent derrière leur éventail...

Du haut de l'estrade, on a remarqué un tumulte
dans le fond de la salle.

Les autorités se parlent à l'oreille, le général se
lève et regarde : on se demande le secret de ce
tapage.

« Jacques, baisse ta culotte », dit ma mère à ce
moment, d'une voix qui me fusille et part comme
une décharge dans le silence.

Tous les regards s'abaissent sur moi.

Il faut cependant que ce scandale cesse. Un officier plus énergique que les autres donne un ordre :

« Enlevez l'enfant aux cornichons ! »

L'ordre s'exécute discrètement ; on me tire de
dessous la banquette où je m'étais tapi désespéré, et
la femme du censeur, qui se trouve là, m'emmène,
avec ma mère, hors de la salle, jusqu'à la lingerie,
où on me déshabille.

Ma mère me contemple avec plus de pitié que de
colère.

« Tu n'es pas fait pour porter la toilette, mon pauvre garçon ! »

Elle en parle comme d'une infirmité et elle a l'air
d'un médecin qui abandonne un malade.

Je me laisse faire. On me loge dans la défroque
d'un petit, et ce petit est encore trop grand, car je
danse dans ses habits. Quand je rentre dans la salle,
on commence à croire à une mystification.

Tout à l'heure j'avais l'air d'un léopard, j'ai l'air
d'un vieillard maintenant. Il y a quelque chose là-
dessous.

Le bruit se répand, dans certaines parties de la salle, que je suis le fils de l'escamoteur qui vient d'arriver dans la ville et qui veut se faire remarquer par un tour nouveau. Cette version gagne du terrain ; heureusement on me connaît, on connaît ma mère ; il faut bien se rendre à l'évidence, ces bruits tombent d'eux-mêmes, et l'on finit par m'oublier.

J'écoute les discours en silence et en me fourrant les doigts dans le nez, avec peine, car mes manches sont trop longues.

À cause de l'orage, la distribution a lieu dans un dortoir, — un dortoir dont on a enlevé les lits en les entassant avec leurs accessoires dans une salle voisine. On voyait dans cette salle par une porte vitrée, qui aurait dû avoir un rideau, mais n'en avait pas ; on distinguait des vases en piles, des vases qui pendant l'année servaient, mais qu'on retirait de dessous les lits pendant les vacances. On en avait fait une pyramide blanche.

C'était le coin le plus gai ; un malin petit rayon de soleil avait choisi le ventre d'un de ces vases pour y faire des siennes, s'y mirer, coqueter, danser, le mutin, et il s'en donnait à cœur joie !

Adossée à cette salle était l'estrade avec le personnel de la baraque, je veux dire du collège : — Monseigneur au centre, le préfet à gauche, le général à droite, galonnés, teintés de violet, panachés de blanc, cuirassés d'or comme les écuyers du cirque Bouthors[1]. Il n'y avait pas de chameau, malheureusement.

---

1. Il a bien existé au XIXe siècle un cirque *Bouthor*, évoqué notamment par Théodore de Banville dans ses *Odes funambulesques* et dans leurs « Commentaires », lus et appréciés par Vallès.

Je crus voir un éléphant ; c'était un haut fonctionnaire qui avait la tête, la poitrine, le ventre et les
pieds couleur d'éléphant, mais qui était douanier de
son état ou capitaine de gendarmerie, j'ai oublié. Il
était gros comme une barrique et essoufflé comme
un phoque : il avait beaucoup du phoque.

C'est lui qui me couronna pour le prix d'histoire
sainte. Il me dit : « C'est bien, mon enfant ! » Je
croyais qu'il allait dire « Papa » et replonger dans
son baquet.

VI
VACANCES

Je m'amuse un peu pendant les vacances chez
Soubeyrou, puis à Farreyrolles[1].

M. Soubeyrou est un maraîcher des environs.

Trois fois par semaine, mon père donne quelques
leçons au fils de ce jardinier, et comme l'enfant est
maladif, sort peu, on a demandé que je vinsse lui
tenir compagnie de temps en temps.

Je prends le plus long pour arriver.

Je suis donc libre !

Ce n'est pas pour faire une commission, avec l'ordre de revenir tout de suite et de ne rien casser ; ce
n'est pas accompagné, surveillé, pressé, que je descends la rue en me laissant glisser sur la rampe de fer.

1. Voir n. 1, p. 40.

Non. J'ai mon temps, une après-midi, tout une après-midi !

« Cela t'amuse d'aller chez M. Soubeyrou ? demande ma mère.

— Oui, m'man. »

Mais un *oui* lent, un *oui* avec une moue.

Tiens ! si je disais trop vite que ça m'amuse, elle serait capable de m'empêcher d'y aller.

Si une chose me chagrine bien, me répugne, peut me faire pleurer, ma mère me l'impose sur-le-champ.

« Il ne faut pas que les enfants aient de volonté ; ils doivent s'habituer à tout. — Ah ! les enfants gâtés ! Les parents sont bien coupables qui les laissent faire tous leurs caprices... »

Je dis : « Oui, m'man », de façon qu'elle croie que c'est *non*, et je me laisse habiller et sermonner en rechignant.

Je descends dans la ville.

Je ne m'arrête pas au Martouret, parce que ma mère peut me voir des fenêtres de notre appartement, perché là-haut au dernier étage d'une maison, qui est la plus haute de la ville.

Je fais le sage et le pressé en passant sur le marché ; mais, dans la rue Porte-Aiguière, je m'abrite derrière le premier gros homme qui passe, et j'entre dans la cour de l'auberge du Cheval-Blanc.

De cette cour, je vois la rue en biais, et je puis dévorer des yeux la devanture du bourrelier, où il y a des tas de houppes et de grelots, des pompons bleus, de grands fouets couleur de cigare et des harnais qui brillent comme de l'or.

Je reste caché le temps qu'il faut pour voir si ma mère est à la fenêtre et me surveille encore ; puis, quand je me sens libre, je sors de la cour du Cheval-Blanc et je me mets à regarder les boutiques à loisir.

Il y a un chaudronnier en train de taper sur du beau cuivre rouge, que le marteau marque comme une croupe de jument pommelée et qui fait « dzine, dzine », sur le carreau ; chaque coup me fait froncer la peau et cligner des yeux.

Puis c'est la boutique d'Arnaud, le cordonnier, avec sa botte verte pour enseigne, une grande botte cambrée, qui a un éperon et un gland d'or ; à la vitrine s'étalent des bottines de satin bleu, de soie rose, couleur de prune, avec des nœuds comme des bouquets, et qui ont l'air vivantes.

À côté, les pantoufles qui ressemblent à des souliers de Noël.

Mais le fils du jardinier attend.

Je m'arrache à ces parfums de cirage et à ces flamboiements de vernis.

Je prends le Breuil...

Il y a un décrotteur qui est populaire, qu'on appelle Moustache.

Mon rêve est de me faire décrotter un jour par Moustache, de venir là comme un homme, de lui donner mon pied, — sans trembler, si je puis, — et de paraître habitué à ce luxe, de tirer négligemment mon argent de ma poche en disant, comme font les messieurs qui lui jettent leurs deux sous :

Pour la goutte, Moustache !

Je n'y arriverai jamais ; je m'exerce pourtant !

Pour la goutte, Moustache !

J'ai essayé toutes les inflexions de voix ; je me suis écouté, j'ai prêté l'oreille, travaillé devant la glace, fait le geste :

Pour la goutte...

Non, je ne puis !

Mais, chaque fois que je passe devant Moustache, je m'arrête à le regarder ; je m'habitue au feu, je tourne et retourne autour de sa boîte à décrotter ; il m'a même crié une fois :

Cirer vos bottes, m'ssieu ?

J'ai failli m'évanouir.

Je n'avais pas deux sous — je n'ai pu les réunir que plus tard dans une autre ville, — et je dus secouer la tête, répondre par un signe, avec un sourire pâle comme celui d'une femme qui voudrait dire : « Il m'est défendu d'aimer ! »

Au fond du Breuil est la tannerie avec ses pains de tourbe, ses peaux qui sèchent, son odeur aigre.

Je l'adore, cette odeur montante, moutardeuse, verte, — si l'on peut dire verte, — comme les cuirs qui faisandent dans l'humidité ou qui font sécher leur sueur au soleil.

De plus loin que j'arrivais dans la ville du Puy, quand j'y revins plus tard, je devinais et je sentais la tannerie du Breuil. — Chaque fois qu'une de ces fabriques s'est trouvée sur mon chemin, à deux lieues à la ronde, je l'ai flairée, et j'ai tourné de ce côté mon nez reconnaissant...

Je ne me souviens plus du chemin, je ne sais par où je passais, comment finissait la ville.

Je me rappelle seulement que je me trouvais le long d'un fossé qui sentait mauvais, et que je marchais à travers un tas d'herbes et de plantes qui ne sentaient pas bon.

J'arrivais dans le pays des jardiniers. Que c'est vilain, le pays des maraîchers !

Autant j'aimais les prairies vertes, l'eau vive, la ver-
dure des haies ; autant j'avais le dégoût de cette campagne à arbres courts, à plantes pâles, qui poussent,
comme de la barbe de vieux, dans un terrain de
sable ou de boue, sur le bord des villes.

Quelques feuilles jaunâtres, desséchées, galeuses,
pendaient avec des teintes d'oreilles de poitrinaires.

On avait déshonoré toutes les places, et l'on dérangeait à chaque instant un tourbillon d'insectes
qui se régalaient d'un chien crevé.

Pas d'ombre !

Des melons qui ont l'air de boulets chauffés à
blanc ; des choux rouges, violets, — on dirait des
apoplexies, — une odeur de poireaux et d'oignons !

J'arrive chez M. Soubeyrou.

Je reste, avec le petit malade, dans la serre.

Il est tout pâle, avec un grand sourire et de
longues dents, le blanc des yeux taché de jaune ; il
me montre un tas de livres qu'on lui a achetés pour
qu'il ne s'ennuie pas trop.

Un *Ésope* avec des gravures coloriées.

Je me rappelle encore une de ces gravures qui
représentait Borée, le Soleil et un voyageur[1].

Le voyageur avait de la sueur chocolat qui lui
coulait sur le front et un énorme manteau lie-de-
vin.

« Veux-tu t'amuser, m'aider à arroser les choux ? »
me dit le père Soubeyrou, qui tient un arrosoir de

---

1. Souvenir de la fable *Borée et le Soleil* d'Ésope, ou, plus vraisem-
blablement, de sa réécriture par La Fontaine sous le titre *Phébus et
Borée* (*Fables*, VI, 3), dont Vallès avait pu connaître différentes versions illustrées.

chaque main et qui marche le pantalon retroussé, les jambes et les pieds nus, depuis le matin.

Son mollet ressemble, velu et cuit par la chaleur, à une patte de cochon grillé ; il a sa chemise trempée et des gouttes d'eau roulent sur le poil de son poitrail.

Non, je ne veux pas m'amuser, aider à arroser les choux !

Si ça l'amuse, lui, tant mieux !

Je ne veux pas priver M. Soubeyrou d'un plaisir, et je lui réponds par un mensonge.

« Je suis tombé hier, et je me suis fait mal aux reins. »

J'aime les choux, mais cuits.

Je ne fuis pas le baquet maternel, la vaisselle de mes pères, pour venir tirer de l'eau chez des étrangers.

Je tire assez d'eau comme cela dans la semaine, et je sens assez l'oignon.

Non, M. Soubeyrou, je ne vous suivrai pas à ce puits là-bas : je ne tournerai pas la manivelle, je ne ferai pas venir le seau, je ne me livrerai pas au travail honnête des jardins.

Je suis corrompu, malsain, que voulez-vous !

Mais je ne veux pas tirer d'eau !

DEVANT LES MESSAGERIES

En revenant, je fais le grand tour et je passe devant le café des *Messageries*.

L'enseigne est en lettres qui forment chacune une figure, une bonne femme, un paysan, un soldat, un prêtre, un singe.

C'est peint avec une couleur jus de tabac, sur un fond gris, et c'est une histoire qui se suit depuis le *C* de Café jusqu'à l'*S* de Messageries.

Je n'ai jamais eu le temps de comprendre.

Il fallait rentrer.

Puis, tandis que je regardais l'enseigne, que ma curiosité saisissait le cotillon de la bonne femme, le grand faux col du paysan, la giberne du soldat, le rabat du curé, la queue du singe, autour de moi on attelait les chevaux, on lavait les voitures ; les palefreniers, le postillon et le conducteur faisaient leur métier, donnaient de la brosse, du fouet ou de la trompe.

Les voyageurs venaient prendre leurs places, retenir un coin.

J'étais là quelquefois à l'arrivée : la diligence traversait le Breuil avec un bruit d'enfer, en soulevant des flots de poussière ou en envoyant des étoiles de boue.

Elle était assaillie par un troupeau de portefaix qui se disputaient les bagages, et vomissait de ses flancs jaunes des gens engourdis qui s'étiraient les jambes sur le pavé.

Ils tombaient dans les bras d'un parent, d'un ami, on se serrait la main, on s'embrassait ; c'étaient des adieux, des au revoir, à n'en plus finir.

On avait fait connaissance en route ; les messieurs saluaient avec regret des dames, qui répondaient avec réserve :

« Où aurai-je le plaisir de vous retrouver ?

— Nous nous rencontrerons peut-être. Ah ! voici maman.

— Voici mon mari.

— Je vois mon frère qui arrive avec sa femme. »

Il y avait des Anglais qui ne disaient rien et des commis voyageurs qui parlaient beaucoup.

Tout le monde remuait, courait, s'échappait comme les insectes quand je soulevais une pierre au bord d'un champ.

J'en ai vu pourtant qui restaient là, à la même place, fouillant le boulevard et le Breuil du regard, attendant quelqu'un qui ne venait pas.

Il y en avait qui juraient, d'autres qui pleuraient.

Je me rappelle une jeune femme qui avait une tête fine, longue et pâle.

Elle attendit longtemps...

Quand je partis, elle attendait encore. Ce n'était pas son mari, car, sur la petite malle qu'elle avait à ses pieds, il y avait écrit : « Mademoiselle. »

Je la rencontrai quelques jours plus tard devant la poste ; les fleurs de son chapeau étaient fanées, sa robe de mérinos noir avait des reflets roux, ses gants étaient blanchis au bout des doigts. Elle demandait s'il n'était pas venu de lettre à telle adresse : poste restante.

« Je vous ai dit que non.

— Il n'y a plus de courrier aujourd'hui ?

— Non. »

Elle salua, quoiqu'on fût grossier, poussa un soupir et s'éloigna pour aller s'asseoir sur un banc du *Fer-à-cheval*, où elle resta jusqu'à ce que des officiers qui passaient l'obligèrent, par leurs regards et leurs sourires, à se lever et à partir.

Quelques jours après, on dit chez nous qu'il y avait sur le bord de l'eau le cadavre d'une femme qui s'était noyée. J'allai voir. Je reconnus la jeune fille à la tête pâle...

Je vais chez mes tantes à Farreyrolles.

J'arrive souvent au moment où l'on se met à table.

Une grosse table, avec deux tiroirs de chaque bout et deux grands bancs de chaque côté.

Dans ces tiroirs il traîne des couteaux, de vieux oignons, du pain. Il y a des taches bleues au bord des croûtes, comme du vert-de-gris sur de vieux sous.

Sur les deux bancs s'abattent la famille et les domestiques.

On mange entre deux prières.

C'est l'oncle Jean[1] qui dit le bénédicité.

Tout le monde se tient debout, tête nue, et se rassoit en disant : « *Amen !* »

Amen ! est le mot que j'ai entendu le plus souvent quand j'étais petit.

Amen ! et le bruit des cuillers de bois commence ; un bruit mou, tout bête.

Viennent les grandes taillades de pain comme des coups de faucille. Les couteaux ont des manches de corne, avec de petits clous à cercle jaune, on dirait les yeux d'or des grenouilles.

Ils mangent en bavant, ouvrent la bouche en long ; ils se mouchent avec leurs doigts, et s'essuient le nez sur leurs manches.

Ils se donnent des coups de coude dans les côtes, en manière de chatouillade.

Ils rient comme de gros bébés ; quand ils éclatent, ils renâclent comme des ânes, ou beuglent comme des bœufs.

C'est fini, — ils remettent le couteau à œil de grenouille dans la grande poche qui va jusqu'aux ge-

1. Le mari de la tante Rosalie : voir n. 1, p. 45.

noux, se passent le dos de la main sur la bouche, se balayent les lèvres, et retirent leurs grosses jambes de dessous la table.

Ils vont flâner dans la cour, s'il fait soleil, bavarder sous le porche de l'écurie, s'il pleut ; soulevant à peine leurs sabots qui ont l'air de souches, où se sont enfoncés leurs pieds.

Je les aime tant avec leur grand chapeau à larges ailes et leur long tablier de cuir ! Ils ont de la terre aux mains, dans la barbe, et jusque dans le poil de leur poitrail ; ils ont la peau comme de l'écorce, et des veines comme des racines d'arbres.

Quelquefois, quand leur tablier de cuir est à bas, le vent entrouvre leur chemise toute grande, et en dessous du triangle de hâle qui fait pointe au creux de l'estomac, on voit de la chair blanche, tendre comme un dos de brebis tondue ou de cochon jeune.

Je les approche et je les touche comme on tâte une bête ; ils me regardent comme un animal de luxe, — moi de la ville ! — quelques-uns me comparent à un écureuil, mais presque tous à un singe.

Je n'en suis pas plus fier, et je les accompagne dans les champs, en leur empruntant l'aiguillon pour piquer les bœufs.

J'entre jusqu'au genou dans les sillons, à la saison du labourage ; je me roule dans l'herbe au moment où l'on fait les foins, je piaule comme les cailles qui s'envolent, je fais des culbutes comme les petits qui tombent des nids quand la charrue passe.

Oh ! quels bons moments j'ai eus dans une prairie, sur le bord d'un ruisseau bordé de fleurs jaunes dont la queue tremblait dans l'eau, avec des cailloux blancs dans le fond, et qui emportait les bouquets

de feuilles et les branches de sureau doré que je
jetais dans le courant !...

Ma mère n'aime pas que je reste ainsi, muet, la
bouche béante, à regarder couler l'eau.

Elle a raison, je perds mon temps.

« Au lieu d'apporter ta grammaire latine pour apprendre tes leçons ! »

Puis, faisant l'émue, affichant la sollicitude :

« Si c'est permis, tout taché de vert, des talons
pleins de boue... On t'en achètera des souliers neufs
pour les arranger comme cela ! Allons, repars à la
maison, et tu ne sortiras pas ce soir ! »

Je sais bien que les souliers s'abîment dans les
champs et qu'il faut mettre des sabots, mais ma
mère ne veut pas ! ma mère me fait donner de
l'éducation, elle ne veut pas que je sois un campa-
gnard comme elle !

Ma mère veut que son Jacques soit un *Monsieur*.

Lui a-t-elle fait des redingotes avec olives, acheté
un tuyau de poêle, mis des sous-pieds, pour qu'il retombe dans le fumier, retourne à l'écurie mettre des
sabots !

Ah oui ! je préférerais des sabots ! j'aime encore
mieux l'odeur de Florimond le laboureur que celle
de M. Sother, le professeur de huitième ; j'aime
mieux faire des paquets de foin que lire ma grammaire, et rôder dans l'étable que traîner dans
l'étude.

Je ne me plais qu'à nouer des gerbes, à soulever
des pierres, à lier des fagots, à porter du bois !

Je suis peut-être né pour être domestique !

C'est affreux ! oui, je suis né pour être domestique ! je le vois ! je le sens ! ! !

Mon Dieu ! Faites que mère n'en sache rien !

J'accepterais d'être Pierrouni le petit vacher, et d'aller, une branche à la main, une pomme verte aux dents, conduire les bêtes dans le pâturage, près des mûres, pas loin du verger.

Il y a des églantiers rouges dans les buissons, et là-haut un point barbu, qui est un nid ; il y a des bêtes du bon Dieu, comme de petits haricots qui volent, et dans les fleurs des mouches vertes qui ont l'air saoules.

On laisse Pierrouni se dépoitrailler, quand il a chaud, et se dépeigner quand il en a envie.

On n'est pas toujours à lui dire :

« Laisse tes mains tranquilles, qu'est-ce que tu as donc fait à ta cravate ? — Tiens-toi droit. — Est-ce que tu es bossu ? — Il est bossu ! — Boutonne ton gilet. — Retrousse ton pantalon. — Qu'est-ce que tu as fait de l'olive ? L'olive, là, à gauche, la plus verte ! — Ah ! cet enfant me fera mourir de chagrin ! »

Mais les grands domestiques aussi sont plus heureux que mon père !

Ils n'ont pas besoin de porter des gilets boutonnés jusqu'en haut pour couvrir une chemise de trois jours ! Ils n'ont pas peur de mon oncle Jean comme mon père a peur du proviseur ; ils ne se cachent pas pour rire et boire un verre de vin, quand ils ont des sous ; ils chantent de bon cœur, à pleine voix, dans les champs, quand ils travaillent ; le dimanche, ils font tapage à l'auberge.

Ils ont, au derrière de leur culotte, une pièce qui a l'air d'un emplâtre : verte, jaune ; mais c'est la couleur de la terre, la couleur des feuilles, des branches et des choux.

Mon père, qui n'est pas domestique, ménage, avec des frissonnements qui font mal, un pantalon de ca-

simir noir, qui a avalé déjà dix écheveaux de fil, tué
vingt aiguilles, mais qui reste grêlé, fragile et mou !

À peine il peut se baisser, à peine pourra-t-il saluer demain...

S'il ne salue pas, celui-ci..., celui-là... (il y a à
donner des coups de chapeau à tout le monde, au
proviseur, au censeur, etc.), s'il ne salue pas en faisant des grâces, dont le derrière du pantalon ne
veut pas, mais alors on l'appelle chez le proviseur !

Et il faudra s'expliquer ! — pas comme un domestique, — non ! — comme un professeur. Il faudra
qu'il demande pardon.

On en parle, on en rit, les élèves se moquent, les
collègues aussi. On lui paie ses gages (ma mère
nomme ça « les appointements ») et on l'envoie en
disgrâce quelque part faire mieux raccommoder ses
culottes, avec sa femme, qui a toujours l'horreur
des paysans ; avec son fils, qui les aime encore...

Je me suis battu une fois avec le petit Viltare[1], le
fils du professeur de septième.

Ç'a été toute une affaire !...

On a fait comparaître mon père, ma mère ; la
femme du proviseur s'en est mêlée ; il a fallu apai-
ser Mme Viltare qui criait :

« Si maintenant les fils de pion assassinent les fils
de professeur ! »

Le petit Viltare m'avait jeté de l'encre sur mon
pantalon et mis du bitume dans le cou : je ne l'ai
pas assassiné, mais je lui ai donné un coup de
poing et un croc-en-jambe... Il est tombé et s'est
fait une bosse.

---

1. Vallès a ainsi modifié le nom de Chautard, professeur de septième au collège du Puy.

On a amené cette bosse chez le proviseur (qui
s'en moque comme de *Colin Tampon*[1], qui se fiche
de M. Viltare comme de M. Vingtras), mais qui doit
« surveiller la discipline et faire respecter la hiérarchie » ; je les entends toujours dire ça. Il m'a fait
venir, et j'ai dû demander pardon à M. Viltare, à
Mme Viltare, puis embrasser le petit Viltare, et
enfin rentrer à la maison pour me faire fouetter.

Ma mère m'avait dit d'être là au quart avant cinq
heures.

Ce n'est pas comme ça à Farreyrolles.

Je me suis battu avec le petit porcher, l'autre
jour, nous nous sommes roulés dans les champs,
arraché les cheveux, cognés, et recognés, il m'a
poché un œil, je lui ai engourdi une oreille, nous
nous sommes relevés, pour nous retomber encore
dessus !

Et après ?

Après ! — nous avons rentré nos tignasses, lui,
sous son chapeau, moi sous ma casquette, et on
nous a fait nous toper dans la main. — On en a ri
tout le soir devant le chaudron entre le bénédicité
et les grâces[2], et au lieu de me cacher de mon oncle,
je lui ai montré que j'avais du sang à mon mouchoir.

C'est le jour du *Reinage*[3].

1. Le *colin-tampon* désignait une batterie de tambour des Suisses,
avant de s'appliquer à un personnage insignifiant mais bruyant,
auquel on n'accorde aucune importance. S'en moquer comme de
Colin Tampon, c'est donc « s'en moquer comme d'un vain bruit de
tambour » (Littré).
2. *Bénédicité, grâces* : prières dites respectivement avant et après le
repas.
3. Cette fête rustique avait lieu le dernier dimanche de juillet.

On appelle ainsi la fête du village ; on choisit un roi, une reine.

Ils arrivent couverts de rubans. Des rubans au chapeau du roi, des rubans au chapeau de la reine.

Ils sont à cheval tous deux, et suivis des beaux gars du pays, des fils de fermiers, qui ont rempli leurs bourses ce jour-là, pour faire des cadeaux aux filles.

On tire des coups de fusil, on crie hourrah !, on caracole devant la mairie, qui a l'air d'avoir un drapeau vert : c'est une branche d'un grand arbre.

Les gendarmes sont en grand uniforme, le fusil en bandoulière, et mon oncle dit qu'ils ont leurs gibernes pleines ; ils sont pâles, et pas un ne sait si, le soir, il n'aura pas la tête fendue ou les côtes brisées.

Il y en a un qui est la bête noire du pays et qui sûrement ne reviendrait pas vivant s'il passait seul dans un chemin où serait le fils du braconnier Souliot ou celui de la mère Maichet, qu'on a condamnée à la prison parce qu'elle a mordu et déchiré ceux qui venaient l'arrêter pour avoir ramassé du bois mort.

En revenant de l'église, on se met à table.

Le plus pauvre a son litre de vin et sa terrine de riz sucré, même Jean le Maigre qui demeure dans cette vilaine hutte là-bas.

On a du lard et du pain blanc, — du pain blanc !...

On remplit jusqu'au bord les verres ; quand les verres manquent, on prend des écuelles et on boit du vivarais comme du lait, — un vivarais qu'on va traire tout mousseux à une barrique qui est près des vaches...

Les veines se gonflent, les boutons sautent !

On est tous mêlés ; maîtres et valets, la fermière et les domestiques, le premier garçon de ferme et le petit gardeur de porcs, l'oncle Jean, Florimond le laboureur, Pierrouni le vacher, Jeanneton la trayeuse, et toutes les cousines qui ont mis leur plus large coiffe et d'énormes ceintures vertes.

Après le repas, la danse sur la pelouse ou dans la grange.

Gare aux filles !

Les garçons les poursuivent et les bousculent sur le foin, ou viennent s'asseoir de force près d'elles sur le chêne mort qui est devant la ferme et qui sert de banc.

Elles relèvent toujours leur coude assez à temps pour qu'on les embrasse à pleines joues.

Je danse la bourrée aussi, et j'embrasse tant que je peux.

Un bruit de chevaux ! — Les gendarmes passent au galop !...

C'est à la maison Destougnal dans le fond du village ; ceux de Sansac[1] sont venus, et il y a eu bataille.

On se tue dans le cabaret.

— *Anyn*[2] ! *les gars !* — ceux de Farreyrolles en avant !

On franchit les fossés, en se baissant dans la course pour ramasser des pierres ; en cassant, dans les buissons qu'on saute, une branche à nœuds ; j'en vois même un qui a un vieux fusil ! Ils ne crient pas, ils vont essoufflés et pâles...

Voilà le cabaret !

1. Ou *Sanssac* : bourg principal de la commune qui inclut les villages de Vourzac et de Farreyrolles. Voir n. 1, p. 40.
2. Impératif du verbe *aller* dans la langue du Velay : *allons*.

On entend des bouteilles qui se brisent, des cris de douleur : « À moi, à moi ! » comme un sanglot.

C'est Bugnon *le Velu* qui crie !

Ils se sont jetés sur ce cabaret comme des mouches sur un tas d'ordures ; comme j'ai vu un taureau se jeter sur un tablier rouge, un soir, dans le pré.

Du rouge ! il y en a plein les vitres du cabaret et plein les bouches des paysans...

Est-ce du vin du Vivarais ou du sang de Farreyrolles qui coule ?

J'ai la tête en feu, car j'ai du sang de Farreyrolles aussi dans mes veines d'enfant !

Je veux y être comme les autres, et taper dans le tas !

Je me sens pris par un pan de ma veste, arrêté brusquement, et je tombe, en me retournant, dans les bras de ma tante, qui n'a pas empêché ses fils d'aller au cabaret de Destougnal, mais qui ne veut pas que son petit neveu soit dans cette tuerie !

Ça ne fait rien ! Si je peux de derrière un arbre lancer une pierre aux gendarmes, je n'y manquerai pas ! Comme j'aimerais cette vie de labour, de reinage et de bataille !

VII
LES JOIES DU FOYER

1er janvier.

Les collègues de mon père, quelques parents d'élèves, viennent faire visite, on m'apporte des bouts d'étrennes.

« Remercie donc, Jacques ! Tu es là comme un imbécile. »

Quand la visite est finie, j'ai plaisir à prendre le jouet ou la friandise, la boîte à diable ou le sac à pralines ; — je bats du tambour et je sonne de la trompette, je joue d'une musique qu'on se met entre les dents et qui les fait grincer, c'est à en devenir fou !

Mais ma mère ne veut pas que je devienne fou ! elle me prend la trompette et le tambour. Je me rejette sur les bonbons et je les lèche. Mais ma mère ne veut pas que j'aie des manières de courtisan : « On commence par lécher le ventre des bonbons, on finit par lécher... » Elle s'arrête, et se tourne vers mon père pour voir s'il pense comme elle, et s'il sait de quoi elle veut parler ; — en effet, il se penche et montre qu'il comprend.

Je n'ai plus rien à faire siffler, tambouriner, grincer, et l'on m'a permis seulement de traîner un petit bout de langue sur les bonbons fins : et l'on m'a dit de la faire pointue encore ! Il y avait Eugénie et Louise Rayau qui étaient là, et qui riaient en rougissant un peu. Pourquoi donc ?

Plus de gros vernis bleu qui colle aux doigts et les embaume, plus le goût du bois blanc des trompettes !...

On m'arrache tout et l'on enferme les étrennes sous clef.

« Rien qu'aujourd'hui, maman, laisse-moi jouer avec, j'irai dans la cour, tu ne m'entendras pas ! rien qu'aujourd'hui, jusqu'à ce soir, et demain je serai bien sage !

— J'espère que tu seras bien sage demain ; si tu n'es pas sage, je te fouetterai. Donnez donc de jolies choses à ce saligaud, pour qu'il les abîme. »

Ces points vifs, ces taches de couleur joyeuse, ces
bruits de jouet, ces trompettes d'un sou, ces bonbons
à corset de dentelle, ces pralines comme des nez
d'ivrognes, ces tons crus et ces goûts fins, ce soldat
qui coule, ce sucre qui fond, ces gloutonneries de
l'œil, ces gourmandises de la langue, ces odeurs de
colle, ces parfums de vanille, ce libertinage du nez et
cette audace du tympan, ce brin de folie, ce petit
coup de fièvre, ah ! comme c'est bon, une fois l'an !
— Quel malheur que ma mère ne soit pas sourde !

Ce qui me fait mal, c'est que tous les autres sont
si contents ! Par le coin de la fenêtre, je vois dans la
maison voisine, chez les gens d'en face, des tam-
bours crevés, des chevaux qui n'ont qu'une jambe,
des polichinelles cassés ! Puis ils sucent, tous, leurs
doigts ; on les a laissés casser leurs jouets et ils ont
dévoré leurs bonbons.

Et quel boucan ils font !

Je me suis mis à pleurer.

C'est qu'il m'est égal de regarder des jouets, si je
n'ai pas le droit de les prendre et d'en faire ce que
je veux ; de les découdre et de les casser, de souffler
dedans et de marcher dessus, si ça m'amuse...

Je ne les aime que s'ils sont à moi, et je ne les
aime pas s'ils sont à ma mère. C'est parce qu'ils font
du bruit et qu'ils agacent les oreilles qu'ils me
plaisent ; si on les pose sur la table comme des têtes
de mort, je n'en veux pas. Les bonbons, je m'en
moque, si on m'en donne un par an comme une
exemption[1], quand j'aurai été sage. Je les aime
quand j'en ai trop.

---

1. À l'école, sorte de « bon point », billet de dispense pour une éven-
tuelle punition.

« Tu as un coup de marteau, mon garçon ! » m'a dit ma mère un jour que je lui contais cela, et elle m'a cependant donné une praline.

« Tiens, mange-la avec du pain. »

On nous parle en classe des philosophes qui font tenir une leçon dans un mot. Ma mère a de ces bonheurs-là, et elle sait me rappeler par une fantaisie, un rien, ce qui doit être la loi d'une vie bien conduite et d'un esprit bien réglé.

« Mange-la avec du pain ! »

Cela veut dire : Jeune fou, tu allais la croquer bêtement, cette praline. Oublies-tu donc que tu es pauvre ! À quoi cela t'aura-t-il profité ! Dis-moi ! Au lieu de cela, tu en fais un plat utile, une portion, tu la manges avec du pain.

J'aime mieux le pain tout seul.

LA SAINT-ANTOINE [1]

C'est samedi prochain la fête de mon père.

Ma mère me l'a dit soixante fois depuis quinze jours.

« C'est la fête — *de* — *ton* — *père*. »

Elle me le répète d'un ton un peu irrité ; je n'ai pas l'air assez remué, paraît-il.

« Ton père s'appelle Antoine. »

Je le sais, et je n'éprouve pas de frisson ; il n'y a pas là le mystérieux et l'empoignant d'une révélation. Il s'appelle Antoine, voilà tout.

---

1. Vallès est attaché à cette fête, associée au sacrifice du « porc martyr » dans *La Rue* avant d'être liée au nom du père et au martyre du fils dans *L'Enfant*. C'est en effet à la Saint-Antoine que l'on tue le cochon : « On arrosait d'un vin clairet le sacrifice : *Allons, buvons, à saint Antoine* [...]. » (*La Rue, Œuvres*, Bibl. de la Pléiade, t. I, p. 671).

Je suis sans doute un mauvais fils.

Si j'avais du cœur, si j'aimais bien mon père, ce qu'elle dit me ferait plus d'effet. Je me tords la cervelle, je me frappe la poitrine, je me tâte et me gratte ; mais je ne me sens pas changé du tout, je me reconnais dans la glace, je suis aussi laid et aussi malpropre. C'est pourtant sa fête, samedi.

« As-tu appris ton compliment ? »

Je me trouve un peu grand pour apprendre un compliment — je ne sais pas comment j'oserai entrer dans la chambre, ce qu'il faudra dire, s'il faudra rire, s'il faudra pleurer, si je devrai me jeter sur la barbe de mon père et la frotter en y enfonçant mon nez — bien rapproprié, par exemple ! —, s'il sera filial que j'appuie, que j'y reste un moment, ou s'il vaudra mieux le débarrasser tout de suite, et m'en aller à reculons, avec des signes d'émotion, en murmurant : « Quel beau jour ! » À ce moment-là, je recommencerai :

« *Oui, cher papa...* »

J'en tremble d'avance. J'ai peur d'avoir l'air si bête...

— Non, j'ai peur qu'on devine que j'aimerais que ce ne fût point sa fête...

La fête de mon père !

Mes inquiétudes redoublent, quand ma mère m'annonce que je devrai offrir un pot de fleurs.

Comme ce sera difficile !

Mais ma mère sait comment on exprime l'émotion et la joie d'avoir à féliciter son père de ce qu'il s'appelle Antoine !

Nous faisons des répétitions.

D'abord, je gâche trois feuilles de papier à compliments : j'ai beau tirer la langue, et la remuer, et la crisper en faisant mes majuscules, j'éborgne les *o*, j'emplis d'encre la queue des *g*, et je fais chaque fois un pâté sur le mot « allégresse ». J'en suis pour une série de taloches. Ah ! elle me coûte gros, la fête de mon père !

Enfin, je parviens à faire tenir, entre les filets d'or teintés de violet et portés par des colombes, quelques phrases qui ont l'air d'ivrognes, tant les mots diffèrent d'attitudes, grâce aux haltes que j'ai faites à chaque syllabe pour les *fioner*[1] !

Ma mère se résigne et décide qu'on ne peut pas se ruiner en mains de papier ; je signe — encore un pâté — encore une claque. — C'est fini !

Reste à régler la cérémonie.

« Le papier comme ceci, le pot de fleurs comme cela, tu t'avances… »

Je m'avance et je casse deux vases qui figurent le pot de fleurs ; — c'est quatre gifles, deux par vase.

Il est temps que le beau jour arrive : la nuit je rêve que je marche pieds nus sur des tessons et qu'on m'empale avec des rouleaux de papier à compliments, ce qui me fait mal !

L'achat du pot provoque un grand désordre sur la place du marché. Ma mère prend les pots et les flaire comme du gibier ; elle en remue bien une centaine avant de se décider, et voilà que les jardiniers commencent à se fâcher ! — elle a dérangé les étalages, troublé les classifications, brouillé les familles ; un botaniste s'y perdrait !

On l'insulte, on a des mots grossiers pour elle — et même pour son fils — qu'on ne craint pas d'appeler « astèque » et avorton. Il est temps de fuir.

---

1. Parfaire, fignoler.

Au bout de la place, ma mère s'arrête, et me dit :
« Jacques, va-t'en demander au gros — celui qui
est au bout, tu sais, — s'il veut te donner le géranium pour onze sous. »

Il faut que je retourne dans cette bagarre, vers ce
gros-là ; c'est justement celui qui m'a appelé « avorton ».

J'en ai la chair de poule. J'y vais tout de même ; j'ai
l'air de chercher une épingle par terre ; je marche les
yeux baissés, les cuisses serrées, comme un ressort
rouillé qui se déroule mal, et j'offre mes onze sous.

Il a pitié, ce gros, et il me donne le géranium sans
trop se moquer de moi. Les autres ne sont pas trop
cruels non plus, et je puis rejoindre ma mère avec
cette fleur, emblème de notre allégresse :

> Accepte cette fleur...
> Qui poussa dans mon cœur.

Vendredi soir.

Vendredi soir, répétition générale, dans le mystère et l'ombre.

Mon père — Antoine — est censé ne plus savoir
ce qui se passe. Il sait tout ; il a même hier soir ren-
versé le géranium mal caché, et je l'ai vu qui le relevait à la sourdine et le refrisait d'un geste furtif.

Il a failli marcher sur le compliment raide, gommé,
et qui en gardera la cassure. Je l'avais pourtant
caché dans la table de nuit.

Il sait tout, mais il feint, naïf comme un enfant et
bon comme un patriarche, de tout ignorer. Il faut
que ce soit une surprise.

Le matin du jour solennel, j'arrive ; il est dans
son lit.

« Comment ! c'est ma fête ? »

Avec un sourire, tournant un œil d'époux vers ma mère :

« Déjà si vieux ! Allons que je vous embrasse ! »

Il embrasse ma mère qui me tient par la main comme Cornélie amenant les Gracques, comme Marie-Antoinette traînant son fils[1]. Elle me lâche pour tomber dans les bras de son époux.

C'est mon tour ; je croyais que je devais dire le compliment d'abord et qu'on n'embrassait qu'après le pot de fleurs. Il paraît qu'on embrasse avant.

Je m'avance.

Je tiens le géranium de onze sous et le rouleau, ce qui me gêne pour grimper.

Mon père m'aide, il me trouve lourd ; je monte une jambe, — je glisse. Mon père me rattrape, il est forcé de me saisir par le fond de la culotte, et je tourne un peu dans l'espace.

Ce n'est pas ma figure qu'il a devant les yeux ; moi-même je ne trouve pas son visage. Quelle position !

Puis je sens le géranium qui file ; il a filé, et tout le terreau tombe dans le lit. La couverture était un peu soulevée.

On me chasse de la chambre à coups de pied, et je n'ai pas la joie pure d'embrasser mon père, d'être embrassé par lui le jour de sa fête ; mais je n'ai pas

---

1. Deux figures historiques et mythiques de la Mère : Cornélie, mère de Tibérius et Caïus Gracchus (deux tribuns de la plèbe du IIe siècle av. J.-C.), incarne la fière matrone romaine, qui continue d'inspirer les artistes au XIXe siècle ; Marie-Antoinette, en prisonnière du Temple « traînant » le petit Louis XVII, offre une image moins glorieuse mais également consacrée par la tradition : Vallès se souvient peut-être du *Chevalier de Maison-Rouge* d'Alexandre Dumas, dont il est un grand lecteur.

non plus à lire le compliment. C'est entendu, bâclé, fini. Il y a un peu de fumier dans le lit.

La fête de ma mère ne me produit pas les mêmes émotions : c'est plus carré.

Elle a déclaré nettement, il y a de longues années déjà, qu'elle ne voulait pas qu'on fît des dépenses pour elle. Vingt sous sont vingt sous. Avec l'argent d'un pot de fleurs, elle peut acheter un saucisson. Ajoutez ce que coûterait le papier d'un compliment ! Pourquoi ces frais inutiles ? Vous direz : ce n'est rien. C'est bon pour ceux qui ne tiennent pas la queue de la poêle de dire ça ; mais elle, qui la tient, qui fricote, qui dirige le ménage, elle sait que c'est quelque chose. Ajoutez quatre sous à un franc, ça fait vingt-quatre sous partout.

Quoique je ne songe pas à la contredire, mais pas du tout (je pense à autre chose, et j'ai justement mal au ventre), elle me regarde en parlant, et elle est énergique, très énergique.

Puis les plantes, ça crève quand on ne les soigne pas.

Elle a l'air de dire : On ne peut pas les fouetter !

La grande distraction qu'elle m'offre est la messe de minuit, parce que c'est gratis.

La messe de minuit !

De la neige sur les toits et la crête des murs.

Elle a fondu sous les pieds des passants dans la rue, et l'on patauge dans la boue.

C'est triste en haut, sale en bas !

Il y a un monde fou chez les charcutiers.

On commande du boudin pour la nuit ; et notre épicier a tué un cochon exprès l'autre soir.

L'odeur vive et crue des salaisons domine mes souvenirs de Noël.

Une satanée petite queue de cochon[1] m'apparaît partout, même dans l'église.

Le cordon de cire au bout de la perche de l'allumeur, le ruban rose, qui sert à faire des signets dans les livres, et jusqu'à la mèche d'un vicaire, qui tirebouchonne, isolée et fadasse, au coin d'une oreille violette ; la flamme même des cierges, la fumée qui monte en se tortillant des trous des encensoirs sont autant de petites queues de cochons que j'ai envie de tirer, de pincer ou de dénouer ; que je visse par la pensée à un derrière de petit porc gras, rose et grognon, et qui me fait oublier la résurrection du Christ, le bon Dieu, Père, Fils, Vierge et Cie.

J'aspire une odeur de sel comme au bord de la mer, et par la pensée je gratte la cire jaune pour en faire de la chapelure ou de la moutarde !

Je lâche ma mère pour aller avec les voisins à l'épicerie qui est à côté de chez nous.

Les acheteurs chez notre épicière sont des impies.

Ils ont attaqué un saucisson sur le comptoir en buvant une bouteille de vin blanc.

J'en ai eu une goutte, et le piquant du vin, la saveur de la charcuterie m'ont agaillardi.

Leur conversation est poivrée comme le reste.

Je n'y comprends rien, mais je vois qu'ils disent du mal du Ciel et de l'Église, et qu'ils sont tout de même pleins d'appétit et de gaieté.

« Encore une rondelle, une hostie à l'ail ! — Versez

---

1. L'image, qui est à rapprocher de la Saint-Antoine, fête du cochon, prend ici une signification carnavalesque et anticléricale plus générale. L'adjectif *satanée* est chargé de son sens premier : l'exaltation joyeuse et rabelaisienne du *Bas* matériel et corporel, que symbolise la charcuterie, est l'exacte antithèse — l'envers et l'« enfer » — de la soumission au Sacré de la religion instituée.

toujours, madame Potin ! — Nous nous retrouverons
en enfer, n'est-ce pas ? Toutes les jolies femmes y
sont. Croyez-vous pas que saint Joseph était cocu ? »

VIII
LE FER-À-CHEVAL

Le Fer-à-Cheval[1]...

J'y vais avec ma cousine Henriette[2].

C'est pour voir Pierre André, le sellier du faubourg, qu'elle y vient.

Il est de Farreyrolles comme elle et elle doit lui
donner des nouvelles de sa famille, des nouvelles in-
times et que je ne puis pas connaître ; car ils s'écar-
tent pour se les confier, et elle les lui dit à l'oreille.

Je le vois là-bas qui se penche ; et leurs joues se
touchent.

Quand Henriette revient, elle est songeuse et ne
parle pas.

Il y a aussi la promenade d'Aiguille[3], toute bordée
de grands peupliers. De loin ils font du bruit
comme une fontaine.

C'est l'automne ; ils laissent tomber des feuilles
d'or, qui ont encore la queue vivante et la peau
tendre comme des poires.

Je m'amuse à bouleverser ces tas de feuilles sous
mes pieds.

1. Voir n. 2, p. 42.
2. On ne sait à qui correspond cette cousine dans la réalité : elle appartient sans doute à la famille maternelle.
3. Future avenue d'Aiguilhe.

Plus loin, de hauts marronniers, avec les marrons tombés.

J'en ramasse plein mes poches pour en faire des chapelets ; mais je ne pensais pas au bon Dieu en les enfilant !

Je me figure que je troue des rognons, de ces beaux rognons frais, violets, luisants, que j'entrevois chez les bouchers.

Ce que j'aime, c'est le soleil qui passe à travers les branches et fait des plaques claires, qui s'étalent comme des taches jaunes sur un tapis ; puis les oiseaux qui ont des pattes élastiques comme des fils de fer, avec une tête qui remue toujours ; — et surtout cet air frais, ce silence !

On ne distingue que la cloche du couvent de Sainte-Marie, et le bruit que fait un attelage à grelots dans la route blanche, là-bas...

« Écoute, mademoiselle Balandreau, on n'entend que moi... »

Et je jette un cri, ou je lance une pierre bien haut, qui emplit tout l'horizon et retombe.

C'est comme un coup sur la poitrine.

Quelquefois sur les bancs du fond un monsieur et une dame s'asseyent et causent tout bas.

Mlle Balandreau m'éloigne, mais je me retourne.

Comme ils s'embrassent !

LE PLOT[1]

Mes tantes y arrivent le samedi pour vendre du fromage, des poulets et du beurre.

---

1. Place de la ville basse du Puy.

Je vais les y voir, et c'est une fête chaque fois.

C'est qu'on y entend des cris, du bruit, des rires !
Il y a des embrassades et des querelles.

Il y a des engueulades qui rougissent les yeux,
bleuissent les joues, crispent les poings, arrachent
les cheveux, cassent les œufs, renversent les éven-
taires, dépoitraillent les matrones, et me remplissent
d'une joie pure.

Je nage dans la vie familière, grasse, plantureuse
et saine.

J'aspire à plein nez des odeurs de nature : la marée, l'étable, les vergers, les bois...

Il y a des parfums âcres et des parfums doux, qui
viennent des paniers de poissons ou des paniers de
fruits, qui s'échappent des tas de pommes ou des
tas de fleurs, de la motte de beurre ou du pot de
miel.

Et comme les habits sont bien des habits de campagne !

Les vestes des hommes se redressent comme des
queues d'oiseaux, les cotillons des femmes se tiennent en l'air comme s'il y avait un champignon
dessous.

Des cols de chemise comme des œillères de cheval, des pantalons à ponts, couleur de vache, avec
des boutons larges comme des lunes, des chemises
pelucheuses et jaunes comme des peaux de cochons,
des souliers comme des troncs d'arbres...

Les parapluies énormes, en coton sang-de-bœuf,
les longs bâtons qui ont le bout comme un oignon,
les petites poules noires qui se cognent contre les
cages, les coqs fiers, piaffant sur leurs pattes à la
hussarde...

C'est l'arche de Noé en plein vent, déballée sur un
lit de fumier, de paille et de feuillage.

La fontaine claire vomit par la gueule de ses lions des nappes de fraîcheur.

Un homme qui a une tête de belette, la mine triste, qui n'a pas l'air d'un paysan, ni d'un ouvrier, mais d'un mendiant endimanché ou d'un prisonnier libéré de la veille, montre dans un panier des petits loups vivants.

Prisonnier ! Mendiant !

Il appartient, bien sûr, à cette race.

On ne veut pas de lui dans les fermes, parce qu'il y a quelque histoire dans sa vie.

Il est le fils d'un guillotiné ou d'un galérien ; ou bien il a lui-même eu affaire aux gendarmes.

Il rôde sur la marge des bois, sur le bord de la rivière, dans la montagne.

Quand il peut attraper un renard, un loup, — quelquefois il blesse un aigle, — il montre sa bête ou sa nichée pour deux sous à la ville ; pour un morceau de lard dans les villages.

J'ai eu peur de lui jusqu'au jour où mon oncle Joseph lui a donné dix sous et lui a parlé :

« Comment ça va, Désossé ? »

Et en s'en allant il a dit : « Pauvre bougre ! il ne mange pas tous les jours. »

SUR LE BREUIL [1]

J'ai eu bien des émotions au Breuil.

On a planté une tente de toile comme une grosse toupie renversée, et, en allant faire une commission, j'ai vu par-là un grand nègre.

1. Voir n. 2, p. 42.

C'est le cirque Bouthors[1], qui vient s'installer dans la ville.

Ils ont un éléphant et un chameau, une bande de musiciens à shakos et à tuniques rouges, avec des parements d'or et des épaulettes comme des pâtés.

Ils ont fait le tour de la ville en battant de la grosse caisse ; les écuyères sont en amazones et les écuyers en généraux.

Les paysans regardaient, la bouche ouverte ; les gamins suivaient en trottant.

Une écuyère a laissé tomber sa cravache.

Nous nous sommes jetés dix pour la ramasser, et on s'est battu à qui la rendrait. L'écuyère riait ; son œil a rencontré le mien ; et j'ai senti comme quand ma tante de Bordeaux m'embrassait...

J'veux *la* revoir, *cette femme* !

Puis je reverrai aussi le chameau et l'éléphant.

Sur l'affiche on les montre qui se mettent à genoux, dansent sur deux jambes, débouchent des bouteilles — avec un clown bariolé qui fait le saut périlleux par-dessus.

Je les ai revus, tous ; et même le clown m'a donné, en se jetant, par farce, sur le parterre, un coup de tête dans l'estomac.

« C'est sur moi qu'il est tombé !

— Pas vrai, sur moi !

— À preuve qu'il m'a laissé du blanc sur ma veste !

— Il ne t'a pas écorché, toi — j'ai du rouge à la joue, c'est lui qui m'a fait ça ! »

Et de là, dispute à qui a été bousculé, blanchi, ensanglanté par le clown !

1. Voir n. 1, p. 77.

Au tour de l'écuyère !

Elle arrive ! — Je ne vois plus rien ! Il me semble qu'elle me regarde...

Elle crève les cerceaux, elle dit : Hop ! hop !

Elle encadre sa tête dans une écharpe rose, elle tord ses reins, elle cambre sa hanche, fait des poses ; sa poitrine saute dans son corsage, et mon cœur bat la mesure sous mon gilet.

« Qu'est-ce que tu as donc, Jacques, tu es blanc comme le clown ! »

Je suis amoureux de Paola ! — c'est le nom de l'écuyère.

J'ai envie de la voir encore. Il le faut ! Mais je n'ai pas les dix sous, prix des troisièmes.

J'irai tout de même.

Je me fais beau, je prends en cachette dans l'armoire mon gilet des dimanches, je mets des manchettes de ma mère et je pars pour le Breuil, en disant que je vais jouer chez le petit Grélin.

Il fait nuit. Je traverse la place toute noire jusqu'à ce que j'aperçoive les lampions qui brûlent rouge dans la brume. La musique est rentrée dans l'intérieur ; on a commencé. J'entends claquer la chambrière à travers la toile qui sert de mur.

Elle est là !

Je n'ai pas dix sous, rien, rien !... que mon amour !

Je fais le tour du manège, je colle mon œil à des fentes, je me dresse sur mes orteils, à m'en casser les ongles ; pas un trou pour mon regard de flamme !

Par ici...

Par ici la toile est plus courte. Elle est déchirée près du poteau, et en déchirant encore un peu...

J'ai élargi la déchirure, mis le pied — je veux dire passé la tête — dans le chemin qui conduit à l'écurie.

Je suis à plein ventre par terre, dans la boue, et je me glisse comme un voleur, comme un assassin, la nuit, dans un cirque habité !

M'y voici ! Je rampe sous les planches, je me racle au poteau, je me fais des écorchures aux mains ; mon nez, qui s'est aplati contre un madrier, ne donne plus signe de vie ; je ne le sens plus, j'ai peur de l'avoir perdu en route ; ce que je tiens n'y ressemble guère ; mais encore un effort, encore une blessure, et je pourrai *la* voir en passant derrière cette grosse bonne.

Je vais grimper !... Je grimpe, — un point d'appui me manque... je me raccroche à ce que je trouve...

Un cri !... tumulte !

Une femme serre ses jupes, appelle au secours !

On croit que le cirque s'écroule !

J'ai pris la bonne à pleine chair, je ne sais où ; elle a cru que c'était le singe ou la trompe égarée de l'éléphant.

On me prend moi-même par la peau de ce qu'on peut, on me pousse comme du crottin dans l'écurie, on m'interroge, je ne réponds pas !

On m'entoure. ELLE est là, près de moi. ELLE ! Je l'entends, mais je ne peux pas la voir à cause de mon nez qui gonfle.

Je me retrouve à temps à la maison pour m'entendre avec Mme Grélin, qui m'empêchera d'être fouetté, — (oh ! Paola !) et à qui je dis tout, — tout, moins le secret de mon amour ! Compromettre une femme ! J'ai tout mis sur le compte du chameau, qui a bon dos, et de l'éléphant dont on a soupçonné la trompe.

Et quand quelquefois je tâche de me rappeler le Breuil, c'est toujours Paola et le gras de la bonne que la mémoire empoigne. Le Breuil tient dans ce cirque, sous ce maillot et cette jupe...

IX

SAINT-ÉTIENNE

Mon père a été appelé comme professeur de septième à Saint-Étienne[1], par la protection d'un ami. Il a dû filer *dare-dare*.

Ma mère et moi, nous sommes restés en arrière, pour arranger les affaires, emballer, etc., etc.

Enfin nous partons. Adieu Le Puy !

Nous sommes dans la diligence ; il fait froid, c'est en décembre. Nous avons pour compagnons de route un commis voyageur, une grosse femme et un petit vieux.

La grosse femme a une poitrine comme un ballon, avec une échancrure dans la robe qui laisse voir un V de chair blanche, douce à l'œil et qui semble croquante comme une cuisse de noix. Elle a des yeux dans le genre de ceux de ma tante, avec des cils très longs.

1. Jean-Louis Vallez a été nommé maître élémentaire de septième (aujourd'hui CM2) au collège royal de Saint-Étienne en décembre 1840, grâce à la « protection » d'une personnalité de la Haute-Loire, Pierre Calemard de La Fayette.

Une plaisanterie — à laquelle je ne comprends rien — dite par le commis voyageur, lui écarte les lèvres et lui arrache un bon gros rire. À partir de ce moment-là, ils ne font plus que rigoler et ils se donnent même des tapes, au grand scandale de ma mère, qui s'écarte et manque de m'écraser dans mon coin, à la grande joie du petit vieux, qui se frotte les mains et cligne de l'œil en branlant la tête.

Quand on arrive aux relais, ils descendent ensemble et je les vois à travers les fenêtres de l'auberge qui se passent les radis — toujours en riant — et s'allongent des coups de coude.

Le commis voyageur offre à la grosse un bouquet qu'un mendiant lui a vendu et demande qu'elle le fourre dans son corsage ; elle finit par mettre le bouquet où il veut.

Comme elle est plus gaie que ma mère, celle-là !

Que viens-je de dire ?... Ma mère est une sainte femme qui ne rit pas, qui n'aime pas les fleurs, qui a son rang à garder, — son honneur, Jacques !

Celle-ci est une femme du peuple, une marchande (elle vient de le dire en remontant dans sa voiture) ; elle va à Beaucaire pour vendre de la toile et avoir une boutique à la foire. Et tu la compares à ta mère, jeune Vingtras !

Nous arrivons à Saint-Étienne.

Il fait nuit ; mon père n'est pas là pour nous recevoir.

Nous attendons debout entre les malles. Il y a de la neige plein les rues et je regarde l'ombre des réverbères se détacher sur ce blanc cru. Ma mère fouille la place d'un œil qui lance des éclairs ; elle va et vient, se mord les lèvres, se tord les mains, fatigue les employés de questions éternelles.

On lui demande si elle veut entrer ou sortir, se tenir dans le bureau ou sur le pavé, si elle persistera longtemps avec ses malles à encombrer la porte.

« J'attends mon mari qui est professeur au lycée. »

Ils ont l'air de s'en moquer un peu !

Je voudrais bien rester dans le bureau ; j'ai les pieds gelés, les doigts engourdis, le nez qui me cuit. J'en fais part à ma mère.

« Jacques ! »

Un « Jacques » qui inaugure mal notre entrée dans cette ville — et elle marmotte entre ses dents qui claquent :

« Il laisserait sa mère crever de froid, tenez, tandis qu'il se rôtirait les cuisses ! »

Mais elle peut se rôtir les jambes aussi ! Rien ne l'empêche, puisqu'on lui a demandé si elle voulait se mettre près du feu.

Mon père arrive tout essoufflé.

« Je suis en retard... (Il s'essuie le front.) Vous avez fait un bon voyage ? » (Il tend les bras vers ma mère et la manque.)

Il se retourne vers moi.

« Ah ! voilà Jacques !

— Crois-tu pas que je t'en aurais amené un autre ! » dit ma mère.

Mon père dit : « Non, non ! C'est-à-dire » — il ne sait plus trop.

Il va pour m'embrasser à mon tour, il me rate ; comme il a raté ma mère. Pas de chance pour les embrassades, pas de veine pour les baisers.

« J'étais avec l'économe, M. Laurier[1], tu sais... je croyais que la diligence... »
On ne lui répond rien, rien, rien !

Nous prenons un fiacre pour nous rendre à la maison.

Du silence tout le long de la route, du silence et de la neige. Mon père regarde à la portière, ma mère s'est accroupie dans un coin, je suis au milieu, n'osant bouger de crainte qu'on n'entende tourner mes os, virer ma tête. Je tourmente du bout du doigt un gland de parapluie ; à ce moment le parapluie m'échappe — je me penche pour le rattraper ; mon père se tournait — *pan !* — Nous nous cognons — nous nous relevons comme deux guignols ! — Encore un faux mouvement — *pan, pan !* — c'est en mesure.

Le sourire jaune reparaît sur la face de mon père ; des changements visibles s'opèrent sur la mienne. C'était la lutte de l'œuf dur contre l'œuf mollet. Mon père a pu supporter le choc et il sourit. — Bonne nature ! Mais moi, j'ai une bosse qui enfle, c'est pesant comme une maison. Mon père étend sa main dans l'obscurité, pour tâter, et aussi parce que mon front a l'air d'avancer et va le gêner tout à l'heure ; il étend la main, c'est mon nez qu'il attrape ; il croit de son devoir, plus paternel et plus gracieux, plus conforme à sa dignité ou meilleur à ma santé, de rester un instant sur ce nez qu'il a l'air de bénir ou de consulter.

De ma mère on ne voit rien, on n'entend rien, qu'un grincement de soie : ce sont ses ongles qui en veulent à sa ceinture.

---

1. L'économe du collège du Puy, M. Rodier de son vrai nom, avait précisément été nommé à Saint-Étienne quelques mois avant Jean-Louis Vallez.

Ce grincement dans le silence a quelque chose de terrible. Pour des augures, c'eût été un présage ; pour mon pauvre père, c'en était un aussi ; il annonçait des malheurs. Il devait nous en arriver au moins un, en effet, dans cette ville que traversait, neigeuse et triste, notre fiacre muet.

La maison où la voiture nous descend fait le coin de la rue.

L'entrée est misérable, avec des pierres qui branlent sur le seuil, un escalier vermoulu et une galerie en bois moisi à laquelle il manque des membres.

Nous faisons trembler ce bois sous nos mains, ces pierres sous nos pieds — ce qui gêne tout le monde. Il semblait qu'on devait rester muet jusqu'à la fin des siècles. Mon père fait l'affairé.

« Passe devant, dit-il. Il y a une marche ici. Prends garde, un trou là. Tiens-toi à la rampe. »

Il joue avec la clef pendue à son petit doigt ; le geste est isolé et saugrenu comme un geste de bébé.

Je traînais le parapluie.

Ordinairement, quand je laisse ce parapluie piquer la robe ou cogner le flanc de ma mère, c'est du « maladroit » par-ci, du « nigaud » par-là ; elle crie : je reçois une gifle.

Je donnerais beaucoup pour recevoir une gifle ; ma mère est contente quand elle me donne une gifle, — cela l'émoustille, c'est le frétillement du hoche-queue, le plongeon du canard, — elle s'étire et rencontre la joue de son fils ; quelle joie pour une mère de le sentir là à sa portée et de se dire : c'est lui, c'est mon enfant, mon fruit, cette joue est à moi, — clac !

Mais non.

Elle a les bras croisés et les garde cachés sous son châle... Allons ! Elle n'est pas disposée à la bonne humeur.

Mon père use un tas d'allumettes ; elles se cassent et font un petit bruit sec qui est tout ce qu'on entend devant cette porte fermée, dans le corridor que glace le vent, avec ma mère et moi contre le mur comme des habits de la Morgue.

Jamais moment ne m'a paru plus long.

Enfin une des chimiques prend, et mon père peut introduire la clef dans la serrure...

Nous entrons dans une pièce immense où arrive, par des croisées énormes, la lumière d'un réverbère qui clignote dans la rue.

Elle tombe en plein sur ma mère, qui se tient immobile et muette, avec la rigidité d'une morte, l'insensibilité d'un mannequin et la solennité d'un revenant.

. . . .

Mais je sauve toujours les situations avec ma tête ou mon derrière, mes oreilles qu'on tire ou mes cheveux qu'on arrache, en glissant, m'accroupissant ou roulant, comme l'ahuri des pantomimes, comme l'*innocent des escamoteurs*.

Je me sens tout d'un coup dégringoler, je tombe !

Il y avait une pelure d'orange sous mon talon ; ce dont on s'aperçoit en se penchant vers moi, comme sur un problème. Je déconcerte les mathématiciens par l'imprévu de mes opérations.

— C'est ma mère tout d'un coup rappelée à l'amour de son fils, par cette chute à tournure de mystification, qui remarque la première cette peau d'orange.

Elle croise ses bras et avance sur mon père :

« On mange donc des oranges ici, on mange des oranges !... »

Et elle trépigne, trépigne... Je ne sais ce que cela veut dire.

Je suis à terre, forcé de lever la tête pour voir tout ce qui se passe ; ma situation d'historiographe ressemble à celle d'un cul-de-jatte qu'on a porté là et laissé tomber comme un sac trop lourd.

Je ne veux pourtant pas mourir à cette place ! Puis je ne dois pas écouter ma mère qui est debout, dans cette position indifférente, m'isolant d'elle avec l'apparence du mépris ; Jacques, tu as trop tardé déjà !

Relève-toi, et mets-toi entre le discours de ta mère et l'effroi de ton père. Relève-toi, fils ingrat.

Mais non, non !

J'ai voulu bouger... je ne puis...

Je suis tombé sur une gravure et j'ai cassé le verre.

On est forcé de reconnaître des lésions affligeantes, et quelques gouttes de sang qui traînent sur le plancher servent de prétexte à mon père — et à ma mère aussi — pour entrer dans des mouvements nouveaux. J'en tressaille d'aise (autant que je puis tressaillir sans trop de souffrance, entendons-nous). Mais je suis bien content tout de même d'avoir dérangé ce silence, *cassé la glace*, et ma famille en arrache les morceaux.

On me lave comme une pépite ; on me sarcle comme un champ.

L'opération est minutieuse et faite avec conscience.

Dans le hasard de l'échenillage, les mains se rencontrent, les paroles s'appellent ; on se réconcilie sournoisement sur ma blessure, et je crois même que mon père fait traîner le sarclage pour laisser à la colère de sa femme le temps de tomber tout à fait. Je saigne bien un peu ; je suis tantôt à quatre pattes, tantôt sur le ventre, suivant qu'ils l'ordonnent et que les piquants se présentent ; mais je sens que j'ai rendu service à ma famille, et cela est une consolation, n'est-ce pas ?

Au lieu de pousser tant de haricots dans les coins, pourquoi M. Beliben ne dirait-il pas : « Voyez si Dieu est fin et s'il est bon ! que lui a-t-il fallu pour raccommoder l'époux et l'épouse qui se fâchaient ? Il a pris le derrière d'un enfant, du petit Vingtras, et en a fait le siège du raccommodement. »

On pouvait me montrer dans les cours de philosophie ou de catéchisme.

J'en fus malade, j'eus la fièvre. Mais l'orage avait été apaisé : on s'expliqua sur la peau d'orange, avec calme ; on donna une raison pour l'arrivée tardive à la diligence ; on mit les compresses sur la colère ; on m'en mit aussi ailleurs.

On s'expliqua sur la peau d'orange, mais il paraît qu'il y avait un mystère, tout de même...

Mon père avait menti en disant que M. Laurier l'avait retenu ; je le sus en l'entendant causer avec un collègue, qui vint le voir, à un moment où ma mère, fatiguée par le voyage, l'attente, l'orage et surtout l'échenillage, faisait un somme.

« Vous direz ceci, je dirai cela. Nous préviendrons Chose. — Pourvu qu'*elles* ne s'avisent pas de nous reconnaître dans la rue. — Il n'y a pas de danger, au moins ? »

J'entendais tout de mon lit, où je reposais à plat ventre, un peu de côté, par instants, et je me demandais ce que ce *elles* signifiait.

X
BRAVES GENS

Je pourrais à peine dire comment était fait l'appartement dans lequel nous entrâmes, ainsi que je l'ai conté, avec bris de cadre, clignotement de réverbère et raccommodement posthume — si posthume est le mot.

À peine étions-nous installés qu'un grand événement arriva.

Ma mère dut repartir pour recueillir ou soigner une succession — celle de la tante Agnès peut-être, et je restai seul avec mon père.

C'est une vie nouvelle, — il n'est jamais là, je suis libre, et je vis au rez-de-chaussée avec les petits du cordonnier et ceux de l'épicière[1].

J'adore la poix, la colle, le tire-fil : j'aime à entendre le tranchet passer dans le gras du cuir et le marteau tinter sur le veau neuf et la pierre bleue.

On s'amuse dans ce tas de savates, et le grand frère ressemble à mon oncle Joseph. Il est compagnon du Devoir aussi, il a un grade, et quelquefois c'est moi qui attache les rubans à sa canne et brosse sa redingote de cérémonie. Les jours ordinaires, il me laisse planter des clous et prendre des coins de maroquin rouge.

---

1. À Saint-Étienne, la famille Vallez habitait rue du Chambon, au deuxième étage d'un immeuble dont le rez-de-chaussée était effectivement occupé par une famille d'épiciers (Garnier et non Vincent dans la réalité) et le premier par un cordonnier et sa nombreuse famille (Fabre, nom bien réel celui-là).

Je suis presque de la famille. Mon père m'a mis
en pension chez eux ; il dîne je ne sais où, au collège sans doute, avec les professeurs d'élémentaires.
Moi, j'avale des soupes énormes, dans des écuelles
ébréchées, et j'ai ma goutte de vin dans un gros
verre, quand on mange le *chevreton*.

Ils sont heureux dans cette famille ! — c'est cor-
dial, bavard, bon enfant : tout ça travaille, mais en
jacassant ; tout ça se dispute, mais en s'aimant.

On les appelle les Fabre.

L'autre famille du rez-de-chaussée, les Vincent,
sont épiciers.

Mme Vincent est une rieuse. Je les trouve tous
gais, les gens que je vois et que ma mère méprise
parce qu'ils sont paysans, savetiers ou peseurs de
sucre.

Mme Vincent n'est pas avec son mari. On ne l'a
vu qu'une fois, vêtu en Arabe, avec un burnous
blanc, mais il n'est resté que deux heures, et est
reparti.

Il paraît qu'ils sont séparés — judiciairement —
je ne sais pas ce que c'est, et il vit en Afrique, en
Algère, dit Fabre.

Il était venu pour chercher un de ses fils. Mme
Vincent, qui rit toujours, ne riait pas ce jour-là ! Il
s'en fallait de tout ; on l'entendait qui disait : « Non,
non », d'une voix dure, à travers la porte — et le
petit Vincent qui pleurait :

« Je veux rester avec maman !

— Je te donnerai un cheval, avec un pistolet
comme celui-là. »

Un pistolet ! un cheval !

Si mon père m'avait promis cela, et, en plus de
m'emmener loin de ma mère ! s'il m'avait pris avec

lui, sans la redingote à olives et le chapeau tuyau de poêle, quel soupir de joie j'aurais poussé ! — à la porte seulement — de peur que ma mère ne m'entendît et ne voulût me reprendre !... Oh ! oui, je serais parti !

Le petit Vincent, au contraire, pleurait et s'accrochait aux jupes.

Il y eut encore du bruit... le père se fâchait, la mère qui parlait plus haut et l'enfant qui sanglotait... puis la porte s'ouvrit, le burnous blanc passa. Il ne reparut plus.

Il me fit de la peine tout de même. Je le vis qui se cachait au coin de la rue ; il regardait la maison d'où il sortait, où étaient sa femme, son enfant ; il resta un long moment, l'air triste, et je crus m'apercevoir qu'il pleurait.

Je trouve des pères qui pleurent, des mères qui rient ; chez moi, je n'ai jamais vu pleurer, jamais rire ; on geint, on crie. C'est qu'aussi mon père est un professeur, un homme du monde, c'est que ma mère est une mère courageuse et ferme qui veut m'élever comme il faut.

Les Vincent, les Fabre et le petit Vingtras forment une colonie criarde, joyeuse, insupportable.

« Vous êtes insupportables, Jacques, Ernest... »

C'est la mère Vincent qui veut faire la méchante et qui ne peut pas ; c'est le père Fabre qui le dit faiblement, avec un doux sourire de vieux.

« Insupportables ! Ah ! si je vous y reprends ! »

On nous y reprend sans cesse, et on nous supporte toujours.

Braves gens. Ils juraient, sacraient, en lâchaient de salées : mais on disait d'eux : « Bons comme le bon pain, honnêtes comme l'or. » Je respirais dans

cette atmosphère de poivre et de poix, une odeur de
joie et de santé ; ils avaient la main noire, mais le
cœur dessus ; ils balançaient les hanches et tenaient
les doigts écarquillés, parlaient avec des velours et
des cuirs ; — c'est le métier qui veut ça, disait le
grand Fabre. Ils me donnaient l'envie d'être ouvrier
aussi et de vivre cette bonne vie où l'on n'avait peur
ni de sa mère, ni des riches, où l'on n'avait qu'à se
lever de grand matin, pour chanter et taper tout le
jour.

Puis, on avait de belles alènes pointues. On voyait
luire sous la main le museau allongé d'une bottine,
le talon cambré d'une botte, et l'on tripotait un cirage qui sentait un peu le vinaigre et piquait le nez.

Braves gens !

Ils ne battaient pas leurs enfants — et ils faisaient
l'aumône. Ce n'était pas comme chez nous.

Pendant toute mon enfance, j'ai entendu ma
mère dire qu'il ne fallait pas donner aux pauvres :
que l'argent qu'ils recevaient, ils l'allaient boire, que
mieux valait jeter un sou dans la rivière, qu'au
moins il ne roulait pas au cabaret. Je n'ai jamais pu
cependant voir un homme demander un sou pour
acheter du pain, sans qu'il me tombât du chagrin
sur le cœur, comme un poids.

Mais comment cela se fait-il cependant ?

Mme Vincent était contente quand son fils tirait
un des sous de sa petite bourse pour le mettre dans
la main d'un malheureux. Elle embrassait Ernest[1]
et disait : « Il a bon cœur ! »

---

1. Ernest était le prénom de l'enfant dans *Le Testament d'un blagueur* ; Vallès donne ici ce prénom au double heureux de Jacques, l'enfant embrassé et non fouetté.

Mme Vincent voulait donc le malheur de son fils ? Elle l'aimait pourtant, sans cela elle l'aurait donné à l'homme au burnous blanc.

Ah ! elles me troublaient un peu les braves femmes, la mère Vincent et la mère Fabre ! Heureusement cela ne durait pas et ne tenait pas une minute quand j'y réfléchissais.

Elles n'osaient pas battre leur enfant, parce qu'elles auraient souffert de le voir pleurer ! Elles lui laissaient faire l'aumône, parce que cela faisait plaisir à leur petit cœur.

Ma mère avait plus de courage. Elle se sacrifiait, elle étouffait ses faiblesses, elle tordait le cou au premier mouvement pour se livrer au second. Au lieu de m'embrasser, elle me pinçait ; — vous croyez que cela ne lui coûtait pas ! — Il lui arriva même de se casser les ongles. Elle me battait pour mon bien, voyez-vous. Sa main hésita plus d'une fois ; elle dut prendre son pied.

Plus d'une fois aussi elle recula à l'idée de meurtrir sa chair avec la mienne ; elle prit un bâton, un balai, quelque chose qui l'empêchait d'être en contact avec la peau de son enfant, son enfant adoré.

Je sentais si bien l'excellence des raisons et l'héroïsme des sentiments qui guidaient ma mère, que je m'accusais devant Dieu de ma désobéissance et je disais bien vite deux ou trois prières pour m'en disculper. Malheureusement, j'avais très peu de temps à moi, et mes *mea culpa* restaient en l'air parce qu'Ernest, Charles ou Barnabé, un Vincent ou un Fabre, m'appelait pour une glissade, une promenade ou une bourrade, à propos de bottes ou de marmelade ; il y avait toujours quelque tonneau, quelque baquet, quelque querelle ou quelque pot à

vider pour aider la boutique ou l'échoppe, le travail
ou la rigolade.

Nous allions au second faire enrager la femme du
plâtrier.

La plâtrière était une grande blonde, à l'air très
doux, fort propre, — un peu languissante ; — elle
nous laissait nous engouffrer quelquefois dans sa
chambre au milieu de nos jeux, quand son mari
n'était pas là ; mais, dès qu'elle l'entendait, il fallait descendre ; elle fermait sa porte et ne reparais-
sait que pour montrer une figure plus lasse et des
hanches plus languissantes encore. Elle parlait toujours à Mme Vincent d'avoir un enfant, « qu'elle
avait peur que ce ne fût pas encore pour cette fois,
que cela désespérait son mari ».

Si un des Fabre, celui de dix-huit ans, ou celui de
vingt-trois, passait à ce moment, elle se taisait ;
mais lui, en manière de farce, jetait un mot qui la
faisait rougir jusqu'à la racine de ses cheveux pâles ;
elle essayait de sourire tout de même, mais elle
semblait doucement gênée.

« Vous avez du plâtre ici (il montrait une place
blanche) et de l'édredon là — (il enlevait une petite
plume sur l'épaule, et hochait la tête en rigolant).

— Ce monsieur Fabre...

— Mais dame ! dit-il un jour, on ne les trouve pas
sous les choux. »

J'étais là, quand il lâcha ce : « On ne les trouve
pas sous les choux. »

Le mot m'entra dans l'oreille comme une alène et
s'y attacha comme de la poix.

M'a-t-on égaré ?

Ma mère est revenue. L'affaire d'héritage s'est arrangée, je ne sais trop comment. Je suis retombé sous le fouet et je ne suis plus libre que les jours où elle est absente par hasard.

Mais le Mardi gras, la femme d'un collègue est venue la prendre à l'improviste pour la consulter sur une toilette, — elle a tant de goût ! — et en même temps pour passer la journée. Ma mère n'a pas eu le temps de m'enfermer. Je suis mon maître, un Mardi gras !

Ce jour-là, c'est la coutume que dans chaque rue on élève une pyramide de charbon, un bûcher en forme de meule, comme un gros bonnet de coton noir avec une mèche à laquelle on met le feu le matin[1].

On avait dit que ceux de la rue à côté devaient venir démolir notre édifice ; il y avait haine depuis longtemps entre les deux rues. Un polisson, le fils de l'aubergiste du Lion-d'Or, propose de faire sentinelle avec des pierres et une fronde dans la poche ; on a l'ordre de lancer la fronde si l'ennemi s'avance en masse et de loin, de cogner avec la pierre dans sa main si l'on est surpris et saisi.

Je suis de garde un des premiers.

Voilà que je crois reconnaître le petit Somonat, un de la rue Marescaut, qui passe son nez derrière la porte de l'église...

Il me semble qu'il fait des signes ; ils vont arriver en masse ; je serai débordé, tourné. — Que dira le fils de l'aubergiste, et toute ma rue ? Oserai-je y repasser, si je ne me défends pas en héros ?

---

1. Tradition stéphanoise.

Mon parti est pris : j'ai mon tas de pierres, je charge ma fronde et je la fais claquer, en lançant au hasard du côté des Marescauts une mitraille de cailloux, qui sifflent dans l'air et dont j'entends le bruit contre les portes de bois, dans les volets fermés ! Je fouille à l'aventure comme on fouille avec le canon. — Je me figure que je suis au siège d'Arbelles[1] ou à Mazagran[2]. — Si j'avais un drapeau tricolore, je le planterais. — Cette histoire d'Arbelles, nous l'avons traduite hier dans *Quinte-Curce*. Celle de Mazagran est toute fraîche. On ne parle que de cela et du capitaine Lelièvre.

Ah ! l'on parlera de moi aussi, — nom de nom !

Je bombarde de pierres tout un quartier, au risque de tuer les gens et d'interrompre l'existence normale d'une ville.

On sort des maisons et l'on regarde — pas trop — car je manie toujours ma fronde, mais je commence à me demander comment finira le siège.

J'ai entendu des carreaux tomber, j'ai vu un caillou entrer dans une chambre ; j'ai peut-être tué quelqu'un. On ne riposte pas ! Je me suis donc trompé ; on n'attaquait point. — Je vais être pris, jugé, mon père perdra sa place.

Que faire ?

J'ai entendu dire que pour les cessations de feu on arborait le drapeau blanc ; j'ai mon mouchoir, — il est bleu. — Se retirer ? Je le puis peut-être, la place est déserte, en filant à gauche...

1. Ou *Arbèles* : victoire décisive d'Alexandre le Grand sur Darius à l'est du Tigre (331 av. J.-C.), racontée par l'historien Quinte-Curce (Ier siècle après J.-C.) dans son *Histoire d'Alexandre*, texte qui figurait traditionnellement au programme des classes de latin.
2. Épisode de la conquête de l'Algérie sous la monarchie de Juillet ; une centaine de Français, commandés par le capitaine Lelièvre, y soutinrent un siège contre des milliers d'Arabes (février 1840).

Je prends ma course.

Qu'ai-je donc ! Je suis tombé. On m'entoure. J'ai le bras cassé.

M. Dropal, le médecin, passe, on l'arrête. Que va-t-il dire ?

Si par hasard ce n'était rien, que deviendrais-je ?

Comment oser rentrer devant ma mère ? Et les lapidés, que me feront-ils ?

Le médecin hoche la tête avec un « ah ! » qui est triste. Je fais l'évanoui pour mieux entendre.

« C'est grave, c'est grave ! »

Dieu soit loué ! Qu'on aille vite dire à ma mère que c'est grave, pour qu'elle ne pense pas à me gronder et à me rosser !

C'était grave ; je ne pouvais pas dire un mot. Plus de chance que je ne méritais : on dit que j'ai la langue coupée ! Comme c'est commode ! pas d'explication à donner ; je serai malade pendant longtemps probablement, et tout sera apaisé quand je serai guéri.

Je restai longtemps sans pouvoir parler, mais je ne parlai point dès que je le pus.

Je voyais bien qu'à mesure que je guérissais, ma mère faisait des additions.

« Déjà pour deux francs de diachylum[1] ! »

Brave femme qui voulait l'économie dans son ménage, et n'oubliait jamais les lois d'ordre, qui sont seules le salut des familles, et sans lesquelles on finit par l'hôpital et l'échafaud.

Moi, je me désolais à l'idée que j'allais guérir !

---

1. Emplâtre à base de résines, dont on enduit une toile qui sert de sparadrap.

J'appréhendais le moment où je serais à point pour être corrigé, quoique je n'eusse pas besoin d'une roulée pour n'avoir pas envie de recommencer ; je ne me sentais pas la moindre inclination pour un nouveau siège, une nouvelle chute, un flot si terrible d'émotions. J'aurais voulu que ma mère le sût, que mon père le comprît, et l'on ne m'aurait peut-être pas frappé.

On ne me frappa pas — on fit pire.

On savait que je m'amusais chez les Fabre, on me punit par là.

Au surplus, il y avait longtemps que ma mère était jalouse et honteuse ; elle souffrait de me voir traîner dans un monde de cordonniers, et depuis quelques semaines elle nourrissait le projet de m'en détacher.

Seulement elle était bavarde, la mère Vingtras, et on l'écoutait chez les Fabre. Avec leur bonhomie, ils croyaient peut-être qu'elle leur était supérieure, cette dame à chapeau ; en tout cas, ils lui prêtaient une oreille complaisante, et l'on écartait la poix et la colle avec politesse, quand elle venait me chercher.

Elle voulait que son Jacques ne frayât plus avec les savetiers, mais elle ne voulait pas perdre un auditoire.

Mon aventure de Mardi gras lui permit de basculer la situation, de ménager la chèvre et le chou.

Elle m'infligea comme punition de ne plus y retourner ; elle ne se brouilla point pourtant.

« Il faut punir Jacques, n'est-ce pas ? Il faut le punir, mais il a déjà assez souffert, le pauvre enfant.

— Oh oui, dit la mère Fabre qui pensait qu'une approbation — même de savetière — ferait pencher la balance du côté du pardon.

— Aussi je ne veux pas le battre. »

J'entendais la conversation, non pas que je l'écoutasse, mais j'étais derrière la porte ; ma mère le savait et voulait peut-être que je l'entendisse.

C'était la première sortie : j'étais encore assez faible, mal recousu, nourri depuis quinze jours de bouillon un peu pâle ; ma mère savait que trop de suc fait plus de mal que de bien, et qu'on grise les veines avec du jus de vache comme avec du jus de raisin — car c'était de la vache. — « C'est plus tendre, disait-elle, la vache pour les enfants, le bœuf pour les grandes personnes. »

J'étais donc soutenu seulement par un peu de vache détrempée ; j'avais encore le détraquement de la chute, et ma tête me semblait vide comme un globe ; il me restait peu de sang ; ce qui en restait fit un tour, monta vers les joues creuses, et je les sentais qui brûlaient.

« On ne voulait pas me battre ! »

On voulait faire plus.

« Je ne veux pas le battre, reprit ma mère, mais comme je sais qu'il se plaît bien avec vos fils, je l'empêcherai de les voir ; ce sera une bonne correction. »

Les Fabre ne répondaient rien, — les pauvres gens ne se croyaient pas le droit de discuter les résolutions de la femme d'un professeur de collège, et ils étaient au contraire tout confus de l'honneur qu'on faisait à leurs gamins, en ayant l'air de dire qu'ils étaient la compagnie que Jacques, qui apprenait le latin, préférait.

Je compris leur silence, et je compris aussi que ma mère avait deviné où il fallait me frapper, ce qui faisait mal à mon âme. J'ai quelquefois pleuré étant petit ; on a rencontré, on rencontrera des larmes sur plus d'une page, mais je ne sais pourquoi je me

souviens avec une particulière amertume du chagrin que j'eus ce jour-là. Il me sembla que ma mère
commettait une cruauté, était méchante.

Tout malade encore, presque estropié, enfermé
depuis des semaines dans une chambre avec la
souffrance et la fièvre, j'avais besoin de causer avec
des enfants comme moi, de leur demander des nouvelles et de leur raconter mon histoire.

Ils avaient eu l'air bon comme tout, en venant à
moi dans l'escalier, et m'avaient dit avec affection :
« Comme tu es pâle !... » Il y avait dans leur voix de
l'émotion, presque de l'amitié. Braves petits garçons, saine nichée de savetiers, marmaille au bon
cœur ! Je les aimais bien. Ma mère aurait mieux
fait de me battre et de me laisser les revoir quand
mon bras fut guéri.

XI

LE LYCÉE[1]

Mon père était donc professeur de septième, professeur élémentaire, comme on disait alors.

J'étais dans sa classe.

Jamais je n'ai senti une infection pareille. Cette
classe était près des latrines, et ces latrines étaient
les latrines des petits !

---

1. Il s'agissait en réalité, du temps de la scolarité de Vallès sous la
monarchie de Juillet, du *collège royal*. Le mot *lycée*, employé à partir
de 1802 pour désigner les établissements publics d'enseignement secondaire, était d'usage sous le Consulat et l'Empire, et s'imposera sous
la République.

Pendant une année j'ai avalé cet air empesté. On m'avait mis près de la porte parce que c'était la plus mauvaise place, et en ma qualité de fils de professeur, je devais être à l'avant-garde, au poste du sacrifice, au lieu du danger...

À côté de moi, un petit bonhomme qui est devenu un haut personnage, un grand préfet, et qui à cette époque-là était un affreux garnement, fort drôle du reste, et pas mauvais compagnon.

Il faut bien qu'il ait été vraiment un bon garçon, pour que je ne lui aie pas gardé rancune de deux ou trois brûlées[1] que mon père m'administra, parce qu'on avait entendu de notre côté un bruit comique, ou qu'il était parti d'entre nos souliers une fusée d'encre. C'était mon voisin qui s'en payait.

Chaque fois que je le voyais préparer une farce, je tremblais ; car s'il ne se dénonçait pas lui-même par quelque imprudence, et si sa culpabilité ne sautait pas aux yeux, c'était moi qui la gobais ; c'est-à-dire que mon père descendait tranquillement de sa chaire et venait me tirer les oreilles, et me donner un ou deux coups de pied, quelquefois trois.

Il fallait qu'il prouvât qu'il ne favorisait pas son fils, qu'il n'avait pas de préférence. Il me favorisait de roulées magistrales et il m'accordait la préférence pour les coups de pied au derrière.

Souffrait-il d'être obligé de taper ainsi sur son rejeton ?

Peut-être bien, mais mon voisin le farceur était fils d'une autorité. — L'accabler de pensums, lui tirer les oreilles, c'était se mettre mal avec la maman, une grande coquette qui arrivait au parloir

---

1. Corrections (mot familier).

avec une longue robe de soie qui criait, et des gants à trois boutons, frais comme du beurre.

Pour se mettre à l'aise, mon père feignait de croire que j'étais le coupable, quand il savait bien que c'était l'autre.

Je n'en voulais pas à mon père, ma foi non ! je croyais, je sentais que ma peau lui était utile pour son commerce, son genre d'exercice, sa situation, — et j'offrais ma peau. — Vas-y, papa !

Je tenais tant bien que mal ma place (empoisonnée) dans ce milieu de moutards malins tout disposés à faire souffrir le fils du professeur de la haine qu'ils portaient naturellement à son père.

Ces roulées publiques me rendaient service ; on ne me regardait pas comme un ennemi, on m'aurait plaint plutôt, si les enfants savaient plaindre !

Mon apparence d'insensibilité d'ailleurs ne portait pas à la pitié ; je me garais des horions tant bien que mal et pour la forme ; mais quand c'était fini, on ne voyait pas trace de peur ou de douleur sur ma figure. Je n'étais de la sorte ni un *patiras*[1] ni un pestiféré ; on ne me fuyait pas, on me traitait comme un camarade moins chançard qu'un autre et meilleur que beaucoup, puisque jamais je ne répondais : « Ça n'est pas moi. » Puis j'étais fort, les luttes avec Pierrouni m'avaient aguerri, j'avais du *moignon*, comme on disait en raidissant son bras et faisant gonfler son bout de biceps. Je m'étais battu, — *j'y avais fait* avec Rosée, qui était le plus fort de la cour des petits. On appelait cela *y faire*. « Veux-tu *y faire*, en sortant de classe ? »

1. Souffre-douleur (du verbe *pâtir*, souffrir).

Cela voulait dire qu'à dix heures cinq ou à quatre heures cinq, on se proposait de se flanquer une tré-pignée dans la cour du Coq-Rouge, une auberge où il y avait un coin dans lequel on pouvait se battre sans être vu.

J'avais infligé à Rosée quelques atouts qui avaient fait du bruit — sur son nez et au collège. Songez donc ! j'avais l'autorisation de mon père.

Il avait eu vent de la querelle — pour une plume volée — et vent de la provocation.

Rosée ne tenait par aucun fil à l'autorité. Il y avait plus ; son oncle, conseiller municipal, avait eu maille à partir avec l'administration. Je pouvais *y faire*.

Et à chaque coup de poing que je lui portais, à ce malheureux, je me figurais que je semais une graine, que je plantais une espérance dans le champ de l'avancement paternel.

Grâce à cette bonne aventure, j'échappai au plus épouvantable des dangers, celui d'être — comme fils de professeur — persécuté, isolé, cogné. J'en ai vu d'autres si malheureux !

Si cependant mon père m'avait défendu de me battre ; si Rosée eût été le fils du maire ; s'il avait fallu, au contraire, être battu ?...

On doit faire ce que les parents ordonnent ; puis c'est leur pain qui est sur le tapis. Laisse-toi moquer et frapper, souffre et pleure, pauvre enfant, fils du professeur...

Puis les principes !

« Que deviendrait une société, disait M. Beliben[1], une société qui... que... Il faut des principes... J'ai encore besoin d'un haricot... »

J'eus la chance de tomber sur Rosée.

1. Voir n. 1, p. 63.

Où qu'il soit dans le monde, s'il est encore vivant, que son nez reçoive mes sincères remerciements :

> *Calice à narines, sang de mon sauveur,*
> *Salutaris nasus, encore un baiser*[1] !

... J'ai été puni un jour : c'est, je crois, pour avoir roulé sous la poussée d'un grand, entre les jambes d'un petit pion qui passait par là, et qui est tombé derrière par-dessus tête ! Il s'est fait une bosse affreuse, et il a cassé une fiole qui était dans sa poche de côté ; c'est une topette de cognac dont il boit — en cachette, à petits coups, en tournant les yeux. On l'a vu : il semblait faire une prière, et il se frottait délicieusement l'estomac. — Je suis cause de la topette cassée, de la bosse qui gonfle... Le pion s'est fâché.

Il m'a mis aux arrêts ; — il m'a enfermé lui-même dans une étude vide, a tourné la clef, et me voilà seul entre les murailles sales, devant une carte de géographie qui a la jaunisse, et un grand tableau noir où il y a des ronds blancs et la binette du censeur.

Je vais d'un pupitre à l'autre ; ils sont vides — on doit nettoyer la place, et les élèves ont déménagé.

Rien, une règle, des plumes rouillées, un bout de ficelle, un petit jeu de dames, le cadavre d'un lézard, une agate perdue.

Dans une fente, un livre : j'en vois le dos, je m'écorche les ongles à essayer de le retirer. Enfin,

---

1. Parodie de versets liturgiques. Vallès évoque ailleurs l'hymne *Salutaris hostia*, « Salutaire Hostie... » (*La Rue, Œuvres*, Bibl. de la Pléiade, t. I, p. 760). On notera la fréquence dans *L'Enfant* du motif sacrificiel, même laïcisé.

avec l'aide de la règle, en cassant un pupitre, j'y arrive ; je tiens le volume et je regarde le titre :

ROBINSON CRUSOÉ[1].

Il est nuit.

Je m'en aperçois tout d'un coup. Combien y a-t-il de temps que je suis dans ce livre ? — quelle heure est-il ?

Je ne sais pas, mais voyons si je puis lire encore ! Je frotte mes yeux, je *tends* mon regard, les lettres s'effacent, les lignes se mêlent, je saisis encore le coin d'un mot, puis plus rien.

J'ai le cou brisé, la nuque qui me fait mal, la poitrine creuse ; je suis resté penché sur les chapitres sans lever la tête, sans entendre rien, dévoré par la curiosité, collé aux flancs de Robinson, pris d'une émotion immense, remué jusqu'au fond de la cervelle et jusqu'au fond du cœur ; et en ce moment où la lune montre là-bas un bout de corne, je fais passer dans le ciel tous les oiseaux de l'île, et je vois se profiler la tête longue d'un peuplier comme le mât du navire de Crusoé ! Je peuple l'espace vide de mes pensées, tout comme il peuplait l'horizon de ses craintes ; debout contre cette fenêtre, je rêve à l'éternelle solitude et je me demande où je ferai pousser du pain.

La faim me vient : j'ai très faim.

1. Titre exemplaire, pour Vallès, de la « tyrannie de l'Imprimé » qui fait des lecteurs des « victimes du Livre », nourries d'émotions fausses et coupées du monde réel : « Qui de nous n'a pas été un peu victime de Robinson ? / Qui n'a pas rêvé son petit naufrage et son île déserte ? » (« Les Victimes du livre », in *Les Réfractaires*, *Œuvres*, Bibl. de la Pléiade, t. I, p. 232). Le roman d'aventures risque donc de n'offrir qu'une libération illusoire, même si la « poésie des rêves » contribue à structurer la personnalité de l'enfant.

Vais-je être réduit à manger ces rats que j'entends dans la cale de l'étude ? Comment faire du feu ? J'ai soif aussi. Pas de bananes ! Ah ! lui, il avait des limons frais ! Justement j'adore la limonade !

Clic, clac, on farfouille dans la serrure.

Est-ce Vendredi ? Sont-ce des sauvages ?

C'est le petit pion qui s'est souvenu, en se levant, qu'il m'avait *oublié*, et qui vient voir si j'ai été dévoré par les rats, ou si c'est moi qui les ai mangés.

Il a l'air un peu embarrassé, le pauvre homme ! — il me retrouve gelé, moulu, les cheveux secs, la main fiévreuse ; il s'excuse de son mieux et m'entraîne dans sa chambre, où il me dit d'allumer un bon feu et de me réchauffer.

Il a du thon mariné dans une timbale « et peut-être bien une goutte de je-ne-sais-quoi, par là dans un coin, qu'un ami a laissée il y a deux mois ».

C'est une topette d'eau-de-vie, son péché mignon, sa marotte humide, son dada jaune.

Il est forcé de repartir, de rejoindre sa division. Il me laisse seul, seul avec du thon — poisson d'Océan —, la goutte — salut du matelot — et du feu — phare des naufragés.

Je me rejette dans le livre que j'avais caché entre ma chemise et ma peau, et je le dévore — avec un peu de thon, des larmes de cognac — devant la flamme de la cheminée.

Il me semble que je suis dans une cabine ou une cabane, et qu'il y a dix ans que j'ai quitté le collège ; j'ai peut-être les cheveux gris, en tout cas le teint hâlé. — Que sont devenus mes vieux parents ? Ils sont morts sans avoir eu la joie d'embrasser leur enfant perdu ?

(C'était l'occasion pourtant, puisqu'ils ne l'embrassaient jamais auparavant.) Ô ma mère ! ma mère !

Je dis : « ô ma mère ! » sans y penser beaucoup, c'est pour faire comme dans les livres.

Et j'ajoute : « Quand vous reverrai-je ! Vous revoir et mourir ! »

Je la reverrai, *si Dieu le veut*.

Mais quand je reparaîtrai devant elle, comment serai-je reçu ? Me reconnaîtra-t-elle ?

Si elle allait ne pas me reconnaître !

N'être pas reconnu par celle qui vous a entouré de sa sollicitude depuis le berceau, enveloppé de sa tendresse, une mère enfin !

Qui remplace une mère ?

Mon Dieu ! une trique remplacerait assez bien la mienne !

Ne pas me reconnaître ! mais elle sait bien qu'il me manque derrière l'oreille une mèche de cheveux, puisque c'est elle qui me l'a arrachée un jour. Ne pas me reconnaître ! mais j'ai toujours la cicatrice de la blessure que je me suis faite en tombant, et pour laquelle on m'a empêché de voir les Fabre. Toutes les traces de sa tutelle, de sa sollicitude, se lisent en raies blanches, en petites places bleues. Elle me reconnaîtra ; il me sera donné d'être encore aimé, battu, fouetté, pas gâté !

Il ne faut pas gâter les enfants.

Elle m'a reconnu ! merci, mon Dieu ! Elle m'a reconnu ! et s'est écriée :

« Te voilà donc ! s'il t'arrive de me faire encore t'attendre jusqu'à deux heures du matin, à brûler la bougie, à tenir la porte ouverte, c'est moi qui te corrigerai ! Et il bâille encore ! devant sa mère !

— J'ai sommeil.

— On aurait sommeil à moins !

— J'ai froid.

— On va faire du feu exprès pour lui, — brûler un fagot de bois !

— Mais c'est M. Doizy qui...

— C'est M. Doizy qui t'a oublié, n'est-ce pas ! Si tu ne l'avais pas fait tomber, il n'aurait pas eu à te punir, et il ne t'aurait pas oublié. Il voudrait encore s'excuser, voyez-vous ! Tiens ! voilà ce qui me reste d'une bougie que j'ai commencée hier. Tout ça pour veiller en se demandant ce qu'était devenu monsieur ! Allons, ne faisons pas le gelé, — n'ayons pas l'air d'avoir la fièvre... Veux-tu bien ne pas claquer des dents comme cela ! Je voudrais que tu fusses bien malade une bonne fois, ça te guérirait peut-être... »

Je ne croyais pas être tant dans mon tort : en effet, c'est ma faute ; mais je ne puis pas m'empêcher de claquer des dents, j'ai les mains qui me brûlent, et des frissons qui me passent dans le dos. J'ai attrapé froid cette nuit sur ces bancs, le crâne contre le pupitre ; cette lecture aussi m'a remué...

Oh ! je voudrais dormir ! je vais faire un somme sur la chaise.

« Ôte-toi de là, me dit ma mère en retirant la chaise. On ne dort pas à midi. Qu'est-ce que c'est que ces habitudes maintenant ?

— Ce ne sont pas des habitudes. Je me sens fatigué, parce que je n'ai pas reposé dans mon lit.

— Tu trouveras ton lit ce soir, si toutefois tu ne t'amuses pas à *vagabonder*.

— Je n'ai pas vagabondé...

— Comment ça s'appelle-t-il, coucher dehors ? Il va donner tort à sa mère à présent ! Allons, prends tes livres. Sais-tu tes leçons pour ce soir ? »

Oh ! l'île déserte, les bêtes féroces, les pluies éternelles, les tremblements de terre, la peau de bête, le
parasol, le pas du sauvage, tous les naufrages, toutes
les tempêtes, des cannibales, — mais pas les leçons
pour ce soir !

Je grelottai tout le jour. Mais je n'étais plus seul ;
j'avais pour amis Crusoé et Vendredi. À partir de ce
moment, il y eut dans mon imagination un coin
bleu, dans la prose de ma vie d'enfant battu la poésie des rêves, et mon cœur mit à la voile pour les
pays où l'on souffre, où l'on travaille, mais où l'on
est libre.

Que de fois j'ai lu et relu ce *Robinson* !

Je m'occupai de savoir à qui il appartenait ; il
était à un élève de quatrième qui en cachait bien
d'autres dans son pupitre ; il avait le *Robinson
suisse*[1], les *Contes* du Chanoine Schmidt[2], la *Vie de
Cartouche*[3], avec des gravures.

Ici se place un acte de ma vie que je pourrais
cacher. Mais non ! je livre aujourd'hui, aujourd'hui
seulement, mon secret, comme un mourant fait

---

1. *Le Robinson suisse ou le Prédicateur suisse naufragé avec sa famille*, de Johann David Wyss (1812), traduit en français en 1813. Dans
cette transposition édifiante du roman de Defoe destinée aux enfants,
c'est un père de famille, avec sa femme et ses fils, qui fait naufrage.
2. Jean-Christophe Schmid (ou Schmidt), dit le *chanoine Schmidt*,
écrivain allemand (1768-1854), a écrit des *Histoires bibliques* et des
Contes pour enfants traduits en français par l'abbé Macker à partir de
1832 et largement diffusés.
3. Le célèbre bandit (1693-1721) a inspiré de nombreux ouvrages de
la littérature populaire. Il existait une *Histoire de la vie et du procès de
Louis Dominique Cartouche*, « livre bleu » illustré publié au XVIIIᵉ siècle ; et une « Vie de Cartouche » était insérée dans une vaste *Histoire
de Mandrin et de plusieurs autres voleurs*, diffusée par colportage. Vallès évoquait déjà dans « Les Victimes du livre », peu après les « contes
du chanoine Schmid », « *Les Aventures de Cartouche*, ou de Mandrin »
(*Œuvres*, Bibl. de la Pléiade, t. I, p. 232 et 234).

appeler le procureur général et lui confie l'histoire d'un crime. Il m'est pénible de faire cette confession, mais je le dois à l'honneur de ma famille, au respect de la vérité, à la Banque de France, à moi-même.

J'ai été *faussaire* ! La peur du bagne, la crainte de désespérer des parents qui m'adoraient, on le sait, mirent sur mon front de faussaire un masque impénétrable et que nulle main n'a réussi à arracher.

Je me dénonce moi-même, et je vais dire dans quelle circonstance je commis ce faux, comment je fus amené à cette honte, et avec quel cynisme j'entrai dans la voie du déshonneur.

Des gravures ! — la *Vie de Cartouche*, les *Contes* du Chanoine Schmidt, les aventures du *Robinson suisse* !... un de mes camarades, — treize ans et les cheveux rouges, — était là qui les possédait...

Il mit à s'en dessaisir des conditions infâmes ; je les acceptai... Je me rappelle même que je n'hésitai pas.

Voici quelles furent les bases de cet odieux marché.

On donnait au collège de Saint-Étienne, comme partout, des exemptions[1]. Mon père avait le droit d'en distribuer ailleurs que dans sa classe, parce qu'il faisait tous les quinze jours une surveillance dans quelque étude ; il allait dans chacune à tour de rôle, et il pouvait infliger des punitions ou délivrer des récompenses. Le garçon qui avait les livres à gravures consentit à me les prêter, si je voulais lui procurer des exemptions.

Mes cheveux ne se dressèrent pas sur ma tête.

« Tu sais faire le paraphe de ton père ? »

---

1. Voir n. 1, p. 96.

Mes mains ne me tombèrent pas des bras, ma langue ne se sécha pas dans ma bouche.

« Fais-moi une exemption de deux cents vers et je te prête la *Vie de Cartouche*. »

Mon cœur battait à se rompre.

« Je te la donne ! Je ne te la *prête* pas, je te la *donne*… »

Le coup était porté, l'abîme creusé ; je jetai mon honneur par-dessus les moulins, je dis adieu à la vie de société, je me réfugiai dans le faussariat[1].

J'ai ainsi fourni d'exemptions pendant un temps que je n'ose mesurer, j'ai bourré de signatures contrefaites ce garçon, qui avait, il est vrai, conçu le premier l'idée de cette criminelle combinaison, mais dont je me fis, tête baissée, l'infernal complice.

À ce prix-là, j'eus des livres — tous ceux qu'il avait lui-même ; il recevait beaucoup d'argent de sa famille, et pouvait même entretenir des grenouilles derrière des dictionnaires. J'aurais pu avoir des grenouilles aussi — il m'en a offert — mais si j'étais capable de déshonorer le nom de mon père pour pouvoir lire, parce que j'avais la passion des voyages et des aventures, et si je n'avais pu résister à cette tentation-là, je m'étais juré de résister aux autres, et je ne touchai jamais la queue d'une grenouille, qu'on me croie sur parole ! Je ne ferai pas des moitiés d'aveux.

Et n'est-ce point assez d'avoir trompé la confiance publique, imité une signature honorable et honorée, pendant deux ans ! Cela dura deux ans. Nous nous arrêtâmes, las du crime ou parce que cela ne servait

1. Néologisme plaisant. Dans tout ce passage, Vallès parodie, par l'exagération du « crime » évoqué et la mise en valeur de l'aveu, la « confession » autobiographique à la Jean-Jacques Rousseau.

plus à rien, j'ai oublié, et nul ne sut jamais que nous avions été des faussaires. Je le fus et je ne m'en portai pas plus mal. On pourrait croire que le sentiment du crime enfièvre, que le remords pâlit ; il est des criminels, malheureusement, sur qui rien ne mord et que leur infamie n'empêche pas de jouer à la toupie et de mettre insouciamment des queues de papier au derrière des hannetons.

Ce fut mon cas : beaucoup de queues de papier, force toupies. C'est peut-être un remède, et je n'ai jamais eu le teint si frais, l'air si ouvert, que pendant cette période du faussariat.

Ce n'est qu'aujourd'hui que la honte me prend et que je me confesse en rougissant. On commence par contrefaire des exemptions, on finit par contrefaire des billets. Je n'ai jamais pensé aux billets : c'est peut-être que j'avais autre chose à faire, que je suis paresseux, ou que je n'avais pas d'encre chez moi ; mais si la contrefaçon des exemptions mène au bagne, je devrais y être.

Et qui dit que je n'irai pas ?

XII
FROTTAGE
GOURMANDISE — PROPRETÉ

On me charge des soins du ménage. « Un homme doit savoir tout faire. »

Ce n'est pas grand embarras : quelques assiettes à laver, un coup de balai à donner, du plumeau et du torchon ; mais j'ai la main malheureuse, je casse de temps en temps une écuelle, un verre.

Ma mère crie que je l'ai fait exprès, et que nous serons bientôt sur la paille, si ce *brise-tout* ne se corrige pas.

Une fois, je me suis coupé le doigt — jusqu'à l'os.

« Et encore il se coupe ! » fait-elle avec fureur.

Le malheur est qu'elle a une méthode... comme Descartes, dont M. Beliben[1] parlait quelquefois : il faudrait que je fisse des bouquets avec des épluchures.

« Pas pour deux liards d'idée. »

Et, prenant l'arrosoir et le balai, elle fait des dessins sur le plancher avec l'eau ou la poussière, en se balançant un peu, minaudière et souriante.

Ah ! je n'ai pas cette grâce, certainement !

Quelquefois, c'est le coup de la vigueur : elle prend une peau avec du tripoli ou une brosse à gros poils, et elle attaque un luisant de cuivre ou un coin de meuble.

Elle fait : « Han ! » comme un mitron ; elle geint à faire pousser des pains sur le parquet ! J'en ai la sueur dans le dos !

Mais je suis vigoureux, j'ai du moignon, et je lui prends le torchon des mains pour continuer la lutte. Je me jette sur le meuble ou je me précipite contre la rampe, et je mange le bois, je dévore le vernis.

« Jacques, Jacques ! tu es donc fou ! »

En effet, l'enthousiasme me monte au cerveau, j'ai la monomanie frottante...

« Jacques, veux-tu bien finir ! Il nous démolirait la maison, ce brutal, si on le laissait faire ! »

_____
1. Voir n. 1, p. 63.

Je suis fort embarrassé : — ou l'on m'accuse de paresse, parce que je n'appuie pas assez, ou l'on m'appelle brutal, parce que j'appuie trop.

Je n'ai pas deux liards d'idée. C'est vrai, je le sens. Pas même capable de faire la vaisselle avec grâce ! Que deviendrai-je plus tard ? Je ne mangerai que de la charcuterie, — du lard sur du pain et du jambon dans le papier. J'irai dîner à la campagne pour laisser les restes dans l'herbe.

(Serais-je poète ? J'aime à dîner dans la prairie !)

C'est que je n'aurai pas à laver d'assiettes, et Dieu ne m'obligera pas à enlever les crottes des petits oiseaux.

Le plus terrible dans cette histoire de vaisselle, c'est qu'on me met un tablier comme à une bonne. Mon père reçoit quelquefois des visites de parents, de mères d'élèves, et l'on m'aperçoit à travers une porte, frottant, essuyant et lavant, dans mon costume de Cendrillon. On me reconnaît et on ne sait à quoi s'en tenir, on ne sait pas si je suis un garçon ou une fille.

Je maudis l'oignon...

Tous les mardis et vendredis, on mange du hachis aux oignons, et pendant sept ans je n'ai pas pu manger de hachis aux oignons sans être malade.

J'ai le dégoût de ce légume.

Comme un riche ! mon Dieu, oui ! — Espèce de petit orgueilleux, je me permettais de ne pas aimer ceci, cela, de rechigner quand on me donnait quelque chose qui ne me plaisait pas. Je *m'écoutais*, je me sentais surtout ; et l'odeur de l'oignon me soulevait le cœur, — ce que j'appelais mon cœur, comprenons-nous bien ; car je ne sais pas si les pauvres ont le droit d'avoir un cœur.

« Il faut *se forcer*, criait ma mère. Tu le fais ex-près, ajoutait-elle, comme toujours. »

C'était le grand mot. « Tu le fais exprès ! »

Elle fut courageuse heureusement ; elle tint bon, et au bout de cinq ans, quand j'entrai en troisième, je pouvais manger du hachis aux oignons. Elle m'avait montré par là qu'on vient à bout de tout, que la volonté est la grande maîtresse.

Dès que je pus manger du hachis aux oignons sans être malade, elle n'en fit plus : à quoi bon ? c'était aussi cher qu'autre chose et ça empoison-nait. Il suffisait que sa méthode eût triomphé, — et plus tard, dans la vie, quand une difficulté se levait devant moi, elle disait :

« Jacques, souviens-toi du hachis aux oignons. Pendant cinq ans tu l'as vomi et au bout de cinq ans tu pouvais le garder. Souviens-toi, Jacques ! »

Et je me souvenais trop.

J'aimais les poireaux.

Que voulez-vous ? — Je haïssais l'oignon, j'aimais les poireaux. On me les arrachait de la bouche, comme on arrache un pistolet des mains d'un cri-minel, comme on enlève la coupe de poison à un malheureux qui veut se suicider.

« Pourquoi ne pourrais-je pas en manger ? de-mandais-je en pleurant.

— Parce que tu les aimes », répondait cette femme pleine de bon sens, et qui ne voulait pas que son fils eût de passions.

Tu mangeras de l'oignon, parce qu'il te fait mal, tu ne mangeras pas de poireaux, parce que tu les adores.

« Aimes-tu les lentilles ?

— Je ne sais pas... »

Il était dangereux de s'engager, et je ne me prononçais plus qu'après réflexion, en ayant tout balancé.

Jacques, tu mens !

Tu dis que ta mère t'oblige à ne pas manger ce que tu aimes.

Tu aimes le gigot, Jacques.

Est-ce que ta mère t'en prive ?

Ta mère en fait cuire un le dimanche. — On t'en donne.

Elle en reprend du froid le lundi. — T'en refuse-t-on ?

On le fait revenir aux oignons le mardi — le jour des oignons c'est sacré — tu en as deux portions au lieu d'une.

Et le mercredi, Jacques ! qui est-ce qui se sacrifie, le mercredi, pour son fils ? Le jeudi, qui est-ce qui laisse tout le gigot à son enfant ? Qui ? parle !

C'est ta mère — comme le pélican blanc[1] ! Tu le finis, le gigot — à toi l'honneur !

« Décrotte l'os ! ce n'est pas moi qui t'en empêcherai, va ! »

Entends-tu, c'est ta mère qui te crie de ne pas avoir de scrupules, d'en prendre à ta faim, elle ne veut pas borner ton appétit... « Tu es libre, il en reste encore, ne te gêne pas ! »

Mais Dieu se reposa le septième jour ! voilà huit fois que j'y reviens, j'ai un mouton qui bêle dans l'estomac : grâce, pitié !

Non, pas de grâce, pas de pitié. Tu aimes le gigot, tu en auras.

« As-tu dis que tu l'aimais ?

---

1. L'animal qui nourrit ses petits de sa chair et de son sang ; symbole ancien du sacrifice parental, lié au Christ dans l'iconographie chrétienne et réactivé par le romantisme : Musset l'associe, dans un passage célèbre de la *Nuit de Mai*, au sacrifice même du poète dont la souffrance sert l'humanité.

— Je l'ai dit, lundi...

— Et tu te contredis samedi ! mets du vinaigre, — allons, la dernière bouchée ! J'espère que tu t'es régalé ?... »

C'est que c'est vrai ! On achetait un gigot au commencement du mois, quand mon père touchait ses appointements. Ils y goûtaient deux fois ; je devais finir le reste — en salade, à la sauce, en hachis, en boulettes ; on faisait tout pour masquer cette lugubre monotonie ; mais à la fin, je me sentais devenir brebis, j'avais des bêlements et je pétaradais quand on faisait « prou, prou ».

Le bain ! — Ma mère en avait fait un supplice.

Heureusement elle ne m'emmenait avec elle, pour me récurer à fond, que tous les trois mois.

Elle me frottait à outrance, me faisait avaler, par tous les pores, de la soude et du suif, que pleurait un savon de Marseille à deux sous le morceau, qui empestait comme une fabrique de chandelles. Elle m'en fourrait partout, les yeux m'en piquaient pendant une semaine, et ma bouche en bavait...

J'ai bien détesté la propreté, grâce à ce savon de Marseille !

On me nettoyait hebdomadairement à la maison.

Tous les dimanches matin, j'avais l'air d'un veau. On m'avait fourbi le samedi ; le dimanche on me passait à la détrempe ; ma mère me jetait des seaux d'eau, en me poursuivant comme Galatée, et je devais comme Galatée[1] — fuir pour être attrapé,

1. Nymphe de la mythologie, aimée du monstrueux Polyphème qui la poursuivit. L'épisode est raconté par Virgile : « Galatée [...], lascive enfant, s'enfuit vers les saules et désire être aperçue auparavant » (*Bucoliques*, III, 64-65).

mon beau Jacques ! Je me vois encore dans le miroir de l'armoire, pudique dans mon impudeur, courant sur le carreau qu'on lavait du même coup, nu comme un amour, cul-de-lampe léger, ange du décrotté.

Il me manquait un citron entre les dents, et du persil dans les narines, comme aux têtes de veau. J'avais leur reflet bleuâtre, fade et mollasse, mais j'étais propre, par exemple.

Et les oreilles ah ! les oreilles ! On tortillait un bout de serviette et on l'y entrait jusqu'au fond, comme on enfonce un foret, comme on plante un tire-bouchon...

Le petit tortillon était enfoncé si vigoureusement que j'en avais les amygdales qui se gonflaient ; le tympan en saignait, j'étais sourd pour dix minutes, on aurait pu me mettre une pancarte.

La propreté avant tout, mon garçon !

Être propre et se tenir droit, tout est là.

Je suis propre comme une casserole rétamée. Oui, mais je ne me tiens pas droit.

C'est-à-dire que, pendant que j'apprends mes leçons, je m'endors souvent, et je me cache la tête dans les bras, le dos en rond.

Ma mère veut que je me tienne droit.

« Personne n'a encore été bossu dans notre famille, ce n'est pas toi qui vas commencer, j'espère ! »

Elle dit cela d'un ton de menace, et si j'avais l'intention d'être bossu, elle m'en ôterait du coup l'envie.

XIII
L'ARGENT[1]

« M'man ! j'ai mal.
— Ce sont les vers, mon enfant !
— Je sens bien que j'ai mal.
— Douillet, va ! Ah ! si tu avais dix mille livres de rentes !... Quand tu as mal au ventre, fais comme faisait mon père, fais la culbute ! »

L'argent ! — les rentes !
On me promet, comme à tous les gamins, des récompenses, un gros sou, si je suis sage, et chaque fois que je suis premier, une petite piécette blanche. On me la donne ? Non, ma mère m'aime trop pour cela.

Elle ne me privait pourtant pas pour s'enrichir.

Les dix sous ne rentraient pas dans la famille, — ils allaient se coucher dans une tirelire dont la gueule me riait au nez.

« C'est pour toi », disait ma mère en me faisant voir la pièce et avant de la glisser dans le trou !

Je ne la revoyais plus !

« Ce sera, ajoutait-elle, pour t'acheter un homme[2] ! »

---

1. Vallès reprend, comme titre d'un chapitre consacré à l'économie domestique et au sens maternel de l'épargne, le titre de son premier ouvrage, consacré à la Bourse (1857).
2. L'obligation du service militaire étant tirée au sort, il était possible, si l'on tirait un mauvais numéro, d'acheter un « remplaçant ». C'est ce qu'avait fait Jean-Louis Vallez en 1827. Dans la « Lettre de Junius » (1861), Vallès évoquait en termes analogues ce principe d'épargne, justifié ainsi par la tante de l'enfant à propos d'une pièce de vingt sous : « "Nous allons les mettre dans ta tirelire ; ce sera pour t'acheter un homme !" M'acheter un homme, c'est-à-dire un remplaçant si je tombais au sort à vingt et un ans ! » (*Œuvres*, Bibl. de la Pléiade, t. I, p. 132).

C'est le remplaçant caché dans cette tirelire qui absorbe toutes les petites pièces et les gros sous que d'autres, mes copains, dépensent le dimanche et les jours de foire, en entrées aux baraques, cigares à paille, canons en cuivre.

Toujours sage, donnant la leçon sans pédantisme, ma mère, qui marchait avec son siècle, m'inspirait ainsi la haine des *armées permanentes*, et me faisait réfléchir sur *l'impôt du sang*. Je me regimbais quelquefois et je citais mes camarades qui dépensaient leur argent au lieu de le garder pour acheter un homme.

« C'est que sans doute ils sont infirmes, vois-tu ! »

Elle avait même une parole de tristesse et un accent de compassion, à l'égard de ces pauvres enfants qui faisaient bien de se consoler en dépensant leurs sous, eux que le Ciel avait tordus ou embossés sans que cela parût.

« Et pourquoi ! » disait-elle en se parlant à elle-même et arrivant jusqu'à l'impiété.

« C'est un crime de la nature, presque une injustice de Dieu. — Il t'a épargné, toi », reprenait-elle en me tapant sur le dos, pour me montrer qu'il n'y avait pas de gibbosité et qu'elle pouvait, qu'elle devait, — c'était son rôle de mère — continuer à nourrir le remplaçant dans le fond de la tirelire...

Et moi, défiant, ingrat, désirant monter sur les chevaux de bois, je regrettais souvent de n'être pas bossu, et je priais Dieu de commettre quelque injustice que je cacherais sous ma chemise et qui, me sauvant du tirage au sort, me donnerait le droit de prendre ce qu'on avait mis et de ne plus mettre rien dans cette satanée tirelire.

Les inspecteurs généraux vont arriver dans quelque temps.

Mon père éreinte les élèves et convoque les forts pour préparer l'inspection. Il leur distribue les rôles. Il demandera à celui-ci ce passage, à celui-là cet autre.

« Tribouillard, vous avez le *que retranché*[1]. — Caillotin, l'*Histoire sainte*. Piochez les *Prophètes*[2].

— M'sieu, dit Caillotin, comment faut-il prononcer *Ézéchiel* ? »

Ma mère se frappe le front, comme André Chénier[3].

« Jacques, si tu es dans les trois premiers d'ici à ce que l'inspecteur vienne, je te donnerai... Regarde ! Pour toi, pour toi tout seul ; tu en feras ce qu'il te plaira. »

Elle m'a montré de *l'or* ; c'est une pièce de vingt sous. Oh ! pourquoi me donner la soif des richesses ? Est-ce bien de la part d'une mère ?

Il se livre un combat en moi-même — pas très long.

« Pour moi tout seul ? J'achèterai ce qu'il me plaira avec ? Je les donnerai à un pauvre, si je veux ? »

Les donner à un pauvre ! — ma mère chancelle ; ma folie l'épouvante et pourtant elle répond à la face du ciel :

« Oui, elle sera à toi. J'espère bien que tu ne la donneras pas à un pauvre ! »

1. Question de grammaire.
2. Livres de l'Ancien Testament : Isaïe, Jérémie, Ézéchiel, etc. Ils faisaient partie des programmes. Piocher signifie « bûcher », « étudier avec ardeur ».
3. Poète français (1762-1794), mort sur l'échafaud. Avant son exécution, il se serait frappé le front en disant : « J'avais pourtant quelque chose là ! »

Mais c'est une révolution alors ! Jusqu'ici je n'ai rien eu qui fût à moi, pas même ma peau.

Je lui fais répéter.

Minuit.

Il s'agit de bien apprendre mon histoire pour être premier, — et je pioche, je pioche !

Le samedi arrive.

Le proviseur entre. Les élèves se lèvent ; le professeur lit.

« Thème grec.

— Premier : Jacques Vingtras. »

« Eh bien ? dit ma mère en arrivant.

— Je suis premier.

— Ah ! c'est bien. Tu vois quand tu travailles, comme tu peux avoir de bonnes places ! Demain je te ferai une bonne pachade. »

La pachade est une espèce de pâte pétrie avec des pommes de terre, un mortier jaune, sans beurre, que ma mère m'a présenté comme un plat de luxe. Mais il n'est pas question de pachade ! C'est une pièce de vingt sous que je veux. On n'en parle pas. La question est si grave que je n'ose pas l'attaquer. Ma mère fait l'affairée pour la pachade et me montre un œuf tout crotté en me disant : « J'espère qu'il est gros ! »

Des farces, tout cela. Et mes vingt sous, les ai-je gagnés, oui ou non ? Est-ce qu'on me les a promis ? Il faut peut-être que je les lui demande. Pourquoi donc ? Est-ce qu'elle a oublié ?

Je vois bien un peu de gêne, à cette coquetterie de l'œuf, à la contrainte du sourire, je vois bien qu'elle se souvient. Elle tient peut-être à garder son rang. C'est le fils qui doit rappeler à la mère ce qu'elle a promis.

« Maman, et mes vingt sous ? »

Elle ne me répond pas de suite ; mais, venant à moi tout d'un coup, d'une voix qui n'est plus celle qu'elle avait, espiègle et charmante, en montrant le gros œuf crotté :

« Jacques, veux-tu faire crédit à ta mère ?... »

Il y a dans l'accent toute la dignité d'une vaincue qui accepte son sort d'avance, mais demande une grâce au vainqueur. Elle ne défend pas sa bourse, la voilà ! — Les vingt sous sont sur la table — mais elle prie qu'on lui laisse du temps.

Oui, ma mère, je vous fais crédit. Oh ! gardez, gardez ces vingt sous, soit qu'ils doivent servir à réparer une brèche, soit que vous vouliez les engager pour moi dans une entreprise, — et sans me rien dire, en ayant l'air plutôt de mendier un pardon, vous joignez mon capital au vôtre, vous m'intéressez dans les affaires, vous me faites l'associé de la maison ! Merci !

Et elle s'entend en affaires, ma mère ; elle sait comment on fait rapporter à l'argent ; car elle m'a raconté bien souvent qu'à quatre ans, elle pouvait déjà gagner sa vie.

Elle a commencé par acheter un pigeon avec sept sous qu'on lui avait donnés parce qu'elle avait gardé les oies. Elle a engraissé le pigeon et l'a revendu pour acheter un agneau qui sortait du ventre de la mère.

Elle a revendu cet agneau et s'est procuré un veau, toujours du même âge.

Dès qu'il y avait dans une écurie, une étable, un chenil, quelque bête en travail, on voyait accourir ma mère qui attendait, curieuse des phénomènes de

la nature, avec son argent tout prêt à déposer écus
sur bonde[1], monnaie sous ventre.

Je n'ai pas sa force, moi ! J'aurais trois sous, je les
entamerais et je ne penserais pas à acheter un lape-
reau à la mamelle pour gagner avec l'argent un
veau au débarqué.

Je crus bien une fois que j'allais avoir quarante
sous à refuser au remplaçant et à donner aux chevaux de bois. Il s'agissait encore d'être *premier* deux
ou trois fois avant le bal du proviseur.

Je décrochai de nouveau la timbale.

J'avais bien fait mes conditions, cette fois. J'avais
bien demandé : « *Elle sera pour moi ? Je la garderai.* » J'avais indiqué que je ne voulais pas joindre
cette somme à celle que j'avais déjà dans les affaires.
On met cinq francs dans une entreprise, on n'en
met pas sept.

« *Je la garderai ?*

— *Tu la garderas.* »

Ma mère ne manqua pas à sa promesse. On me
remit les quarante sous ; je les serrai dans mon
gousset ; mais quand je parlai d'aller sur les chevaux de bois, ma mère me rappela le contrat :

« Tu m'as dit que tu les *garderais* ! »

Et elle ajouta que, si je m'avisais de changer la
pièce, j'aurais affaire à elle. Comme je protestais :

« Tu es devenu menteur maintenant ; il ne te
manquait plus que ça, mon garçon ! »

Je ne pouvais pas le nier ; j'étais écrasé par moi-
même. Je m'étais suicidé avec ma propre langue.

J'en fus réduit à traîner ces quarante sous comme
une plaque d'aveugle.

1. *Bonde* : trou d'un tonneau.

Tous les soirs, ma mère demandait à les voir.

Un jour, je ne pus les lui montrer !...

J'étais allé sur la place Marengo, dans un bazar à treize, *tout à treize* !

J'achetai une paire de bretelles à pattes. Elles étaient rose tendre !

À peine eus-je commis cette faute que j'en compris l'étendue. La pièce était entamée : j'avais treize sous de bretelles. Il ne restait que vingt-sept sous ! Qu'allait dire ma mère ? — Perdu pour perdu, je me dis qu'il fallait aller jusqu'au bout.

Jouir... — après moi le déluge !

Je commençai par m'enfoncer dans une allée où je me déshabillai pour mettre mes bretelles. Après quelques tentatives inutiles, toujours dérangé et regardé de travers par des gens étonnés de me voir demi-nu sur le pas de leurs portes, je crus plus prudent, quoiqu'un peu moins noble, d'entrer dans un lieu retiré, le premier que je trouverais.

Il me restait vingt-sept sous, en sous, — jamais je n'avais eu une si grosse somme à ma disposition. Elle gonflait et crevait mes poches. — Patatras ! les sous roulent à terre, — même ailleurs !

C'est horrible.

Je n'ai retrouvé qu'un franc deux sous. Je perds la tête...

Je m'approche d'un des jeux qui sont installés place Marengo.

« Trois balles pour un sou ! On gagne un lapin. »

Je prends la carabine, j'épaule et je tire... Je tire les yeux fermés, comme un banquier se brûle la cervelle.

« Il a gagné le lapin ! »

C'est un bruit qui monte, la foule me regarde, on me prend pour un Suisse ; quelqu'un dit que, dans

ce pays-là, les enfants apprennent à tirer à trois ans
et qu'à dix ans il y en a qui cassent des noisettes à
vingt pas.

« Il faut lui donner le lapin ! »

Le marchand n'avait pas l'air de se presser en effet, mais la foule approche, avance et va faire une
gibelotte avec l'homme s'il ne me donne pas le lapin
qui est là et qui broute.

Je l'ai, je l'ai ! Je le tiens par les oreilles et je l'emporte.

Il faut voir le monde qu'il y a ! Le lapin fait des
sauts terribles. Il va m'échapper tout à l'heure.

Comme dans toutes les luttes, chaque côté a ses
partisans. Les uns tiennent pour le lapin, les autres
pour le Suisse — c'est moi, le Suisse — et je sens
toute la responsabilité qui pèse sur ma tête. Quelquefois l'animal fait un bond qui épouvante les miens. Je
voudrais changer de main, le prendre par la queue
de temps en temps. Je n'ose pas devant cette foule.

Je n'ai pas le courage de tourner la tête, mais je
devine que les rangs se sont grossis.

On marque le pas.

Je suis en avant, à quelques pas de la colonne,
seul comme un prophète ou un chef de bande...

On se demande sur la route ce que nous voulons,
si c'est une idée religieuse ou une pensée sociale qui
me pousse.

Si elle est pratique, on verra ; — mais que je laisse
là le lapin ! — Est-ce un drapeau ? — Il faut le dire
alors.

Mes doigts sont crispés, les oreilles vont me rester dans la main. Le lapin fait un suprême effort...

Il m'échappe ! Mais il tombe en aveugle dans ma
culotte — une culotte de mon père, mal retapée,
large du fond, étroite des jambes. — Il y reste.

On s'inquiète, on demande...

Les foules n'aiment pas qu'on se joue d'elles. On n'escamote pas ainsi son drapeau !

« *Le La-pin ! Le La-pin !* » sur l'air des *Lampions*.

Des gens se mettent aux fenêtres ; les curieux arrivent.

Le lapin est toujours entre chair et étoffe, je le sens.

Oh ! si je pouvais fuir ! Je vais essayer. Un passage est là — je l'enfile...

On me cherche, mais je connais les coins.

Où aller ? — Je tombe sur M. Laurier, l'économe. Je lui ai fait des commissions, j'ai porté des lettres à une dame. J'ai son secret, je suis prêt au chantage. — Il faut qu'il me sauve ! Je lui dis tout.

« Tiens, voilà tes quarante sous. Je vais te reconduire et dire que c'est moi qui t'ai gardé, et lâche-moi cette bête ! »

Ma mère croit à notre mensonge.

« Bien, bien, M. Laurier, — du moment qu'il était avec vous. Savez-vous ce qu'il y a dans les rues, ce soir ? On dit que les mineurs ont voulu se révolter et ont mis le feu à un couvent. »

Le lendemain.

« Mange donc, Jacques, mange ! Tu n'aimes donc plus le lapin maintenant ? »

Elle a acheté un lapin, ce matin, à bas prix, parce qu'il est un peu écrasé, et qu'on lui a trouvé des bouts de chemise dans les dents.

Où est la peau ?...

Je vais à la cuisine.

C'est *lui* !...

XIV

VOYAGE AU PAYS

Jacques ira passer ses vacances au pays.

C'est ma mère qui m'annonce cette nouvelle.

« Tu vois, on te pardonne tes farces de cette année, nous t'envoyons chez ton oncle[1] ; tu monteras à cheval, tu pêcheras des truites, tu mangeras du saucisson de campagne. Voilà trois francs pour tes frais de voyage. »

La vérité est que mon oncle le curé, qui *va sur soixante-dix*, a parlé de me faire son héritier, et il demande à m'avoir près de lui pendant les vacances.

Le vieux prêtre, qui économise, a pour notaire un bonhomme qui en a touché deux mots à mon père dans une lettre qu'on a oubliée sur la table et que j'ai lue. Je suis au courant. On me laisserait une somme de... payable à ma majorité : c'est l'idée du testament.

J'ai mon paletot sur le bras, une casquette sans visière et une gourde.

« Il a l'air d'un Anglais. »

Ce mot me remplit d'orgueil.

Mon père (il me gâte !) m'emmène au café pour lamper le coup de l'étrier[2].

---

1. Le curé Thomas Vallez, grand-oncle de Vallès (voir n. 2, p. 40). Né en 1787, il n'aura en réalité soixante-dix ans qu'en 1857, bien après l'époque stéphanoise évoquée ici, et ne léguera rien à Vallès à sa mort, en 1869. Mais le thème testamentaire séduit depuis longtemps l'imagination vallésienne, qui reconstruit librement le passé pour mieux *s'enraciner*.
2. Boire le dernier coup avant de partir.

« Allons, bois cela, ça te fera du bien. »

J'avale l'eau-de-vie tout d'un trait, ce qui me fait éternuer pendant cinq minutes et me mouille les yeux, comme si j'avais pleuré toute la nuit. La langue me cuit à vouloir la tremper dans le ruisseau.

« Sois aimable avec ton oncle. »

C'est la dernière recommandation de mon père.

« Aie bien soin de ta veste neuve. »

C'est le cri suprême de ma mère.

En route, fouette, cocher !

Les adieux ont été simples. Il faut que j'arrive au plus vite chez le grand-oncle.

On n'a pas fait de sentiment.

Et je n'attendais, moi, que le moment où les chevaux fileraient...

J'ai passé ma nuit à savourer ma joie. J'ai bu, dormi, rêvé, j'ai pris des sirops au buffet, j'ai soulevé les vasistas, je suis descendu *aux côtes*[1].

À six heures du matin, je me suis trouvé en plein Puy, devant le café des Messageries.

Je laisse mon bagage au bureau, et je grimpe vers notre ancienne maison, où Mlle Balandreau doit m'attendre. On lui a écrit que j'arriverais, sans fixer le jour.

Je frappe.

Ah ! ce n'est pas long ! La bonne vieille fille m'arrive ébouriffée et émue ! et m'embrasse, m'embrasse — comme jamais ne m'a embrassé ma mère.

---

1. Descendre *aux côtes* : quitter momentanément la diligence pour monter la côte à pied.

Elle s'occupe de me débarrasser, et elle a peur que je sois las et que j'aie eu froid...

« Tu dois être fatigué. Ôte-moi ce paletot-là. Ce n'est pas possible, ce n'est pas toi ! — Comme tu es grand ! — Toute la nuit en voiture, pauvre petit, — tu dois avoir sommeil. As-tu dormi ?

— Pas fermé l'œil. »

Je mens comme un arracheur de dents, mais cela la flattera que son favori n'ait pas fermé l'œil et paraisse si frais, si fort. — C'est un grand garçon qui peut passer les nuits.

« Veux-tu te coucher ? — Tiens, couche-toi. — Tu ne veux pas ? — Tu vas prendre une tasse de café au moins ? — Tu sais, comme je t'en donnais en cachette de ta mère, avec du lait. — Tu l'écrémais toujours, — tu disais "donne-moi *la peau*". »

Comme elle m'aime !

Nous faisons le café ensemble. Elle a l'air d'une sorcière, et moi d'un diablotin ; elle, avec ses *coques*[1] en l'air, tournant le moulin ; moi, dans les cendres, soufflant le feu...

Comme toutes les vieilles filles — qui ont une gourmandise — elle aime son café au lait à l'adoration, — et il est bon, ma foi ! J'en ai les lèvres toutes grasses et les joues toutes chaudes. C'est le même bol que celui où je trempais autrefois mon museau, en buvant des gorgées doubles parce que ma mère pouvait arriver et que ma mère ne voulait pas qu'on me gâtât en dehors d'elle ; — puis le café au lait, c'est mauvais pour les enfants, « ça donne des glaires ».

« Mais venez donc le voir. »

---

1. Cheveux, rubans gonflés en forme de coque d'œuf.

Elle est allée chercher les voisins, elle a ramené les commères. Il y a une petite demoiselle dans un coin.

« Tu ne reconnais pas Mlle Perrinet ? »

Quoi, cette petite fille qui avait toujours un pantalon de velours, ses cheveux défaits, avec qui je me battais, qui m'égratignait — j'en ai encore la marque, — elle était méchante comme la gale ; c'est elle qui est là avec une belle natte retenue par un peigne d'écaille, un nœud bleu au corsage, une petite fraise de tulle qui entoure son cou doré, une fumée brune sur les joues et la lèvre ?

« Embrassez-vous donc ! »

Je n'ose pas, elle attend. On me pousse, elle avance. Pas trop !

Je suis rouge, elle l'est bien un peu aussi ! Nous avions joué au petit mari et à la petite femme, dans le temps ; nous avions fait la dînette ensemble, et la grande égratignure, celle qui me reste comme un bout de fil blanc, avait été donnée, je crois, à la suite d'une scène de jalousie.

Je m'en souviens, elle ne l'a peut-être pas oublié.

« Ma malle est aux messageries. »

Je dis cela avec un revenez-y de vanité, il est entendu que j'irai avec un petit voisin la chercher.

« C'est bien lourd pour toi », dit Mlle Balandreau.

Il y a mon trousseau, quelques chemises, ma veste neuve, un paquet pour la tante Rosalie, un paquet pour le vieil oncle et une pierre pour un monsieur.

Ce monsieur est un personnage qui fait une collection de cailloux et a cherché partout un *rognon*[1].

J'ai entendu parler de ce rognon pendant six mois, toujours avec le même étonnement ; à la fin

1. Masse minérale arrondie contenue dans une roche différente.

on a trouvé une chose couleur de fer, que mon père a empaquetée avec soin et que je dois porter au collectionneur ; il est parent de je ne sais plus qui dans la haute Université, et la fortune professionnelle de M. Vingtras peut s'accrocher à ce rognon.

Ce mot de rognon me gêne tout de même, et quand une dame, qui se trouve là au moment où je déboucle ma malle, demande ce que c'est que ce caillou bleu, je ne lui dis pas comment on l'appelle.

J'emporte vite cette pierre chez le destinataire qui la tourne, retourne et la regarde comme on mire un œuf. Il me reconduit et me met cinq francs dans la main en arrivant à la porte.

« C'est pour toi, fait-il.

— Pas pour mes parents ? ai-je dit tout bouleversé.

— Pour toi, pour t'amuser en vacances. »

Je viens de faire le tour de la ville, j'ai longé la rivière, j'ai cherché des endroits déserts, j'avais besoin d'être seul.

À la tête d'une fortune ! — Si jeune, à mon âge, sans que j'aie besoin d'en rendre compte à mes parents, avec le droit d'en disposer comme je l'entendrai, de faire des folies ou d'économiser, de mettre cet argent dans un pot ou de le jeter par les fenêtres !

Il y a peut-être un crime là-dessous.

Non, M. Buzon, le destinataire, est un honnête homme, il a une bonne figure, — même l'air un peu bête ; — j'ai entendu dire que les criminels n'ont jamais l'air bête. M. Buzon a une situation à l'abri du soupçon.

Cependant ! — Je ne sais pas, moi, si je dois garder l'argent de ce monsieur !...

Oh ! j'ai eu tort. Je suis un petit mendiant.

« Dis, Mlle Balandreau, tu le lui rapporteras, je
t'en prie ! tu diras que je l'ai pris sans savoir… »

Et je n'ai pas de cesse que je ne l'aie entraînée par
sa robe jusque devant la porte du monsieur « au
rognon ».

Je suis caché dans un coin et je regarde si elle
entre.

Quand elle sort, elle me dit : « C'est fait », et elle
m'embrasse en se frottant le nez plusieurs fois.

« Mais tu pleures !

— Cher petit ! fait-elle en ne cachant plus ses
larmes et en s'essuyant les yeux. Le brave homme,
il ne voulait pas reprendre la pièce. Je lui ai dit qu'il
le fallait. Je pleure. Est-ce que je pleure ?… C'est de
voir que tu as fait cela, toi, tout petit ! Déjà si
fier… »

Elle s'éponge encore le nez et les cils.

Moi, j'ai envie de jeter des pierres dans les carreaux en m'en allant ; un peu plus, je lui en casse-
rais pour ses cinq francs.

À cheval !

Mon oncle m'attend demain. Quelques-uns de ses
paroissiens venus pour la foire doivent repartir en
bande ; ils m'emmèneront. L'un d'eux a justement
acheté un cheval. Je le monterai et nous irons en
caravane à Chaudeyrolles.

Le rendez-vous est chez Marcelin.

Marcelin tient une auberge dans une rue du faubourg. Il a la réputation à dix lieues à la ronde pour
le vin blanc et les grillades de cochon.

Il y a, quand on entre, une odeur chaude de fumier et de bêtes en sueur, qui avance, comme une

buée, de l'écurie. Dans la salle où l'on boit, on sent
le piquant du vinaigre cuit, versé sur la grillade, et
qui mord les feuilles de persil.

Il y a aussi les émanations fortes du fromage bleu.

C'est vigoureux à respirer, et c'est plein de montant[1], plein de bruit, plein de vie.

On dit des bêtises en patois, et l'on se verse le vin
à rasades.

Je joue avec une paire de vieux éperons qui
rôdent sur la table, et je soupèse de gros bâtons cra-
vatés de cuir : quelques-uns ont une histoire qu'on
raconte. — Il y après le bout de la peau d'huissier.

Anyn[2] !... Il faut partir.

Le bruit que font les étriers en se cognant au moment où l'on apporte les selles, le clic-clac des cuirs,
le rongement du mors, j'ai encore cela dans l'oreille,
avec le nom de Baptiste, le garçon d'écurie.

Je suis trop petit : on me plante et on raccourcit
les courroies.

Encore, encore ! J'ai les jambes si courtes. M'y
voilà ! On me met rênes en mains.

« Tu feras comme ceci, comme cela. As-tu monté
quelquefois ?

— Non.

— Ça ne fait rien. *As pas peur* ! »

Tout le monde est à cheval. Nous sommes cinq
en me comptant. On s'occupe à peine de moi. On
me trouve assez grand, on me trouve assez au courant, pour me laisser seul. J'en suis si fier !

1. Goût relevé, saveur, piquant.
2. Voir n. 2, p. 93.

CHAUDEYROLLES[1]

Je suis arrivé bien moulu et bien écorché, mais j'ai fait celui qui n'est pas fatigué.

Les premiers moments ont été tristes.

Le cimetière est près de l'église, et il n'y a pas d'enfants pour jouer avec moi ; il souffle un vent dur qui rase la terre avec colère, parce qu'il ne trouve pas à se loger dans le feuillage des grands arbres. Je ne vois que des sapins maigres, longs comme des mâts, et la montagne apparaît là-bas, nue et pelée comme le dos décharné d'un éléphant.

C'est vide, vide, avec seulement des bœufs couchés, ou des chevaux plantés debout dans les prairies !

Il y a des chemins aux pierres grises comme des coquilles de pèlerins, et des rivières qui ont les bords rougeâtres, comme s'il y avait eu du sang ; l'herbe est sombre.

Mais, peu à peu, cet air cru des montagnes fouette mon sang et me fait passer des frissons sur la peau.

J'ouvre la bouche toute grande pour le boire, j'écarte ma chemise pour qu'il me batte la poitrine.

Est-ce drôle ? Je me sens, quand il m'a baigné, le regard si pur et la tête si claire !...

C'est que je sors du pays du charbon avec ses usines aux pieds sales, ses fourneaux au dos triste, les rouleaux de fumée, la crasse des mines, un horizon à couper au couteau, à nettoyer à coups de balai...

---

1. Village de Haute-Loire — à l'est du Puy, sur le versant nord-ouest du Mézenc — dont Thomas Vallez fut curé de 1827 à 1867.

Ici le ciel est clair, et s'il monte un peu de fumée, c'est une gaieté dans l'espace, — elle monte, comme un encens, du feu de bois mort allumé là-bas par un berger, ou du feu de sarment frais sur lequel un petit vacher souffle dans cette hutte, près de ce bouquet de sapins...

Il y a le vivier, où toute l'eau de la montagne court en moussant, et si froide qu'elle brûle les doigts. Quelques poissons s'y jouent. On a fait un petit grillage pour empêcher qu'ils ne passent. Et je dépense des quarts d'heure à voir bouillonner cette eau, à l'écouter venir, à la regarder s'en aller, en s'écartant comme une jupe blanche sur les pierres !

La rivière est pleine de truites. J'y suis entré une fois jusqu'aux cuisses ; j'ai cru que j'avais les jambes coupées avec une scie de glace. C'est ma joie maintenant d'éprouver ce premier frisson. Puis j'enfonce mes mains dans tous les trous, et je les fouille. Les truites glissent entre mes doigts ; mais le père Regis est là, qui sait les prendre et les jette sur l'herbe, où elles ont l'air de lames d'argent avec des piqûres d'or et de petites taches de sang.

Mon oncle a une vache dans son écurie ; c'est moi qui coupe son herbe à coups de faux. Comme elle siffle dans le gras du pré, cette faux, quand j'en ai aiguisé le fil contre la pierre bleue trempée dans l'eau fraîche !

Quelquefois je sabre un nid ou un nœud de couleuvres.

Je porte moi-même le fourrage à la bête, et elle me salue de la tête quand elle entend mon pas. C'est moi qui vais la conduire dans le pâturage et qui la ramène le soir. Les bonnes gens du pays me parlent comme à un personnage, et les petits bergers m'aiment comme un camarade.

Je suis heureux !

Si je restais, si je me faisais paysan ?

J'en parle à mon oncle, un soir qu'il avait fait servir le dîner sous le manteau de la cheminée, et qu'il avait bu de son vin pelure d'oignon.

« Plus tard, quand je serai mort. Tu pourras acheter un domaine, mais tu ne voudrais pas être valet de ferme ? »

Je n'en sais trop rien.

Quand il pleut et qu'il n'y a pas moyen de pêcher ni d'aller chercher des groseilles sauvages là-bas, au pied de la montagne, entre les pierres galeuses, — ou bien quand le soleil brûle comme une plaque de tôle bleuie au feu et grille le pays sans ombre, — ces jours-là, je m'enferme dans la bibliothèque de mon oncle et je lis, je lis. Il y a la biographie des hommes illustres de l'abbé de Feller[1]. Je cours aux passages qui parlent de Napoléon, et je fais tout éveillé des rêves pleins de Sainte-Hélène. Je regarde par la fenêtre la campagne déserte, l'horizon vide, et je cherche Hudson Lowe[2]. Si je le tenais !

Mon oncle attend les curés du voisinage pour la *conférence*.

Ils viennent. Je les entends à table qui disent du mal du vicaire de Saint-Parlier, du curé de Solignac ; ils ne

---

1. L'abbé François-Xavier de Feller (1735-1802), jésuite belge, est l'auteur d'un *Dictionnaire historique ou biographie universelle des hommes qui se sont fait un nom par leur génie, leurs talents, leurs vertus, leurs erreurs, depuis le commencement du monde jusqu'à nos jours*, dont il y eut de nombreuses éditions révisées et continuées jusqu'en 1848.

2. Général britannique (1769-1844), geôlier de Napoléon à Sainte-Hélène.

paraissent pas plus penser au bon Dieu qu'à l'an quarante !

Mon oncle se mêle peu aux conversations. Son âge
l'en dispense ; il se fait même plus vieux qu'il n'est,
contrefait le sourd et presque l'aveugle ; mais le vin a
délié la langue des autres. Un gros, qui a l'air ivrogne,
fait sauter les boutons de sa robe crasseuse tachée de
vin et dérange son rabat jaune de café. Un maigre, à
tête de serpent, ne boit que de l'eau ; mais il jette de
côté et d'autre des regards qui me font peur. J'ai vu au
théâtre de Saint-Étienne, une fois, le traître qui servait
du poison dans les verres ; il a cet air-là.

Les autres mangent, boivent comme des goinfres,
et, quand ils ont une prière à dire, ils ont encore la
bouche pleine.

On voit leur culotte sous leur robe sale.

Le crasseux, le gros, se tourne de mon côté.

« C'est votre neveu, monsieur le curé ? Il a bon
appétit au moins, ce gaillard-là ; est-il râblé ! »

Et il me passe la main dans le dos, ce qui me
dégoûte et me gêne.

« Et Maclou, le protestant, qu'est-ce que vous en
faites ? dit une voix.

— Il est maintenant au lac de Saint-Front[1].

— Avec le tas ! C'est là qu'ils ont fait leur nid.

— Nid de vipères », siffle la *tête de serpent*.

Il y a donc des protestants ! J'ai lu ce qu'on en dit
dans la bibliothèque de Chaudeyrolles, et les protestants qu'on a brûlés, qu'on envoie en enfer, me semblent une race de damnés.

Je vais un jour jusqu'au lac de Saint-Front, tout
seul. C'est un grand voyage. Je pense tout le long du

1. Petit lac situé au nord-ouest de Chaudeyrolles.

chemin à la Saint-Barthélemy, et je vois des croix rouges sur le ciel bleu.

Voici le lac avec une ou deux barques dans les roseaux, des cabanes perdues dans des champs tout autour.

On m'a dit d'aller vers la hutte à gauche, chez Jean Robanès ; je n'ai qu'à dire que je suis le neveu du curé, on m'offrira du lait et on me montrera les protestants.

On m'accueille bien : « et quant aux protestants, me dit l'homme, il y en a un qui est justement là-bas, debout dans le sillon ».

Il a l'air dur et triste, — maigre, jaune, le menton pointu, — et raide comme une épée.

Est-ce que les gendarmes ne le surveillent pas ? lui parle-t-on ? A-t-il un boulet ? Je me rappelle bien que l'on punit tous les impies dans la Bible, et les livres de la bibliothèque les appellent des scélérats ! J'en touche un mot à mon oncle, le soir ; il me répond mal, et je commence à croire qu'il en est des protestants infâmes comme des bêtes qui parlent dans La Fontaine. Des farces, tout ça !

Il faut partir.

Mon oncle a une tournée à faire, et je dois d'ailleurs bientôt rentrer à Saint-Étienne pour le collège.

Nous partons par le chemin que j'ai pris pour venir, mais j'ai cette fois un cheval doux, on m'a caleçonné, ouaté, et je suis suifé d'avance. D'ailleurs, j'ai monté à cheval depuis un mois, je suis aguerri, et je trouve une joie bien vive à me retourner sur la selle pour dire adieu au paysage. Je donne un coup de talon pour avoir un temps de galop, je flatte la bête comme un vieil ami...

Mon oncle me quitte à la Croix de la Mission. Il me parle avec bonté.

« Travaille bien, dit-il.

— Vous écrirez à papa de me faire revenir l'année prochaine.

— Ton père ! ce n'est pas ton père qui t'empêchera, mais peut-être ta mère ; je ne suis pas bien avec ta mère, vois-tu ! »

Je le sais.

Dans les premiers jours de mon arrivée, j'ai entendu la servante parler dans la chambre.

« C'est le fils de Mme Vingtras ?

— Oui.

— Celle qui disait tant de mal de vous ?

— C'est fini maintenant, je lui ai pardonné, — et j'aime cet enfant. »

Il n'était pas beau, mon oncle, il avait les yeux petits, le nez gros, des poils un peu partout, mais il était bon.

Je savais qu'il sentait que j'étais malheureux chez nous et qu'en le quittant je perdais de la liberté et du bonheur. Il était aussi triste que moi.

« Adieu, me dit-il, en m'embrassant et en me donnant une poignée de main qui me fit encore plus de plaisir que son embrassade. Tu trouveras quelque chose au fond de ta valise, n'en dis rien à ta mère. »

Il me tendit encore ses vieux doigts gris, fit un mouvement de tête et partit.

Oh ! s'il eût été mon père, cet oncle au bon cœur !

Mais les prêtres ne peuvent être les pères de personne, il paraît : pourquoi donc ?

J'avais envoyé une lettre à Mlle Balandreau lui annonçant mon arrivée, une lettre qu'elle a montrée à tout le monde.

« Comme il écrit bien ! voyez ces majuscules ! »

Elle m'a préparé un lit dans un petit cabinet qui

est à côté de sa chambre[1]. C'est grand comme une carafe, mais j'ai le droit de fermer ma porte, de jeter ma casquette sur mon lit et de planter mon paletot en disant ouf ! Je fais des gestes de célibataire, je range des papiers, je fredonne...

Qu'y a-t-il dans ma valise, dont m'a parlé mon oncle ?

Dix francs !

Je puis les accepter de lui...

Me voilà riche tout d'un coup.

Le temps est superbe, et je descends dès neuf heures en ville, libre, et craquant du bonheur d'être libre, je me sens gai, je me sens fort, je marche en battant la terre de mes talons et en avalant des yeux tout ce qui passe : la nue dans le ciel, le soldat dans la rue ; je rôde à travers le marché, je longe la mairie, je vais au Breuil flâner, les mains derrière le dos, en chassant quelque caillou du bout de mon soulier, comme le receveur particulier qui marche devant moi et que j'imite un peu.

Il n'y a pas de devoirs, pas de pensums, ni père ni mère, personne, rien !

Il y a le tambour de ville qui s'arrête au coin du carrefour et amasse les gens ; il y a les officiers à épaulettes d'or que je frôle ; j'ai le droit d'aller à tous les rassemblements.

Je me fais cirer mes souliers tous les matins par Moustache. Ah ! mais !

Il m'a fallu seulement un mois de vacances avec la vache à conduire, les courses dans les champs, les promenades seul, pour m'ouvrir les idées et le cœur !

---

1. Jacques est de retour au Puy.

Nous allons le soir au café ; on est trois ou quatre anciens camarades ; on joue sa demi-tasse, son petit verre et l'on fait brûler son eau-de-vie ! Cette fumée, cette odeur d'alcool, le bruit des billes, le saut des bouchons, les gros rires, tout cela double mes sens et il me semble qu'il m'est poussé des moustaches et que je soulèverais le billard !

On va en sortant au Fer-à-Cheval faire un tour — comme des rentiers ! — On s'arrête en rond aux moments intéressants, je marche quelquefois à reculons devant la bande.

Puis l'âge reprend le dessus.

« C'est toi qui l'es ! Sauterais-tu ce banc à pieds joints ? Lèverais-tu cette pierre à bras tendu ?

— Je parie que je renverse Michelon. »

Je ne sais si je suis le plus fort, mais on le croit, tant j'y mets de volonté ! J'aurais préféré vomir le sang par la bouche que lâcher la pierre ou demander grâce à Michelon.

Je suis *mon maître* ; je fais ce que je veux et même je suis un peu le chef, celui qu'on écoute et qui a dit l'autre jour, quand un voyou nous a jeté une pierre : « Ne bougez pas, vous autres ! » — J'ai attrapé le voyou et je l'ai ramené en le tenant par la ceinture, et en le calottant jusque devant la bande. — « Demande pardon ! » Il était plus grand que moi.

Nous avons fait une partie de bateau ; personne ne sait ramer, et nous avons failli nous noyer dix fois. Ah ! nous nous sommes bien amusés !

On m'avait voulu nommer capitaine.

« Des blagues ! nommez Michelon ; moi je me couche. »

Et je me suis étendu dans le bateau, regardant le soleil qui me faisait cligner les yeux, et trempant mes mains dans l'eau bleue...

Un oncle de je ne sais quelle branche court après moi dans le Martouret et ne prend que le temps d'aller avertir Mlle Balandreau qu'il m'emmène dans sa carriole voir sa famille ; il me renverra après-demain.

« Filons, mon neveu. Hue ! la Grise. »

C'est moi qui tiens les rênes en passant dans le faubourg. J'envoie de temps en temps un coup de fouet inutile et j'ai l'air de jurer en frappant avec le manche : « Ah ! *carcan*[1] ! »

Nous nous arrêtons au Cheval-Blanc pour le picotin à la Grise. Je saute de la carriole comme un clown et je donne un clic-clac en l'air comme un maquignon.

L'oncle de je ne sais quelle branche est fier comme tout.

« C'est mon neveu ! » dit-il à tout le monde dans l'hôtel.

Nous dînons les coudes sur la table, il me raconte (tout en mangeant des œufs au vin, puis des œufs au lard, pour finir par une salade aux œufs durs), il me raconte l'histoire de sa branche. Il a épousé ci, ça, il est issu de germain, etc.

« Tu verras tes cousines[2], elles sont jolies. »

Oui, elles le sont, et comme elles ont l'air déluré, mâtin !

C'est moi qui suis *la fille*, je redeviens gauche, je me sens bête. Elles parlent très bien français pour des paysannes. Elles ont été à l'école au bourg voisin.

---

1. Rosse, mauvais cheval.
2. Marguerite et Marianne, filles de la tante Rosalie (voir n. 1, p. 45). « L'oncle de je ne sais quelle branche » pourrait ainsi correspondre, selon Roger Bellet, à leur grand-père Fabre, le père de la tante Rosalie. Nouveau départ à la campagne donc, mais après le côté de Chaudeyrolles et du grand-oncle Vallez, c'est le côté de Farreyrolles et de la famille maternelle.

« Un verre de vin ! me disent-elles.

— Oui, un verre de vin. »

Je n'en accepte que pour trinquer dans les cabarets ou dans les auberges, parce que c'est gai les verres qui se choquent, comme je ne prends de cognac que pour faire des brûlots : c'est joli, les flammes bleues. Mais, ma foi, je me trouve dépassé tout d'un coup par ces cousines à l'air hardi, à la voix tintante, et je vais boire — boire du bleu et du courage.

« À votre santé ! » font-elles après avoir versé une goutte, une toute petite goutte au fond de leurs verres.

Elles ont rempli le mien jusqu'au bord.

Je crois que je suis un peu gris. — Gare à vous ! cousines.

C'est qu'en effet j'ai un toupet du diable, une audace d'enfer !

Elles ont voulu me faire voir le verger. Va pour le verger ! et j'y entre en sautant par-dessus la barrière à pieds joints.

Voilà comme je suis, moi !

Mes cousines me regardent ébahies, je ris en revenant à elles pour leur tendre la main et les aider à enjamber. Une, deux, voyons !

Elles poussent de petits cris et me retombent dans les bras en mettant pied à terre ; elles s'appuient et s'accrochent, et nous allons dégringoler ! Nous dégringolons, ma foi, on perd tous l'équilibre, et nous tombons sur le gazon. Elles ont des jarretières bleues.

Comme il fait beau ! un soleil d'or ! de larges gouttes de sueur me tombent des tempes, et elles ont aussi des perles qui roulent sur leurs joues roses. Le bourdonnement des abeilles qui ronflent autour des ruches, derrière ces groseilliers, met une musique monotone dans l'air...

« Qu'est-ce que vous faites donc là-bas ? » crie une voix du seuil de la maison.

Ce que nous faisons ?... Nous sommes heureux, heureux comme je ne l'ai jamais été, comme je ne le serai jamais. J'enfonce jusqu'aux chevilles dans les fleurs et je viens d'embrasser deux joues qui sentaient la fraise.

Il faut rentrer, on nous appelle ! Nous revenons comme des gens sages, et ces demoiselles m'ont pris chacune par un bras ; elles s'appuient un peu en croisant les mains et me secouant le coude, chaque fois qu'elles veulent m'apprendre quelque chose, ou me demander ce que je sais.

On me gronde déjà, remarquez ! On prétend que je ne réponds pas ou que je réponds mal. « On ne me dira plus rien si je me moque comme ça... Voulez-vous bien ! »

On me donne des tapes, on me fait des reproches.

C'est que j'ai adopté un système pour être à l'aise : je les embrasse quand elles me posent une question que je trouve trop difficile.

Ah ! que j'ai bien fait de boire du vin !

Elles veulent me *rouler*.

« Vous savez la géographie ?

— Pas trop.

— Vous savez bien quel est le chef-lieu de... »

Je l'ignore absolument, et, pour m'en tirer, j'embrasse, j'embrasse ; j'en perds mon assurance, malgré le verre de gros bleu, et si elles ne faisaient pas des petites mines pour se cacher, elles me verraient rougir comme une pivoine.

Nous arrivons à table. Il est midi. Les sabots des
garçons de ferme battent l'heure du dîner dans la
cour, et tout le monde rentre, même les poules, qui
viennent attendre leur grain et se pressent contre la
porte. Un poussin estropié se dépêche en tirant la
patte ; les abords de la maison sont vides, je vois
dans les champs les charrues s'arrêter et les laboureurs s'asseoir pour manger la soupe que vient d'apporter la servante dans son tablier vert.

C'est le grand calme de midi et son grand silence.

À notre table (on a servi le dîner à part pour le
neveu), il y a une nappe blanche, des fruits dressés
dans des soucoupes et une branche d'églantier, qui
est là toute frissonnante dans l'eau, fraîche comme
un panache vert avec des grelots rouges.

Il vient je ne sais quelle odeur de sureau. — Ah !
J'ai le cœur qui s'en va, tant cette odeur est douce !

Après le dîner.
« Si nous partions faire un tour en carriole avec
notre cousin ?
— La Grise est trop fatiguée, dit le père.
— C'est vrai. Où irons-nous alors ? »
J'offre d'aller du côté des sureaux, et nous voilà,
au bout d'un moment, occupés à vider la moelle de
ces sureaux et à faire des sifflets luisants comme
des cuivres ; la cousine Marguerite se coupe le doigt
et laisse tomber de grosses gouttes de sang sur le
blanc des feuilles.

On arrache une herbe pour la panser, et l'on va loin
des vilains arbres qui sont cause qu'on s'est coupé.

On va vers la mare où les canards barbotent, on
va dans la grange où les *fléaux* s'arrêtent quand les
demoiselles et le cousin entrent ! Puis ils repartent

décrivant un grand cercle, et battent en mesure les gerbes sur le plancher sonore. J'en attrape un pour essayer ; je sens tourner le battant qui part comme une fronde, et qui revient comme un marteau, qui prend de l'air et fait du vent... S'il touchait une tête, il la casserait comme du verre.

Au fond du clos, il y a un trou plein d'eau et de branches mortes, avec de petites grenouilles vertes qui luisent au soleil ; je fais une ligne avec un bâton que je ramasse à terre, un bout de ficelle que je trouve dans mes poches, et une épingle que fournit Marguerite. Sa sœur donne un morceau de ruban écarlate, et la pêche commence.

Quels cris quand la première rainette mord ! Mais il faut l'arracher de l'hameçon, personne n'ose, la grenouille s'échappe et les jeunes filles s'enfuient.

Je les suis ! Nous passons une journée délicieuse à battre les champs, à entrer jusqu'aux genoux dans la rivière ! je cours après elles en sautant sur les pierres, que polit le courant.

À un moment, le pied me glisse et je tombe dans l'eau.

Je sors ruisselant, et je m'en vais, le pantalon tout collé et pesant, m'étendre au soleil. Je fume comme une soupe.

« Si nous le tordions ! » dit une cousine, en faisant un geste de lessive.

Elles vont de leur côté, derrière une pierre qui les cache mal, ôter leurs bas ; elles ont les jambes trempées, quoi qu'elles en disent... et si blanches !

Enfin nous voilà séchés, et nous repartons joyeux.

Nous avons les yeux clairs, la peau brillante. Nous prenons des chemins bordés de mûres, et pleins de petites prunes violettes qui sont aigres comme du vinaigre, et que nous mangeons à poignées, — j'avale les noyaux pour faire l'homme.

On se fâche, on se perd ! mais on se retrouve toujours bras dessus, bras dessous, raccommodés et curieux : moi, racontant ce que je fais à Saint-Étienne, les farces de collège ; elles disant des gaietés de pension, ceci, cela, et finissant par crier :

« Laquelle aimez-vous le mieux de nous deux ?

— Laquelle aimes-tu mieux ? » dit carrément Marguerite, qui jette le *vous* par-dessus les moulins et se plante devant moi.

Ne sachant que répondre, je les embrasse toutes deux.

On me fouette la figure avec une fleur et on s'écarte pour me bombarder de prunes violettes.

Le soir nous trouve un peu las, et nous causons sur la pierre usée devant la maison, comme de petits vieux à la porte d'une auberge.

Ah ! c'est Marguerite que je préfère décidément ! Elle me prend la main toujours à la fin de ses phrases, elle me dit, ébouriffant ma crinière de ses doigts : « Rejette donc tes cheveux en arrière, tu n'es pas beau comme ça ! »

On me conduit à ma chambre qui est près du grenier, — le grenier où l'on a, l'hiver dernier, pendu les raisins, entassé les pommes, avec des bouquets de fenouil et des touffes sèches de lavande. Il en est resté une odeur et je laisse la porte ouverte pour qu'elle entre *chez moi*, — encore un *chez moi* d'un soir !

Je me mets à la fenêtre et regarde au loin s'éteindre les hameaux. Un rossignol froufroute dans un tas de fagots et se met à chanter. Il y a le coucou qui fait houhou ! dans les arbres du grand bois, et les grenouilles qui font croa-croa dans les herbages du marais.

J'écoute et finis par ne rien entendre.

Le coq me réveille en sursaut, je m'étais endormi le front dans mes mains et je me déshabille avec un frisson, pour dormir d'un sommeil sans rêve, étourdi de parfums, écrasé de bonheur.

Deux jours comme cela, — avec des disputes et des raccommodailles près des buissons, dans les fleurs, dans le foin ; le grand jeu du fléau, le chant doux des rivières et l'odeur du sureau !

Il faut partir !

« Tu m'écriras, soupire Marguerite, me disant adieu. Tiens, tu garderas ce petit bouquet comme souvenir. Bonsoir !... »

Elle me donne son front à embrasser, rien que son front. Ces deux jours-ci, elle se laissait embrasser sur les lèvres ; elle a l'air toute sérieuse, et je la vois de loin, debout, qui agite son mouchoir, comme font les châtelaines dans les livres, quand leur fiancé s'en va ; je tâte le bouquet qu'elle a fourré dans ma poitrine et je me pique le doigt à ses épines. J'ai sucé ce doigt-là.

Nous le retrouverons, ce bouquet, avec des larmes dans les fleurs sèches...

XV

PROJETS D'ÉVASION

J'entre en quatrième. Professeur Turfin[1].

1. Jules Vallès fait sa quatrième au collège royal de Saint-Étienne en 1843-1844. Le nom de Turfin correspond dans la réalité au professeur Laurent.

Il a été reçu le second à l'agrégation ; il est le neveu d'un chef de division, il porte de grands faux cols, des redingotes longues, il a la lèvre d'en bas grosse et humide, des yeux bleus de faïence, des cheveux longs et plats.

Il a du mépris pour les pions, du mépris pour les pauvres, maltraite les boursiers et se moque des mal vêtus.

Il fait rire les autres à mes dépens ; je crois qu'il veut faire rire de ma mère aussi.

Je le hais...

On m'accorde des *faveurs* en ma qualité de fils de professeur.

Externe, je suis puni comme un interne. Toujours en retenue. Je ne rentre presque jamais à la maison. On m'apporte du réfectoire un morceau de pain sec.

« De cette façon, on lui donne à déjeuner pour rien, je sauve encore une ratatouille à la mère Vingtras. »

C'est Turfin qui parle ainsi à quelque collègue qui sourit ; il le dit assez loin de moi à demi-voix, mais il veut, je crois, que je l'entende.

Je me contente d'enfoncer mes mains dans mes poches, et j'ai l'air de rire ! Je pleure. Que de sanglots j'ai étouffés pendant qu'on ne me voyait pas !

Je ne suis plus qu'une bête à pensums !

Des lignes, des lignes ! — des arrêts et des retenues, du cachot !

Je préfère le cachot à la retenue.

Je suis libre entre mes quatre murs, je siffle, je fais des boulettes, je dessine des bonshommes, je joue aux billes tout seul.

Avec des morceaux de bois et des bouts de ficelle je monte des potences auxquelles je pends Turfin, je

me remets à la besogne vers le soir et je fais mon
pensum.

On me renvoie à neuf heures à la maison.

Le cachot ne m'épouvante pas ; même j'éprouve
un petit orgueil à revenir le soir par les cours désertes, en rencontrant au passage quelques élèves
qui me regardent comme un révolté !

Nous nous croisons souvent avec Malatesta, qui
sort d'un autre cachot. C'est le chef des *chahuteurs*
dans l'étude des grands.

Il va entrer en élémentaire[1].

C'est lui qui doit être reçu à Saint-Cyr l'an prochain. C'est le champion de Saint-Étienne ; on ne le
renverrait pas pour un empire.

Il porte un képi à galons d'or et *il prend des leçons
d'armes*.

Malatesta me fait des signes de tête en passant et
me dit : « Salut, Vingtras ! » Salut, comme en latin[2] ;
« Vingtras », comme à un homme.

C'est la retenue qui m'ennuie le plus.

J'y gobe encore des pensums. — Je suis si maladroit ! — C'est mon encrier que je renverse, c'est
mon porte-plume qui tombe, mes papiers qui s'envolent, mon pupitre que je démanche.

« Vingtras, cent lignes ! »

Patatras ! mon paquet de livres qui dégringole et
fait un tapage d'enfer !

« Cent lignes de plus.

— M'sieu !

— Vous répliquez ? Cinq pages de grammaire
grecque. »

---

1. Les futures *mathématiques élémentaires*, classe scientifique après
la rhétorique, en fin d'études secondaires.
2. *Salut* traduit le latin *salve*.

Encore ! Toujours !

Ils veulent me faire mourir sous le pensum, ces gens-là !

C'est à peine si je vois le soleil !

Le dimanche, comme les autres jours, j'arrive pour la grande retenue, de deux à six, dans cette salle vraiment lugubre ce jour-là, à cause du silence écrasant, du bruit mélancolique que fait un soulier qui passe, une porte qui tombe, un fredon solitaire, un cri de marchand bien loin, bien loin !

Nous sommes là une vingtaine.

Une plume grince, quelqu'un tousse, le pion fait deux ou trois tours en regardant le ciel à travers les croisées.

« M'sieu… sortir ! »

Il fait oui de la tête, et sous prétexte d'aller là-bas, je traîne un peu dans les longs corridors, je fourre le nez dans des salles vides, je jette par une fenêtre une bille, j'envoie une boulette de pain à un moineau, je lorgne l'infirmière et je tâche d'aller chiper des fruits au réfectoire, puis je reviens à cloche-pied, dans l'étude.

Je me replonge la tête dans ce qui me reste de papier, que je barbouille avec ce qui me reste d'encre, je pense à tout autre chose qu'à ce que j'écris — et il se trouve qu'il y a quelquefois dans mes pensums des « Turfin pignouf. Turfin crétin ».

Mardi matin.

C'était composition en version latine.

Je cherchais un mot, dans un dictionnaire tout petit que mon père m'a donné à la place de Quicherat[1].

1. *Dictionnaire latin-français* de Louis-Marie Quicherat.

Turfin croit que c'est une traduction.

Il s'avance et me demande le livre que je cachais tout à l'heure.

Je lui montre le petit dictionnaire.

« Ce n'est pas celui-là.

— Si, m'sieu !

— Vous copiez votre version.

— Ce n'est pas vrai ! »

Je n'ai pas fini le mot qu'il me soufflette.

Mon père et ma mère me battent, mais eux seuls dans le monde ont le droit de me frapper. Celui-là me bat parce qu'il déteste les pauvres.

Il me bat pour indiquer qu'il est l'ami du sous-préfet, qu'il a été reçu second à l'agrégation.

Oh ! si mes parents étaient comme d'autres, comme ceux de Destrême qui sont venus se plaindre parce qu'un des maîtres avait donné une petite claque à leur fils !

Mais mon père, au lieu de se fâcher contre Turfin, s'est tourné contre moi, parce que Turfin est son collègue, parce que Turfin est influent dans le lycée, parce qu'il pense avec raison que quelques coups de plus ou de moins ne feront pas grand-chose sur ma caboche. Non, mais ils font marque dans mon cœur.

J'ai eu un mouvement de colère sourd contre mon père.

Je n'y puis plus tenir ; il faut que je m'échappe de la maison et du collège.

Où irai-je ? — À Toulon.

Je m'embarquerai comme mousse sur un navire et je ferai le tour du monde.

Si l'on me donne des coups de pied ou des coups de corde, ce sera un étranger qui me les donnera. Si l'on me bat trop fort, je m'enfuirai à la nage dans quelque île déserte, où l'on n'aura pas de leçon à apprendre ni du grec à traduire.

Il y a encore une consolation, même si l'on est attaché au grand mât ou enchaîné à fond de cale ; il y a l'espérance d'arriver à être officier à son tour, et l'on a le droit de souffleter le capitaine.

Turfin, lui, peut me tourmenter tant qu'il voudra, sans que je puisse me venger[1].

Mon père peut me faire pleurer et saigner pendant toute ma jeunesse : je lui dois l'obéissance et le respect.

Les règles de la vie de famille lui donnent droit de vie et de mort sur moi.

Je suis un mauvais sujet, après tout !

On mérite d'avoir la tête cognée et les côtes cassées, quand, au lieu d'apprendre les verbes grecs, on regarde passer les nuages ou voler les mouches.

On est un fainéant et un drôle, quand on veut être cordonnier, vivre dans la poix et la colle, tirer le fil, manier le tranchet, au lieu de rêver une *toge* de professeur, avec une toque et de l'hermine.

---

1. Jacques aura cependant l'occasion de se venger, comme le raconte *Le Bachelier* (chap. XXX). Devenu adulte, il retrouve par hasard Turfin qui se présente à lui : « L'homme que j'ai en face de moi, dont la main vient de toucher ma manche, est un de mes anciens professeurs qui me souffleta un matin — un mardi matin : je n'ai pas oublié le jour, je n'ai pas oublié l'heure ; je me rappelle le moment, ce qu'il faisait de soleil et ce qu'il me vint de douleur dans le cœur et de larmes dans les yeux ! » (Folio classique, p. 393). Vingtras prend alors le poignet de Turfin et dénonce publiquement la lâcheté avec laquelle il punissait les pauvres en abusant de son autorité, avant de lui faire grâce... Voilà donc un soufflet qui a laissé des traces : « Je me rappelle ce mardi où il me souffleta — j'avais treize ans... Depuis ce jour-là, la place où toucha le soufflet blanchit chaque fois que j'y pense !... » (*ibid.*, p. 399). Turfin est représentatif de la « cruauté » d'une institution scolaire qui met à nu les inégalités sociales.

On est un insolent vis-à-vis de son père, quand on pense qu'avec la *toge* on est pauvre, qu'avec le tablier de cuir on est libre !

C'est moi qui ai tort, il a raison de me battre.

Je le déshonore avec mes goûts vulgaires, mes instincts d'apprenti, mes manies d'ouvrier.

Mes parents m'ont donné de l'éducation et je n'en veux plus !

Je me plais mieux avec les laboureurs et les savetiers qu'avec les agrégés ; et j'ai toujours trouvé mon oncle Joseph moins bête que M. Beliben !…

« Fort comme il est, et si fainéant ! » disent-ils toujours. C'est justement parce que je suis fort que je m'ennuie dans ces classes et ces études où l'on me garde tout le jour. Les jambes me démangent, la nuque me fait mal.

Je suis gai de nature ; j'aime à rire et j'ai la rate qui va en éclater quelquefois ! Quand je peux échapper aux pensums, éviter le séquestre, être loin du pion ou du professeur, je saute comme un gros chien, j'ai des gaietés de nègre.

Être nègre !

Oh ! comme j'ai désiré longtemps être nègre !

D'abord, les négresses aiment leurs petits. — J'aurais eu une mère aimante.

Puis, quand la journée est finie, ils font des paniers pour s'amuser, ils tressent des lianes, cisèlent du coco, et ils dansent en rond !

Zizi, bamboula ! Dansez, Canada[1] !

Ah ! oui ! j'aurais bien voulu être nègre. Je ne le suis pas, je n'ai pas de veine !

Faute de cela, je me ferai matelot.

---

1. Fantaisie verbale qui mime joyeusement la libération espérée, en mêlant Amérique et Afrique des lectures d'enfance, et en faisant éclater le sérieux de la syntaxe scolaire et du lexique autorisé.

Tout le monde s'en trouvera bien.

« Je les fais périr de chagrin ? », ils me l'ont assez dit, n'est-ce pas ?

Ils vont revivre, ressusciter.

Je leur laisse ma part de haricots, ma tranche de pain ; mais ils devront finir le gigot !

Finir le gigot ?

Je suis une triste nature décidément ! Je ne songe pas seulement au plaisir d'échapper à ce gigot, mais, dévoré d'une idée de vengeance, je me dis, comme un petit jésuite, que c'est eux qui auront à le manger, rôti, revenu, en vinaigrette, à la sauce noire, en émincés et en boulettes, — comme je le faisais.

Je vais plus loin, hypocrite que je suis !

Je me dis qu'il faut m'exercer, me tâter, m'endurcir, et je cherche tous les prétextes possibles pour qu'on me *rosse*.

J'en verrai de dures sur le navire. Il faut que je me *rompe* d'avance, ou plutôt qu'on me *rompe* au métier ; et me voilà pendant des semaines disant que j'ai cassé des écuelles, perdu des bouteilles d'encre, mangé tout le papier ! — Il faut dire que je mange toujours du papier et que je bois toujours de l'encre, je ne peux pas m'en empêcher.

Mon père ne se doute de rien et se laisse prendre au piège, le malheureux !...

Je lui use trois règles et une paire de bottes en quinze jours, il me casse les règles sur les doigts, et m'enfonce ses bottes dans les reins.

Je lui coûte les yeux de la tête, je le ruine, cet homme !

Je pense qu'il me pardonnera plus tard en faveur de l'intention ; et d'ailleurs il me semble que cela ne l'ennuie pas trop.

Un peu fatigué seulement quand il m'a rossé trop longtemps — il a chaud !

Je me traîne alors jusqu'à la fenêtre, et je la ferme pour qu'il n'attrape pas de courants d'air.

La nuit, je me couche dans une malle, — en chemise.

> *Je me couche en chemise !*
> *Dieu puissant ! favorise*
> *Cette sainte entreprise[1] !*

Partirai-je seul ?

C'est bien ennuyeux ! Et puis à plusieurs on peut s'emparer d'un navire, faire le corsaire, au besoin mener les révoltes, et quand on est fatigué, fonder une colonie.

Qui entraînerai-je dans cette expédition ?

Malatesta est justement parti d'hier.

Sa mère est tout d'un coup tombée malade, et il est allé la voir.

Il adore sa mère, une mauvaise mère, cependant !

Elle lui envoie toujours des pastèques, des dattes et des oranges ; elle lui fait passer de l'argent en cachette du proviseur.

« Elle est donc bien riche, ta mère ? lui demandai-je un jour.

— Non, mais elle est si bonne !

— Tu l'aimes bien !

— Si je l'aime ! »

Il me dit cela avec une petite larme dans les yeux.

Lui qui doit être soldat !

Avoir une si mauvaise mère et l'aimer tant ! Une mère qui le console quand il est puni, qui mange

---

1. Parodie de prière ou de chant religieux.

peut-être moins de pain pour que son enfant ait plus d'oranges !

« Que fait-elle, ta mère ?

— Elle est charcutière à Modène. »

Et il n'a pas l'air de rougir.

Charcutière ! Tout s'explique. C'est une femme *du commun*.

Ma mère n'aurait jamais été charcutière. Jamais !

Ah ! elle est fière, ma mère, il faut lui accorder ça.

Si ce n'avait pas été pour elle, c'eût été pour son fils qu'elle n'eût pas voulu vendre du jambon.

Elle préférait crever la misère, conseiller à mon père d'être lâche !...

Elle préférait vivre d'une vie sourde, bête et vile ; mais elle était la femme d'un fonctionnaire, une dame, et son enfant dirait un jour :

« Mon père était dans l'Université. »

Ah ! cela me fera une belle jambe, et on a l'air de les estimer drôlement, ces messieurs de l'Université !

Si elle entendait ce que j'entends, moi, non pas seulement ce que les élèves marmottent — ce n'est rien — mais ce que les parents disent, elle verrait ce qu'on pense des professeurs ! si elle savait comme ils sont méprisés par les chefs même : le proviseur, l'inspecteur, le censeur, qui, quand une mère riche se plaint, répondent :

« N'ayez peur : je lui laverai la tête ! »

Du petit cabinet où l'on m'enferme d'habitude avant de me mener au cachot, je puis saisir ce qu'on dit dans le salon du proviseur, et je n'ai pas manqué d'appliquer mes oreilles contre le mur, chaque fois que j'ai pu.

Un jour, un des maîtres est venu se plaindre qu'un domestique l'avait insulté. Le proviseur n'a fait ni une ni deux : il appelle le pion Souillard, qui lui sert de secrétaire : « Monsieur Souillard, il y a M. Pichon qui se plaint de ce que Jean lui ait parlé insolemment devant les élèves ; — il faut que l'un des deux file. Je tiens à Jean : il nettoie bien les lieux. M. Pichon est un imbécile qui n'a pas de protections, qui achète cent francs de bouquins pour faire son livre d'étymologie et qui porte des habits qui nous déshonorent.

« Écrivez en marge à son dossier :

« "PICHON. Se commet avec les domestiques — a des habitudes de saleté — sait ses classiques. Rendrait de grands services dans une autre localité." »

Ah ! vivent les charcutiers, nom d'une pipe !

Et les cordonniers aussi ! vivent les épiciers et les bouviers !

Vivent les nègres !...

Moi, plutôt que d'être professeur, je ferai tout, tout, tout !...

Il n'y a donc pas à compter sur Malatesta qui est à la charcuterie de Modène et il a même laissé intacte dans son pupitre une boîte de fruits confits qu'on se partage en retenue.

Je cherche de tous côtés d'autres complices ; je jette sur la foule des camarades le regard creux du capitaine. Je fais des ouvertures à plusieurs : ils hésitent. Les uns disent qu'ils ne s'ennuient pas à la maison, qu'ils s'y amusent beaucoup, au contraire, que leur père rigole avec eux, que leur mère a les mêmes défauts que celle de Malatesta.

« On ne te bat donc pas ?

— Si, quelquefois, mais je suis content ces jours-là ; je suis sûr que le soir on me mènera au spectacle ou bien qu'on me donnera une pièce de dix sous. Mon père en est tout embêté, et ils se cherchent des raisons avec ma mère. — C'est toi qui en es cause. — Je te dis que c'est toi. — Tu ne lui as pas fait de mal au moins ! — J'ai bien tapé un peu fort, quel brutal je suis ! »

« Tu lui as fait du mal, au moins », demande ma mère à mon père, à l'envers de ces parents imbéciles. « J'espère qu'il l'a senti cette fois ! »

Et il faut bien avouer que ma mère est logique. Si on bat les enfants, c'est pour leur bien, pour qu'ils se souviennent, au moment de faire une faute, qu'ils auront les cheveux tirés, les oreilles en sang, qu'ils souffriront, quoi !... Elle a un système, elle l'applique.

Elle est plus raisonnable que les parents de ce petit à qui on donne dix sous quand on lui a envoyé une taloche ; qui tapent sans savoir pourquoi, et qui regrettent d'avoir fait mal.

Je ne comprends pas comment mon camarade aime tant ses parents qui sont si bêtes, et ont si peu d'énergie.

Je suis tombé sur une mère qui a du bon sens, de la méthode.

Je ne trouverai donc personne qui veuille s'enfuir avec moi !

Ricard ?

Ils sont neuf enfants.

On les fouette à outrance. — Quel bonheur !

Je tâte Ricard ; — quand je dis je tâte, je parle au figuré : il me défend de le tâter (il a trop mal aux côtes) — il est sale comme un peigne ; il m'explique

que c'est parce qu'ils sont sales que leur mère les bat ; mais elle est diablement sale aussi, elle !

Elle les rosse encore parce qu'ils disent des gros mots ; ils jurent comme des charretiers ; il y a le petit de cinq ans qui crie toujours : « *Crotte pour toi !* »

Il n'y en a qu'un dans la famille qui soit bien sage et qui ne jure pas. C'est celui qui est en classe avec moi.

On le bat tout de même. Pourquoi donc ?

Parce qu'il ne faut pas faire de préférences dans les familles, c'est toujours d'un mauvais effet. Les autres pourraient s'en plaindre.

Puis, « *il est là comme une oie* ».

Il est là comme une oie. — Voilà pourquoi on le bat.

On fouette les autres parce qu'ils font du bruit et qu'ils jurent et sont grossiers : on le fouette, lui, parce qu'il ne dit rien et se tient tranquille.

« *Il est là comme une oie...* »

Il a encore une faiblesse — qui n'a pas les siennes ! — il pisse au lit.

Voilà le secret de sa misère, pourquoi il est triste, pourquoi sa mère crie toujours qu'elle va lui enlever la peau de ceci, la peau de cela !

Et ses parents ont l'air de croire que c'est pour s'amuser, parce qu'il y trouve du plaisir, que c'est par coquetterie ou défi, un jeu ou une menace, une fantaisie de talon rouge[1], un mouvement de désœuvré. Le malheureux fait pourtant ce qu'il peut — ce qu'il fait ne sert à rien. — Il se réveille dans le crime, et on est obligé de mettre ses draps à la fenêtre, tous les matins.

---

1. À l'origine, homme de la cour ayant des talons rouges à ses souliers, ce qui était une marque de noblesse.

On lui procure cette honte. — Tout le monde sait sa faute ; comme on sait que le roi est aux Tuileries, quand le drapeau flotte au-dessus du château !...

Il en pleure de douleur, le pauvre mâtin, il se prive de tout, exprès, quand il soupe le soir, et boit avec une paille.

C'est en vain qu'il prie Dieu, la sainte Vierge et cherche s'il y a un saint spécialement affecté à ce genre de péché ; il retombe désespéré sous le coup de torchon de sa mère, qui a une drôle d'expression pour annoncer que la danse commence. Elle dit de sa grosse voix, et en levant le fouet :

« Ah ! nous allons *faire pleurer le lapin* ! »

Allusion, sans doute (ironique et cruelle), à la faiblesse de son enfant et à l'opération que le chasseur fait subir au lapin atteint par son plomb meurtrier.

Je le décide. Il fera son hamac lui-même à bord du navire, et personne ne saura que le lapin a pleuré !

Si je parlais aussi à Vidaljan ?

C'est le fils d'un rat de cave ; il reçoit, comme moi, des roulées à tout casser.

Encore un qui voudrait être ce que son père ne voudrait pas qu'il fût : il voudrait être escamoteur.

Il est venu un escamoteur au collège. Les élèves payaient vingt sous. Vidaljan a eu le malheur d'être choisi pour monter sur l'estrade et tenir le paquet de cartes ; il a vu couper le cou à la tourterelle, brûler le mouchoir ; il a frôlé Domingo, le compère.

« Pardon, mon ami, qu'avez-vous là dans votre poche ? »

Et on a retiré de sa poche une perruque.

« Vous portez donc vos économies dans vos cheveux ? »

Et on rafle sur sa tête une pièce de cinq francs.

« Maintenant, mon ami, je vous remercie. »

Il est descendu à sa place devant tout le collège, entouré, questionné, envié ; sa classe crève de jalousie.

Pourquoi est-ce lui qu'on a pris ? Qui l'a fait choisir ?

« Il a de la chance », a dit Ricard aîné, qui pense que la nuit prochaine...

Depuis cette soirée où il a eu son rôle, éclairé par toutes les bougies du sorcier, objet de l'attention de la foule, dévoré par les regards des *grands* et des *moyens*, depuis ce jour-là, la résolution de Vidaljan est prise, sa vocation est décidée : il va se mettre au travail tout de suite. Il a toujours eu un penchant pour l'escamotage !

C'est le plus grand chipeur du collège ; il aimait déjà à fouiller dans les pupitres, et il savait retirer un crayon de dessus l'oreille d'un camarade, sans que le camarade s'en doutât. Il savait couper une orange en huit et cacher une pièce dans le coin d'un mouchoir.

Il escamotait déjà la toupie, l'agate et la plume à tête de mort. Il avait une collection de petits dessins cueillie à l'aide de fausses clefs dans les boîtes des copains.

Non qu'il aimât les arts, mais il se plaisait à faire de la serrurerie sournoise et à passer sa main entre les fentes. Il volait les cahiers de punition et les listes de places dans la poche des maîtres. Il avait une fois subtilisé le portefeuille d'un professeur, et les secrets de M. Boquin avaient été à la merci des moutards pendant huit jours.

Le pauvre Boquin en avait manqué un mariage et failli perdre sa place.

Vidaljan avait apporté aussi des améliorations dans la plume à *pensums* : il était parvenu à ficeler quatre becs ensemble, ce qui ne s'était jamais vu encore, de l'aveu même de Gravier, qui avait été trois mois en pension à Paris, et il écrivait quatre vers de Virgile à la fois.

Déjà porté à l'escamotage, il eut la tête tournée par la magie blanche.

Il acheta les *Secrets du petit Albert*[1]. Nous le vîmes avec des gobelets et des muscades[2], avec des crapauds séchés et des coquilles d'œufs vides.

Il fabriquait de la poudre.

C'est ce qui me décida de m'adresser à lui, — malgré l'espèce de défiance que m'inspiraient ses habitudes.

Il avait, deux jours auparavant, failli être assommé par l'auteur de ses jours, qui avait appris qu'au lieu de faire ses devoirs son fils se livrait à la mécanique ; et, en retournant le lit de son enfant, la mère avait trouvé des peaux de serpents et des punaises de cuivre mêlées aux punaises de famille.

Je lui offris d'être mon lieutenant.

Il accepta. — Ricard aussi.

Mais, au jour fixé, le drapeau flotte à la fenêtre de Ricard, et il me jette par cette fenêtre un papier, un peu humide, qui me donne de douloureux détails. Il a été criminel plus que de coutume et on l'a battu plus que jamais ; il ne peut pas se traîner.

Et Vidaljan ? — Il n'est pas au rendez-vous. Les élèves arrivent l'un après l'autre, la cloche sonne, on entre, il n'est pas là. Que s'est-il passé ?

---

1. *Les Secrets merveilleux de la magie naturelle et cabalistique du Petit Albert*, célèbre traité de magie qui connut une large diffusion aux XVIIIe et XIXe siècles.

2. *Muscade* : petite boule utilisée dans les tours de passe-passe.

Je vais du côté de sa maison en me cachant, je rencontre des commères qui racontent que le quartier a failli sauter, et le fils Vidaljan avec. « Il a laissé tomber une allumette sur une écuelle où il faisait de la poudre. C'est un petit vaurien qui lui avait mis ça dans la tête, le petit de cette dame qui marchande toujours, vous savez, et qui a son châle collé sur le dos comme une limande : Vingtrou, Vingtras... On doit être en train de le chercher. J'espère qu'on le fichera en prison.

— Mais le voilà, je le reconnais », crie une commère, qui m'aperçoit tout d'un coup dans le coin où j'étais courbé, et d'où j'essayais de filer.

On s'empare de moi. — On me ramène à la maison.

Ma mère m'en donna une volée !

Elle ne s'arrêta que quand j'eus promis sur tous les saints du paradis de ne plus m'échapper[1].

Et Vidaljan ? — Il guérit et ne fit plus de poudre.

Et Ricard aîné ? — La peur qu'il eut en apprenant l'accident de Vidaljan lui fit une révolution, et il ne pissa plus au lit.

C'est toujours ça.

XVI

UN DRAME

Mme Brignolin, une voisine, est devenue l'amie de la maison.

_____

1. L'« évasion », qui reste ici à l'état de projet, avait pris dans la réalité des proportions plus importantes, si l'on en croit le récit, donné par Vallès à *L'Événement* du 14 mars 1866, d'une fugue faite en 1845 avec deux camarades (*Œuvres*, Bibl. de la Pléiade, t. I, p. 628-630).

C'est une petite créature potelée, vive, aux yeux pleins de flamme ; elle est gaie comme tout, c'est plaisir de la voir trottiner, rigoler, coqueter, se pencher en arrière pour rire, tout en lissant ses cheveux d'un geste un peu long et qui a l'air d'une caresse ! et elle vous a des façons de se trémousser qui paraissent singulières à mon père lui-même, car il rougit, pâlit, perd la voix et renverse les chaises.

Drôle de petite femme ! Elle a trois enfants.

Elle conduit et élève tout cela avec une activité fiévreuse, elle ne fait qu'aller, venir ; habillant l'un, savonnant l'autre, plantant une casquette sur cette binette, un bonnet sur ce bout de crâne, recousant les culottes, repassant les robes, mouchant celui-ci, nettoyant celle-là. Toujours en l'air !

Le soir, elle sort un peignoir frais et fait un bout de musique devant un vieux piano à queue ; à la fin de chaque morceau, elle en arrache un *boum* grave du côté des notes graves et un *hi* flûté du côté des notes minces. *Boum, boum, hi hi...*

« Monsieur Vingtras, vous êtes triste comme un bonnet de nuit, c'est que vous ne vous êtes pas fait raser, voyez-vous ! Revenez demain en sortant de chez le coiffeur. Je vous embrasserai ; vous me donnerez l'étrenne de votre barbe. »

Et en même temps elle passe près de lui, met sa main sur sa main, le frôle avec sa jupe. Elle lui prend le bras même et lui donne sa ceinture à presser.

« Valsons », dit-elle.

Et avançant, d'un air joyeux, ses petits pieds hardis, le buste rejeté en arrière, les cheveux flottants, elle entraîne son cavalier ; un ou deux tours dans la chambre trop étroite, — et elle va retomber, en riant, sur une chaise qui crie, devant mon père qui ne dit rien.

Puis elle file du côté de la cuisine où l'on a entendu du bruit.

C'est la fillette qui est à terre ; c'est le gamin qui a cassé une cruche ; elle roule comme un tourbillon de mousseline, s'engouffre, disparaît, revient, tapageuse et folle, serrant ses deux mains à plat entre ses genoux, penchée pour mieux rire, et secouant sa jolie tête, en racontant quelque aventure salée arrivée à un de ses rejetons.

Elle trouve encore moyen d'effleurer et de bousculer M. Vingtras en passant.

M. Brignolin est rarement là ; c'est un savant. Il est associé dans une fabrique de produits chimiques, et il a déjà inventé un tas de choses qui font bouillir ses fourneaux et sa marmite : il est toujours dans les *cornues*, et j'ai même remarqué que l'on riait quand on disait ce mot-là.

Il y a une cousine dans la maison : Mlle Miolan.

Elle a vingt ans : douce, complaisante et pâle, pâle comme la cire, et j'entends dire tout bas qu'elle va bientôt mourir.

Mme Brignolin est pleine de bonté pour elle, nous l'aimons tous ; nous jouons aux cartes et aux dés sur ses genoux ; elle nous fait des cocardes avec des bouts de rubans, — elle est si habile de ses doigts maigres ! Elle a dans une poche un portefeuille à coins de nacre, la seule chose qu'elle nous empêche de toucher : « c'est là qu'est mon cœur », a-t-elle dit un jour, et l'on raconte qu'elle meurt d'un amour perdu.

Le jour où Mme Brignolin contait cela, mon père était près d'elle. Ma mère était absente. Je tournai la tête : j'entendis un soupir, et, quand je regardai, je vis Mme Brignolin qui avait les mains sur celles de mon père et les yeux dans ses yeux ! Il avait l'air gêné, lui. Elle souriait doucement, et elle lui dit :

« Grand bête ! »

Je devinai que je les embarrassais et ils jetèrent sur moi, tous les deux en même temps, un regard qui voulait dire : « Pas devant lui », ou « Pourquoi est-il là ? » Je n'ai jamais oublié ce « grand bête ! » si tendre et ce geste si doux.

Pour Mlle Miolan, on a loué un bout de campagne, où l'on va passer deux ou trois heures le soir, après le collège ; où l'on dépense, quand il fait beau, toute la journée du dimanche.

Les belles heures pour les petits Brignolin et moi !

Les environs de la maison de plaisance ne sont pas beaux, — c'est au bout d'un chemin désert, noir de charbon, jaune de sable, gris de poussière, qui sent le brûlé, a des odeurs de cendre, sur lequel les souliers s'écorchent et les voitures crient. Il y a une mine là-bas et deux briqueteries qui montrent leurs toits plats dans le vide des champs ; — l'herbe est maigre et roussie, elle traîne par places comme des restes de poil sur un dos de chameau ; il y a des débris de coke et de briques, rougeâtres et ternes comme des grumeaux de sang caillé ; mais nous entassons tout cela en forme de portiques et de cabanes, et nous faisons des trous dans la terre ; on y allume du feu, l'on souffle, et la flamme brille, la fumée tourne dans le vent. Cela sent le travail, rappelle Robinson ; on est seul dans cette vaste plaine — comme si l'on devait vivre sans le secours des villes : on parle comme des hommes, et comme des hommes on a l'émotion que donne toujours le silence.

Quand on est las de cette nature muette et vide, quand le froid de la nuit descend, quand les bruits tombent un à un comme des pierres dans un gouffre, on revient vers la petite maison qui est coiffée de rouge et chaussée de vert.

Il y a un jardinet, deux arbres, des carrés de pensées, un *soleil*.

Ces pensées, je les vois encore, avec leurs prunelles d'or et leurs paupières bleues, je sens le velours de leurs feuilles, et je me rappelle qu'il y avait une touffe dont je prenais soin ; il en reste encore des pétales dans un vieux livre où je les avais mises.

À l'heure où la maison s'allume, nous voyons de loin la lampe qui luit comme une étoile.

Ces dames et mon père improvisent un souper de fruits, avec du lait et du pain noir. On est allé chercher tout cela dans le fond du village. — Quel calme ! J'en ai des larmes de félicité dans les yeux.

Le dimanche, c'est un brouhaha ! Nous portons les provisions. Mme Brignolin met un tablier blanc, ma mère retrousse sa robe, et mon père aide à éplucher les légumes. — On nous jette, à nous, quelques carottes crues à grignoter, et nous aidons pour la cuisine, nous faisons tourner le poulet devant le feu de braise (en arrêtant en route les larmes de jus) ; nous embrouillons tout, nous troublons tout, nous cassons tout, personne ne s'en plaint.

C'est un bruit de casseroles et d'assiettes, puis un bruit de mâchoires, puis un bruit de bouchons ! — Au dessert, on goûte au vin blanc mousseux.

On trinque, on retrinque.

C'est toujours à la santé de Mme Vingtras qu'on boit d'abord !

Elle répond toute rouge de joie : son sang de paysanne coule plus libre dans cette atmosphère de campagne, avec ces petites odeurs de cabaret et ces vues de fermes dans le lointain !

À peine elle pense à mon pantalon que je dois retrousser, à mes chaussures neuves qui ont des boulets de boue. Mme Brignolin, d'ailleurs, l'en empêche.

« Il faut que tout le monde s'amuse ! » dit-elle en lui fermant la bouche et en la tirant par le bras pour l'entraîner à la promenade ou au jardin.

C'est mon père qui paraît heureux !

Il joue comme un enfant ; c'est lui qui fait le *pot* aux quatre coins, qui pousse la balançoire quand on est las de jouer, il chante (il a un filet de voix). Mme Brignolin lance après lui des chansons du Midi.

Ma mère — paysanne — dit : « Ça, c'est des airs de freluquets », et elle entonne en auvergnat :

> *Digue d'Janette,*
> *Te vole marigua*
> *　　　Laya !*
> *Vole prendre un homme !*
> *Que sabe trabailla,*
> *　　　Laya[1] !*

« *Laya !* » reprend Mme Brignolin en esquissant à son tour une pose de danse — rien qu'un geste, la tête renversée, le buste pliant, et puis tout d'un coup un ramassis de jupes, un rejeté de hanche !

1. Fragment de bourrée auvergnate : « Dis donc, Jeannette/Tu veux te marier/La la !/Tu veux prendre un homme/Qui sait travailler/La la ! »

Elle tape du pied, fait claquer ses doigts, et elle a l'air enfin de s'évanouir avec les lèvres entrouvertes, par où passe un souffle qui soulève sa poitrine ; elle est restée un moment sans rire, mais elle repart bien vite dans un accès de gaieté qui mêle la cachucha[1] et la bourrée, l'espagnol et l'auvergnat,

> *La Madona et la fouchtra,*
> *Laya !*

« Qu'est-ce que cela veut dire ? » demande M. Brignolin, un positif, qui vient de temps en temps pour le malheur des sauces.

Il essaie des jus concentrés basés sur la chimie, qui sentent le savant et gâtent le dîner.

On joue, — il embrouille le jeu, — ne devine jamais !

Il *l'est* toujours.

« C'est lui qui *l'est* ! »

Mme Brignolin dit cela d'une drôle de façon et presque toujours en regardant mon père ; puis elle ajoute en secouant son mari :

« Allons tu n'es bon qu'à donner le bras ; prends le bras de Mme Vingtras. — Monsieur Vingtras, voulez-vous me donner le vôtre ? — Jacques, toi, tu seras avec Mlle Miolan. »

Pauvre fille ! tandis que nous jouons et faisons tapage, elle est souvent prise d'un serrement de cœur ou d'une quinte de toux qui empourpre ses joues pâles, puis la laisse retomber sur l'oreiller qui rembourre sa chaise longue ; — elle sourit tout de même et elle se fâche quand nous voulons nous taire à cause d'elle.

---

1. Danse espagnole d'un mouvement animé.

« Non, non, amusez-vous, je vous en prie. Cela me fait plaisir, cela me fait du bien, amusez-vous. »

Sa voix s'arrête, mais son geste continue et nous dit :

« Amusez-vous ! »

CHÔMAGE

La vie change tout d'un coup.

J'ai été jusqu'ici le tambour sur lequel ma mère a battu des *rrra* et des *fla*, elle a essayé sur moi des roulées et des étoffes, elle m'a travaillé dans tous les sens, pincé, balafré, tamponné, bourré, souffleté, frotté, cardé et tanné, sans que je sois devenu idiot, contrefait, bossu ou bancal, sans qu'il m'ait poussé des oignons dans l'estomac ni de la laine de mouton sur le dos — après tant de gigots pourtant !

À un moment, son affection se détourne. Elle se relâche de sa surveillance.

On n'entendait jadis que pif-paf, v'li-v'lan et allez donc ! — On m'appelait bandit, *sapré* gredin ! — *Sapré* pour sacré ; — elle disait aussi *bouffre* pour *bougre*.

Depuis treize ans, je n'avais pas pu me trouver devant elle cinq minutes — non, pas cinq minutes, sans la pousser à bout, sans exaspérer son amour.

Qu'est devenu ce mouvement, ce bruit, le train-train des calottes ?

Je ne détestais pas qu'on m'appelât bandit, gredin ; j'y étais fait, — même cela me flattait un peu.

Bandit ! — comme dans le roman à gravures. — Puis je sentais bien que cela faisait plaisir à ma mère de me faire du mal ; qu'elle avait besoin de mouvement et pouvait se payer de la gymnastique sans aller au gymnase, où il aurait fallu qu'elle mît un petit pantalon et une petite blouse. — Je ne la voyais pas bien en petite blouse et en petit pantalon.

Avec moi, elle tirait au mur ; elle faisait envoler le pigeon, elle gagnait le lapin, elle amenait le grenadier[1].

Je vis donc depuis quelque temps, sans rien qui me rafraîchisse ou me réchauffe, comme la gerbe qui moisit dans un coin, au lieu de palpiter sous le fléau, comme l'oie qui, clouée par les pattes, gonfle devant le feu.

Je n'ai plus à me lever pour aller — cible résignée — vers ma mère ; je puis rester assis tout le temps !

Ce chômage m'inquiète.

Rester assis, c'est bien, — mais quand on retournera aux habitudes passées, quand l'heure du fouet sonnera de nouveau, où en serai-je ? Les délices de Capoue[2] m'auront perdu : je n'aurai plus la cuirasse de l'habitude, le caleçon de l'exercice, le grain du cuir battu !

Que se passe-t-il donc ?

Je ne comprends guère, mais il me semble que Mme Brignolin est pour quelque chose dans cette tristesse noire de la maison, dans cette colère blanche de ma mère.

Ma mère reste de longues soirées sans rien dire, les yeux fixes et les lèvres pincées. Elle se cache

1. Diverses façons de gagner, au jeu de tir dans les foires.
2. Expression usuelle pour désigner les risques d'affaiblissement liés à la douceur de vivre, tels que l'armée d'Hannibal les connut dans la région de Capoue (Italie méridionale) en 215 av. J.-C., pendant l'une des guerres opposant Rome et Carthage.

derrière la fenêtre et soulève le rideau, elle a l'air de guetter une proie.

« Vous ne voyez plus Mme Brignolin ? lui demande un jour une voisine.

— Si, si !

— Il y a un peu de froid ?

— Non, non !... nous allons même à la campagne ensemble, dimanche prochain. »

En effet, j'ai entendu parler d'une partie qui est comme une réconciliation après quelques semaines de froideur ; j'ai aussi distingué quelques mots que ma mère a prononcés tout bas : « N'avoir l'air de rien, les laisser seuls, venir à pas de loup... »

On se fait de nouveau des amitiés, on se voit le jeudi et l'on combine tout pour le dimanche.

J'avais justement gobé une *retenue* !

J'avais laissé tomber un morceau de charbon en pleine classe — du charbon ramassé près de la maison de campagne. J'avais entendu M. Brignolin dire qu'il y avait du diamant dans les éclats de mine ; et depuis ce jour-là, je ramassais tous les morceaux qui avaient une veine luisante, un point jaune.

Le professeur crut à une farce, — me voilà pincé ! forcé de rester en ville ce dimanche-là pour aller à une heure faire ma retenue — dans l'étude des internes, au lycée même.

Adieu la maison de campagne !

Je les vis partir avec les paniers de provisions.

Les dames avaient mis ce jour-là des robes neuves.

Mme Brignolin était charmante : un peu décolletée, avec une écharpe à raies bleues, des bottines prunelle, et elle sentait bon — mais bon !

Ma mère étrennait un châle vert qui criait comme un damné à côté de la robe de mousseline fraîche à pois roses, qui faisait brouillard autour de Mme Brignolin.

On m'avait tracé mon programme. Je devais déjeuner avec des haricots à l'huile, aller en retenue — puis me rendre chez l'économe, M. Laurier, qui me ferait dîner à sa table.

« C'est plus que tu ne mérites », m'avait dit ma mère.

Cette perspective était assez flatteuse pour que le regret de ne point aller à la maison de campagne ne fût pas trop grand ; et j'acceptai mon sort de bon cœur.

Je mangeai les haricots à l'huile, — j'allai jouer aux billes avec des petits ramoneurs que je connaissais. — J'arrivai à la retenue en retard et couvert de suie, — je trouvai moyen, sous prétexte de besoins urgents, d'aller flâner dans le gymnase, où je décrochai un trapèze et faillis me casser les reins ; je bâclai mon pensum, bus un peu d'encre, et six heures arrivèrent.

La retenue était finie, on nous lâcha, je montai chez M. Laurier.

« Te voilà, gamin ?

— Oui, m'sieu.

— Toujours en retenue, donc !

— Non, m'sieu.

— Tu as faim ?

— Oui, m'sieu !

— Tu veux manger ?

— Non, m'sieu ! »

Je croyais plus poli de dire *non* : ma mère m'avait bien recommandé de ne pas accepter tout de suite, ça ne se faisait pas dans le monde. On ne va pas se jeter sur l'invitation comme un goulu, « tu entends » ; et elle prêchait d'exemple.

Nous avons dîné quelquefois chez des parents d'élèves.

« Voulez-vous de la soupe, madame ?

— Non, si, comme cela, très peu...

— Vous n'aimez pas le potage ?

— Oh ! si, je l'aime bien, mais je n'ai pas faim...

— Diable ! pas faim, déjà ! »

« Tu dois toujours en laisser un peu dans le fond. » Encore une recommandation qu'elle m'avait faite.

En laisser un peu dans le fond.

C'est ce que je fis pour le potage, au grand étonnement de l'économe, qui avait déjà trouvé que j'étais très bête en disant que j'avais faim, mais que je ne voulais pas manger.

Mais moi, je sais qu'on doit obéir à sa mère — elle connaît les belles manières, ma mère, — j'en laisse dans le fond, et je me fais prier.

L'économe m'offre du poisson. — Ah ! mais non !

Je ne mange pas du poisson comme cela du premier coup, comme un paysan.

« Tu veux de la carpe ?

— Non, m'sieu !

— Tu ne l'aimes pas ?

— Si, m'sieu. »

Ma mère m'avait bien recommandé de tout aimer chez les autres ; on avait l'air de faire fi des gens qui vous invitent, si on n'aimait pas ce qu'ils vous servaient.

« Tu l'aimes ? eh bien ! »

L'économe me jette de la carpe comme à un niais, qui y goûtera s'il veut, qui la laissera s'il ne veut pas.

Je mange ma carpe — difficilement.

Ma mère m'avait dit encore : « Il faut se tenir écarté de la table ; il ne faut pas avoir l'air d'être chez soi, de prendre ses aises. » Je m'arrangeais le plus mal possible, — ma chaise à une lieue de mon assiette ; je faillis tomber deux ou trois fois.

J'ai fini mon pain !

Ma mère m'a dit qu'il ne fallait jamais « demander », les enfants doivent attendre qu'on les serve.

J'attends ! mais M. Laurier ne s'occupe plus de moi — il m'a lâché, et il mange, la tête dans un journal.

Je fais des petits bruits de fourchette, et je heurte mes dents comme une tête mécanique. Ce cliquetis à la Galopeau[1], à la Fattet[2], le décide enfin à jeter un regard, à couler un œil par-dessous *Le Censeur de Lyon*[3], mais il voit encore de la carpe dans mon assiette, avec beaucoup de sauce.

J'ai le cœur qui se soulève, de manger cela sans pain, mais je n'ose pas en demander !

Du pain, du pain !

J'ai les mains comme un allumeur de réverbères, je n'ose pas m'essuyer trop souvent à la serviette. « On a l'air d'avoir les doigts trop sales, m'a dit ma mère, et cela ferait mauvais effet de voir une serviette toute tachée quand on desservira la table. »

Je m'essuie sur mon pantalon par-derrière, — geste qui déconcerte l'économe quand il le surprend du coin de l'œil. — Il ne sait que penser !

---

1. Nom d'un pédicure renommé.
2. Nom d'un célèbre dentiste.
3. Journal lyonnais dont l'existence est attestée sous la monarchie de Juillet.

« Ça te démange ?

— Non, m'sieu !

— Pourquoi te grattes-tu ?

— Je ne sais pas. »

Cette insouciance, ces réponses de rêveur et ce fatalisme mystique finissent, je le vois bien, par lui inspirer une insurmontable répulsion.

« Tu as fini ton poisson ?

— Oui, m'sieu ! »

M. Laurier m'ôte mon assiette et m'en glisse une autre avec du ris de veau et de la sauce aux champignons.

« Mange, voyons, ne te gêne pas, mange à ta faim. »

Ah ! puisque le maître de la maison me le recommande ! et je me jette sur le ris de veau.

Pas de pain, pas de pain !

Le veau et le poisson se rencontrent dans mon estomac sur une mer de sauce et se livrent un combat acharné.

Il me semble que j'ai un navire dans l'intérieur, un navire de beurre qui fond, et j'ai la bouche comme si j'avais mangé un pot de pommade à six sous la livre !

Le dîner est fini : il était temps ! M. Laurier me renvoie, non sans mettre son binocle pour regarder les dessins dont j'ai tigré mon pantalon bleu ; le repas finit en queue de léopard.

7 heures et demie.

Je suis étendu tout habillé sur mon lit : un bout de lune perce les vitres ; pas de bruit !

J'ai la tête qui me brûle, et il me semble qu'on m'a cassé le crâne d'un côté.

Je me souviens de tout : du pain qui manquait, du poisson qui nageait, du veau qui tétait...

Cela ne fait rien, je puis me rendre cette justice, que j'ai au moins conservé les belles manières. J'ai souffert, mais je suis resté loin de la table, je n'ai pas eu l'air de mendier mon pain ; j'ai été fidèle aux leçons de ma mère.

9 heures.

Deux heures de sommeil ; le mal de tête est parti. Si je voyais un veau dans ma chambre, je sauterais par la fenêtre ; mais ce n'est pas probable, et je rêvasse en me déshabillant.

10 heures.

J'avais allumé la chandelle, et je lisais ; mais la chandelle va finir, il n'en reste plus qu'un bout pour mes parents quand ils rentreront.

Je monte dans ma soupente. Je couche dans une soupente à laquelle on arrive par une petite échelle ; on y étouffe en été, on y gèle en hiver ; mais j'y suis libre, tout seul, et je l'aime, ce cabinet suspendu, où je peux m'isoler, dont les murs de bois ont entendu tous les murmures de mes colères et de mes douleurs.

Minuit.

Je m'étais assoupi ! — Je me suis réveillé brusquement !

Un bruit confus, des cris déchirants, — un surtout qui m'entre au cœur et me le fend comme un coup de couteau. C'est la voix de ma mère...

Je saute au bas de l'échelle, en chemise ; l'échelle n'était pas accrochée et je tombe avec fracas. Je me suis presque fendu le genou sur le carreau.

C'est dans l'escalier que le drame se passe ; entre ma mère qui est renversée sur la rampe, les yeux hagards, et mon père qui la tire à lui, pâle, échevelée.

Je me jette en pleurant au milieu d'eux. Qu'y a-t-il ?

Je veux crier.

« Non, non ! fait mon père en me fermant la bouche, non ! » — Il me brise presque les dents sous son poing. — « Non, non ! » — Il y a autant de colère que de terreur dans sa voix.

Je me penche sur ma mère évanouie ; j'inonde sa face de mes larmes. C'est bon, il paraît, des larmes d'enfant qui tombent sur les fronts des mères ! La mienne ouvre tout d'un coup les yeux, et me reconnaît, elle dit : « Jacques ! Jacques ! » — Elle prend ma main dans sa main, et elle la presse. C'est la première fois de sa vie.

Je ne connaissais que le calus de ses doigts, l'acier de ses yeux et le vinaigre de sa voix ; en ce moment, elle eut une minute d'abandon, un accès de tendresse, une faiblesse d'âme, elle laissa aller doucement sa main et son cœur.

Je sentis à ce mouvement de bonté que lui arrachait l'effroi dans cet instant suprême, je sentis que tous les gestes bons auraient eu raison de moi dans la vie.

« Retourne te coucher », m'a dit mon père.

J'y retourne glacé, j'ai attrapé froid sur les dalles de l'escalier, puis dans la grande chambre, avec les fenêtres ouvertes pour que la malade eût de l'air !

Qu'est-il donc arrivé ?

Mon cœur aussi a son orage, et je ne puis assembler deux pensées, réfléchir dans ma fièvre ! Les heures tombent une à une.

Je regarde mourir la nuit, arriver le matin ; une espèce de fumée blanche monte à l'horizon.

J'ai vu, comme un assassin, passer seules en face de moi les heures sombres ; j'ai tenu les yeux ouverts tandis que les autres enfants dorment ; j'ai suivi dans le ciel la lune ronde et sans regard comme une tête de fou ; j'ai entendu mon cœur d'innocent qui battait au-dessus de cette chambre silencieuse. Il a passé un courant de vieillesse sur ma vie, il a neigé sur moi. Je sens qu'il est tombé du malheur sur nos têtes !

Qu'est-il arrivé ? Je voudrais le savoir.

J'ai connu souvent des situations douloureuses ; mais je n'ai jamais tremblé comme je tremblais ce jour-là, quand je me demandais comment on allait m'accueillir, de quel œil me regarderait mon père qui avait dit si pâle : « Non, non, n'appelle pas ! »

J'avais peur qu'ils eussent honte devant moi.

Je cherchais quel visage il fallait qu'eût leur fils, quels mots je devais dire, s'il ne serait pas bon d'aller les embrasser. — Mais par qui commencer ?

Et je frissonnais de tous mes membres... chose bizarre, — plus effrayé d'être gauche, d'avancer, ou de pleurer à faux, qu'effrayé du drame inconnu dont je ne savais pas le secret.

C'est ainsi qu'on n'est point sûr du cœur des siens et qu'on craint de les irriter par les explosions de sa tendresse ; instinctivement, on sent qu'il ne faut pas à ces douleurs un accueil cruel, le cœur ne saurait

l'oublier et il garderait, noire ou rouge, une tache
ou une plaie, une tristesse ou une colère.

Aussi on hésite, on recule !

Ne rien dire ? — Mais ils peuvent vous accuser
d'être méchant, puisque vous ne semblez pas ému
de leur douleur ! — Parler ? Mais ils vous en vou-
dront de ce que vous avez souligné leur faute ou
leur crime, de ce que vous avez le matin, réveillé par
vos larmes, — vos *simagrées* — des fantômes qui
devaient mourir avec le dernier cri, le premier soleil !

Et je ne savais que faire !

Il y avait longtemps que c'était le matin. — Mon
père se levait d'ordinaire à sept heures afin d'être
prêt pour la classe de huit heures. Je me levais aussi.

Je fis comme toujours : je m'habillai, mais lentement, et ne mis pas mes souliers ; j'attendis assis
sur mon lit.

Il ne venait aucun bruit de leur chambre : un
silence de mort.

Enfin, au quart avant huit heures, mon père m'ap-
pela.

Il ne parut point étonné de me trouver tout prêt ;
à travers la porte il me demanda du papier et de
l'encre ; écrivit une lettre au censeur et une autre à
un médecin, et me chargea de les porter.

« Tu reviendras dès que tu les auras remises.

— Je n'irai pas en classe ?

— Non, il faut soigner ta mère malade. Si le censeur te demande ce qu'elle a, tu lui diras qu'elle a
été prise de frayeur dans la campagne, et qu'elle est
au lit avec la fièvre... »

Il disait cela sans paraître trop ému, avec un peu
de vulgarité dans la tournure, — il traînait ses pantoufles sur le parquet et rajustait son pantalon.

Que s'était-il passé ?

Je ne l'ai jamais bien su. À des cris qui échappèrent dans les orages, à des éclats de querelles que mes oreilles recueillirent, je crus comprendre que ma mère s'était mise en embuscade et avait surpris Mme Brignolin causant bas avec mon père au détour du jardin, dans ce dimanche de malheur !

Il s'en était suivi une scène de jalousie et de bataille, il paraît, et qui s'était continuée jusqu'au milieu de la nuit, jusqu'à l'heure où je les avais vus revenir.

Je ne pouvais questionner personne ; d'ailleurs, le souvenir seul de ce moment m'obsédait comme un mal, et je le chassais au lieu d'essayer de le savoir !

Savoir quoi ? Ce qui était fait était fait[1] !

Je suis peut-être le plus atteint, moi, l'innocent, le jeune, l'enfant !

Mon père, depuis ce jour-là (est-ce la fièvre ou le remords, la honte ou le regret ?), mon père a changé pour moi. Il avait jusqu'ici vécu en dehors du foyer, par la raison ou sous le prétexte qu'il avait à donner des répétitions au collège et à assister à quelques conférences que faisait le professeur de rhétorique, pour les maîtres qui n'étaient pas agrégés[2].

Il reste à la maison, maintenant, quatre fois sur six ; il y reste, le sourcil froncé, le regard dur, les lèvres serrées, morne et pâle, et un rien le fait éclater et devenir cruel.

Il parle à ma mère d'une voix blanche, qui soupire ou siffle ; on sent qu'il cherche à paraître bon

---

1. Une intrigue du père avec une amie stéphanoise a effectivement entraîné un « drame » dans la famille Vallez en 1845.
2. C'est encore le cas de Jean-Louis Vallez en 1845 : il est admissible à l'agrégation mais échoue à l'oral. Il sera reçu l'année suivante.

et qu'il souffre ; il lui montre une politesse qui fait
mal et une tendresse fausse qui fait pitié.

Il a le cœur ulcéré, je le vois.

Oh ! la maison est horrible ! et l'on marche à pas
lents, et l'on parle à voix basse.

Je vis dans ce silence et je respire cet air chargé
de tristesse.

Quelquefois, je trouble cette paix de mes cris.

Mon père a besoin de rejeter sur quelqu'un sa
peine et il fait passer sur moi son chagrin, sa colère.
Ma mère m'a lâché, mon père m'empoigne.

Il me sangle à coups de cravache, il me rosse à
coups de canne sous le moindre prétexte, sans que
je m'y attende : bien souvent, je le jure, sans que je
le mérite.

J'ai gardé longtemps un bout de jonc qu'on me
cassa sur les côtes et auquel j'avais machinalement
emmanché une lame, je m'étais dit que si jamais je
me tuais, je me tuerais avec cela, — j'ai eu l'idée de
me tuer une fois !

Voici à quelle occasion.

Mon père rentre brusque et pâle, et me prenant
par le bras qu'il faillit casser :

« Gredin, dit-il entre ses dents, je vais te laisser
pour mort sur le carreau ! »

J'entrevis un supplice — et justement, j'étais à
peine guéri d'une dernière correction qui m'avait
rompu les membres.

Il prétendit que, chez le proviseur, au moment où
l'on traitait la question des boursiers et des non-
payants, quand on était arrivé à mon nom, le proviseur, s'avançant, lui avait dit :

« Monsieur Vingtras, votre fils pourrait tenir dans
la classe un autre rang que celui qu'il tient, s'il tra-

vaillait. Nous vous conseillons de vous occuper de lui... entendez-vous ?

— C'est toi, misérable, qui me fais avoir des reproches du proviseur ? » et il se jeta sur moi avec fureur.

Ce furent de véritables souffrances, — mais mon chagrin était bien plus grand que mon mal !

Quoi ! j'étais pour quelque chose dans son avenir, je serais cause qu'on le déplacerait par disgrâce, ou peut-être qu'on le destituerait ! Je me donnai sur la poitrine, en *mea culpa*, des coups plus forts que ceux de ses poings fermés, et je me serais peut-être tué, tant j'étais désespéré, si je n'avais pensé à réparer le mal que mon père m'accusait d'avoir fait.

Je me mis à travailler bien fort, bien fort : on ne me punissait plus au collège, mais à la maison on me battait tout de même.

J'aurais été un ange qu'on m'aurait rossé aussi bien en m'arrachant les plumes des ailes, car j'avais résolu de me raidir contre le supplice, et, comme je dévorais mes larmes et cachais mes douleurs, la fureur de mon père allait jusqu'à l'écume.

Deux ou trois fois, je dus pousser des cris comme en poussent ceux qu'on tue en leur arrachant l'âme : il en fut épouvanté lui-même ! mais il recommençait toujours, tant il avait la pensée malade, l'esprit noir. — Il croyait vraiment que j'étais un gredin, je le pense. — Il voyait tout à travers le dégoût ou la fureur !

Quelquefois, c'est plus affreux encore, — ma mère intervient ; — et elle qui m'a calotté à outrance, accuse mon père de barbarie !

« Tu ne toucheras pas cet enfant ! »

De temps en temps ils se raccommodent et me battent tous deux à la fois ! Les raccommodements durent peu.

Je suis bien malheureux, mais j'ai toujours à cœur le reproche sanglant de mon père, et je me dis que je dois expier ma faute, en courbant la tête sous les coups et en *bûchant* pour que sa situation universitaire, déjà compromise, ne souffre pas encore de ma paresse !

Je fais tout ce que je peux ; je me couche quelquefois à minuit, et même ma mère, qui jadis m'accusait de dormir trop tôt, m'accuse maintenant de brûler trop de chandelle : « Et pour quoi faire ? Des singeries, tout ça. »

Mon père prétend que je lis des romans en cachette, on ne me sait pas gré du mal que je me donne, et c'est à peine si l'on paraît content de ce que j'ai de bonnes places, car j'ai repris la tête et je suis le premier de la classe.

Pour arriver à cela, quelles heures ennuyeuses j'ai passées !

Ce *Gradus ad Parnassum*[1] où je cherche les épithètes de qualité, et les brèves et les longues, ce sale bouquin me fait horreur !

Mon *Alexandre*[2] a les coins mangés ; c'est moi qui les ai mordus de rage et j'ai de son cuir dans l'estomac.

Tout ce latin, ce grec, me paraît baroque[3] et barbare ; je m'en bourre, je l'avale comme de la boue.

---

1. Dictionnaire de métrique latine. Pour Vallès, il représente le livre scolaire dans toute son horreur : « [...] que d'heures passées derrière le pupitre, le nez sur le *gradus* [...] » (« Les Victimes du livre », in *Les Réfractaires*, *Œuvres*, Bibl. de la Pléiade, t. I, p. 233). Le rythme du vers latin est déterminé par la disposition des syllabes *brèves* et des syllabes *longues*.
2. *Dictionnaire français-grec* de Charles Alexandre.
3. Le mot a alors un sens péjoratif : disgracieux, difforme, choquant.

Je ne cause pas, je ne bavarde plus ; on m'aimait davantage avant, et j'entends qu'on dit par-derrière :

« C'est parce que son père lui donne des danses. »

On dit aussi :

« Ne trouvez-vous pas qu'il est devenu sournois et qu'il a l'air sainte nitouche ? »

J'ai été premier en je ne sais plus quoi, et le premier porte les compositions au proviseur, mais il est en conversation particulière avec quelqu'un et l'on me dit d'attendre dans le cabinet voisin — celui d'où l'on entend tout.

On parlait de nous.

« Nous ne disons rien de l'affaire Vingtras, c'est entendu ?

— Non, rien ; ce serait lui faire du tort pour toute sa vie dans l'Université, et puis, vous savez, j'aurais été à sa place, avec une femme comme celle qu'il a...

— Il est de fait ! et toujours à vous parler des cochons qu'elle a gardés, des bourrées qu'elle a dansées. — Youp, là, là ! — tandis que Mme Brignolin, eh ! eh !

— Plus bas, dit le proviseur, si ma femme entendait ! »

J'eus peur dans mon cabinet. Je me les figurais allant à la porte, l'entrouvrant pour voir s'il y avait des oreilles.

C'était le proviseur et l'inspecteur d'académie ; j'avais reconnu leurs voix. Ils reprirent :

« Je me suis contenté de lui donner un avertissement une fois. J'ai pris le prétexte de son fils.

— Qu'est-ce que c'est que ce garçon-là ?

— Un pauvre petit malheureux qu'on habille comme un singe, qu'on bat comme un tapis, pas

bête, bon cœur. Il a plu beaucoup à l'inspecteur, la
dernière fois... Je l'ai donc pris pour prétexte. "Oc-
cupez-vous plus de votre fils" ; cela voulait dire :
"Restez un peu plus avec votre femme", — et il a
tenu compte de l'observation. »

Je restai rêveur toute la journée du lendemain...
Mon père s'en fâcha, et me bousculant avec un
geste de colère :
« Vas-tu retomber dans tes rêvasseries, fainéant ?
L'inspecteur doit arriver dans quelque temps, il ne
s'agit pas de me faire honte, comme l'an passé, et
de nous faire souffrir tous de ta paresse ! »
Quelle honte ? quelle paresse ?
Mon père m'avait menti.

XVII
SOUVENIRS

M. Laurier, l'économe, qui a passé dans un collège
de première classe du côté de l'Ouest, a entendu dire
qu'une place est vacante à Nantes. La chaire d'un
professeur de grammaire est vide. Il s'est démené
pour que mon père l'obtînt.

La nomination arrive[1].

Nous allons quitter Saint-Étienne. Je viens de ran-
ger les cahiers d'agrégation de mon père : les thèmes
grecs ici, les versions latines par là ; il y en a des tas.

1. L'admissibilité à l'agrégation permet à Jean-Louis Vallez d'obte-
nir sa nomination au collège royal de Nantes à la fin de l'année 1845.

Mes parents vont faire leurs adieux.

Ils sortent, je les vois qui descendent la rue sans se parler.

Instinctivement, près du passage Kléber, ils se détournent et prennent la gauche du chemin, pour éviter la maison où Mme Brignolin demeure...

J'enfile du regard cette rue qui d'un côté mène au collège, de l'autre à la place Marengo ; qui me rappelle le plaisir, la peine, les longues heures d'ennui et les minutes de bonheur.

Ah ! j'ai grandi maintenant ; je ne suis plus l'enfant qui arrivait du Puy tout craintif et tout simple. Je n'avais lu que le catéchisme et je croyais aux revenants. Je n'avais peur que de ce que je ne voyais pas, du bon Dieu, du diable ; j'ai peur aujourd'hui de ce que je vois ; peur des maîtres méchants, des mères jalouses et des pères désespérés. J'ai touché la vie de mes doigts pleins d'encre. J'ai eu à pleurer sous des coups injustes et à rire des sottises et des mensonges que les grandes personnes disaient.

Je n'ai plus l'innocence d'autrefois. Je doute de la bonté du Ciel et des commandements de l'Église. Je sais que les mères promettent et ne tiennent pas toujours.

À l'instant, en rôdant dans cet appartement où traînent les meubles comme les décors d'un drame qu'on démonte, j'ai vu les débris de la tirelire où ma mère mettait l'argent pour m'acheter un homme et qu'elle vient de casser.

Est-ce le silence, l'effet de la tristesse qui m'envahira toujours plus tard, quand j'aurai quitté un lieu où j'ai vécu, même un coin de prison[1] ?

1. Vallès connaîtra effectivement plusieurs fois la prison sous le Second Empire, notamment en 1853 et en 1868 (voir la chronologie à la fin de ce volume).

Est-ce l'odeur qui monte de toutes ces choses entassées ? Je l'ignore, mais tous mes souvenirs se ramassent au moment de partir.

Voici, dans ce coin, un bout de ruban bleu.

C'était à ma cousine Marianne[1]. On l'avait fait venir de Farreyrolles sous prétexte qu'elle était née avec des manières de dame, et qu'un séjour de quelque temps dans notre famille ne pouvait manquer de lui donner le vernis et la tournure qu'on gagne dans la compagnie des gens d'éducation et de goût.

Pauvre cousine Marianne !

On en fit une domestique, qu'on maltraitait tout comme moi, — moins les coups.

Nous étions ensemble dans la cuisine, — je faisais le *gros* — un homme doit savoir tout faire. Je grattais le fond des chaudrons, elle en faisait reluire le ventre. Pour les assiettes, c'est moi qui raclais le ventre, c'est elle qui essuyait le fond : c'était la consigne. Ma mère avait fait remarquer avec conviction que ce qui est sale dans les chaudrons, c'est le dessous ; que ce qui est sale dans les assiettes, c'est le dessus. Et voilà pourquoi je faisais le *gros*.

On l'a obligée aussi à garder son petit bonnet de campagne. Elle en était toute fière à Farreyrolles et savait que les gars disaient qu'elle le portait bien. Mais elle sentait qu'à Saint-Étienne cela faisait rire. On détournait la tête, on la regardait avec curiosité.

Ma mère de dire :

« C'est que je l'aime comme mon fils, voyez-vous ! Je ne fais pas de différence entre eux deux. » Et elle ajoutait : « Jacques pourrait presque s'en fâcher. »

1. Voir n. 1, p. 45.

Oui, je me fâche, et je voudrais qu'on fît une différence ; c'est bien assez qu'on m'ait ennuyé comme
on l'a fait, sans qu'on l'ennuie aussi.

M. Laurier lui-même a fait observer que ce n'était
point de mise à la ville ; ma mère a répondu :

« Croyez-vous donc que je rougisse de mon origine ? Voulez-vous que j'aie l'air d'être honteuse de
mes sœurs et de ne pas oser sortir avec ma nièce
parce qu'elle a un bonnet de campagne ?... Ah ! vous
me connaissez mal, monsieur Laurier ! »

Un jour cependant elle crut avoir assez brisé la
volonté de sa nièce et assez prouvé qu'elle ne rougis-
sait pas de son origine ; elle supprima la coiffe ; mais
elle *dicta* un bonnet, coupa elle-même une robe.

« Je ne sortirai jamais habillée comme ça, dit
Marianne le jour où on les essaya.

— Tu entends par là que ta tante n'a pas de goût,
que ta tante est une bête, qui ne sait pas comment
on s'habille, qui souillonne ce qu'elle touche. Ah ! je
souillonne ?...

— Je n'ai pas dit ça, ma tante.

— Et hypocrite avec ça ! — Oui va-t'en dire partout que je souillonne les robes de mes nièces. —
Tu ajouteras peut-être aussi que je les laisse mourir
de faim ! »

Une pause.

Tout d'un coup se tournant vers moi, d'une voix
qui était vraiment celle du sang, dans laquelle on
sentait mourir la tante et ressusciter la mère.

« Jacques, fit-elle, mon fils, viens embrasser ta
mère... »

Tant d'amour, de tendresse, cette explosion, ce
cœur qui tout d'un coup battait au-dessus du sein
qui m'avait porté, tout cela me troubla beaucoup et

je m'avançai comme si j'avais marché dans de la colle.

« Tu ne viens pas embrasser ta mère ! » s'écria-t-elle, attristée de ce retard, en levant les mains au ciel.

Je pressai le pas, — elle m'attira par les cheveux et elle me donna un baiser à ressort qui me rejeta contre le mur où mon crâne enfonça un clou !

Oh ! ces mères ! quand la tendresse les prend ! Ça ne fait rien, le clou m'a fait une mâchure.

Ces mères qu'on croit cruelles et qui ont besoin tout d'un coup d'embrasser leur petit !

Quel coup ! j'ai mal pourtant ! et je me frotte l'occiput.

« Jacques, veux-tu ne pas te gratter comme ça ! Ah ! tu sais, j'ai regardé le fond du grand chaudron, tout à l'heure ; — tu appelles ça nettoyer, mon garçon, tu te trompes ! Il y a deux jours qu'on n'y a pas touché, je parie !

— Ce matin, maman !

— Ce matin ! tu oses !...

— Je t'assure.

— Allons, c'est moi qui ai tort, c'est ta mère qui ment.

— Non, m'man.

— Viens que je te gifle ! »

Chère Marianne, depuis ce jour-là, elle fut bien malheureuse. Elle écrivit à sa mère qui l'aimait bien, et lui demanda de retourner tout de suite au village.

Mais à la lettre qui vint de Farreyrolles, ma mère répliqua :

« Veux-tu donner raison à ta fille contre moi ? Crois-tu ta sœur une menteuse ? Crois-tu, comme elle l'a dit, que je souillonne ! Crois-tu ?... — Si tu le crois, — c'est bien ! »

C'est moi qui mis les virgules et les pluriels.

On n'osa pas reprendre Marianne tout de suite, et elle resta un mois encore.

Elle souffrit beaucoup pendant ce mois-là, mais moi, comme je fus heureux !

Elle était blonde, avec de grands yeux bleus toujours humides, un peu froids, qui avaient l'air de baigner dans l'eau. — Ses cheveux étaient presque couleur de chanvre, et ses joues étaient saupoudrées de rousseurs ; mais la peau du cou était blanche, tendre et fine comme du lait caillé.

Je l'ai revue, longtemps après, dans le fond d'un couvent, à travers une grille : elle s'était faite religieuse[1].

« Si j'étais restée plus longtemps à Saint-Étienne, murmura-t-elle en baissant les paupières, je ne serais peut-être jamais venue ici.

— Le regrettez-vous ? »

Elle éloigna du guichet sa tête pâle encadrée dans la grande coiffe blanche des sœurs de Charité et ne répondit rien, mais je crus voir deux larmes tomber de ses yeux clairs, et il me sembla reconnaître un geste de regret et de tendresse...

Elle disparut dans le silence du couloir muet qu'ornait un Christ d'ivoire taché de sang.

Voilà le pupitre noir devant lequel je m'asseyais, qui était si haut ; il fallait mettre des livres sur ma chaise.

1. La cousine de Vallès devint effectivement religieuse. L'auteur a souvent exprimé tout le mal qu'il pensait de la prison monastique, qui fait de ses victimes de véritables mortes vivantes.

Quelles soirées tristes et maussades j'ai passées là, et quelles mauvaises matinées de dimanche, quand on exigeait que j'eusse fait dix vers ou appris trois pages avant de mettre ma chemise blanche et mes beaux habits !

Mon père m'a souvent cogné la tête contre l'angle, quand je regardais le ciel par la fenêtre au lieu de regarder dans les livres. Je ne l'entendais pas venir, tant j'étais perdu dans mon rêve, et il m'appelait « fainéant », en me frottant le nez contre le bois.

C'est sensible, le nez ! On ne sait pas comme c'est sensible.

J'avais fait un jour une entaille dans ce pupitre. Il m'en est resté une cicatrice à la figure, d'un coup de règle qu'il me donna pour me punir.

Voilà, plein de vieille vaisselle, un panier rongé !

C'était là que dormait Myrza, la petite chienne que l'ancien censeur, envoyé en disgrâce, nous avait donnée pour en avoir soin. Il n'avait pas d'argent pour l'emmener avec lui ; puis il ne savait pas si, dans le trou où on l'enterrait, il aurait seulement du pain pour sa femme et son enfant.

Myrza mourut en faisant ses petits, et l'on m'a appelé imbécile, grand niais, quand, devant la petite bête morte, j'éclatai en sanglots, sans oser toucher son corps froid et descendre le panier en bas comme un cercueil !

J'avais demandé qu'on attendît le soir pour aller l'enterrer. Un camarade m'avait promis un coin de son jardin.

Il me fallut la prendre et l'emporter devant ma mère, qui ricanait. Bousculé par mon père, je faillis rouler avec elle dans l'escalier. Arrivé en bas, je détournai la tête pour vider le panier sur le tas d'or-

dures, devant la porte de cette maison maudite. Je
l'entendis tomber avec un bruit mou, et je me sau-
vai en criant :

« Mais puisqu'on pouvait l'enterrer ! » C'était une
idée d'enfant, qu'elle n'eût point la tête entaillée par
la pelle du boueux ou qu'elle ne vidât pas ses
entrailles sous les roues d'un camion ! Je la vis
longtemps ainsi, guillotinée et éventrée, au lieu
d'avoir une petite place sous la terre où j'aurais su
qu'il y avait un être qui m'avait aimé, qui me lé-
chait les mains quand elles étaient bleues et gon-
flées, et regardait d'un œil où je croyais voir des
larmes son jeune maître qui essuyait les siennes...

XVIII
LE DÉPART

Quelle joie de partir, d'aller loin !

Puis, Nantes, c'est la mer ! — Je verrai les grands
vaisseaux, les officiers de marine, la vigie, les hommes de quart, je pourrai contempler des tempêtes !

J'entrevois déjà le phare, le clignotement de son
œil sanglant, et j'entends le canon d'alarme lancer
son soupir de bronze dans les désespoirs des naufrages.

J'ai lu *La France maritime*[1], ses récits d'abordages,
ses histoires de radeau, ses prises de baleine, et,
n'ayant pu être marin, par la catastrophe Vidaljan,

1. Titre d'un périodique fondé par Amédée Gréhan en 1833, puis
d'un ouvrage en quatre volumes du même auteur (1837-1842).

je me suis rejeté dans les livres, où tourbillonnent les oiseaux de l'Océan.

J'ai déjà fait des narrations de sinistres comme si j'en avais été un des héros, et je crois même que les phrases que je viens d'écrire sont des réminiscences de bouquins que j'ai lus, ou des compositions que j'ai esquissées dans le silence du cachot.

Désespoirs des naufrages, soupirs de bronze, tourbillonnage des oiseaux ; il me semble bien que c'est de Fulgence Girard[1], mon *tempêtard* favori. Je me répète ces grands mots comme un perroquet enchaîné au grand mât ; mais au fond de moi-même il y a l'espérance du galérien qui pense s'évader cette fois.

À Nantes, je pourrai m'échapper quand je voudrai.

En face de *la grande tasse* ! on se laisse glisser et l'on est dans l'Océan.

Je n'appartiens plus à mon père ; je me cache dans la sainte-barbe[2], je me fourre dans la gueule d'un canon, et quand on s'aperçoit de ma disparition, je suis en pleine mer.

Le capitaine a juré, sacré — mille sabords du diable ! — en me voyant sortir de ma cachette et m'offrir comme novice, mais il ne peut pas me jeter par-dessus bord ; je suis de l'équipage !

Le voyage actuel, en attendant l'évasion par eau salée, est déjà plein de poésie.

Nous avons d'abord la diligence, — l'impériale, — puis nous entrons dans une gare !

---

1. Fulgence Girard (1810-1873), ancien marin devenu écrivain, auteur notamment de *Sur nos grèves* (1840).
2. Emplacement du navire où l'on met le matériel d'artillerie, soute aux poudres.

Les machines renâclent comme des ânes, ou beuglent comme des bœufs, et jettent du feu par les naseaux. Il y a des coups de sifflet qui fendent l'âme !

ORLÉANS

Nous arrivons à Orléans la nuit.

Les malles sont laissées à la gare.

Mais il y a des choses qu'il faut garder avec soi, dit ma mère. Et elle a gardé beaucoup de choses ; on les entasse sur moi, j'ai l'air d'une boutique de marchand de paniers, et je marche avec difficulté.

Il s'écroule toujours quelque boîte qu'on ramasse aux clartés de la lune.

On ne se décide à rien : on est porté, par l'heure et le calme immense, à une espèce de recueillement très fatigant pour moi qui ai tout sur le dos.

Il y a bien eu des facteurs et des garçons d'hôtel qui, à la gare, ont voulu nous emmener au Lion-d'Or, au Cheval-Blanc, au Coq-Hardi. — « À deux pas, monsieur ! — Voici l'omnibus de l'hôtel ! »

Aller à l'hôtel, au Cheval-Blanc, au Lion-d'Or, mon cœur en battait d'émoi ; mais mes parents ne sont pas des fous qui vont se livrer comme cela au premier venu et suivre un étranger dans une ville qu'ils ne connaissent pas.

Ma mère sait juger son monde, elle a voulu trouver une figure qui lui convînt, et elle rôde, tirant mon père comme un aveugle, hasardant des regards et lançant des questions qui se perdent dans l'obscurité et le brouhaha.

Elle a si bien fait, qu'à un moment on s'est trouvés seuls comme un paquet d'orphelins.

On éteint les lumières. — Il n'est plus resté qu'un réverbère à l'huile devant la grande porte, comme une veilleuse ; et voilà comment nous errons, muets et sans espoir, sur une place à laquelle nous sommes arrivés en nous traînant, ma mère disant à mon père : « C'est ta faute » ; mon père répondant : « C'est trop fort ; est-ce que ce n'est pas toi !

— Ah ! par exemple ! »

Nous avons hélé des isolés qui passaient par là ; nous avons même cru voir une chaise à porteurs, mais nos cris se sont perdus dans l'espace.

La lune est dans son plein — toutes mes nuits qui *datent* l'ont eue jusqu'ici pour témoin.

Elle inonde la place de ses rayons, et nous tachons l'espace de notre ombre. C'est même curieux.

Je parais énorme avec mon échafaudage biblique, et quand mon père ou ma mère courent après un colis qui est tombé, les ombres s'allongent et se cognent sur le pavé. — Mon père a un nez !

Je ne puis pas rire ; — si je riais, je laisserais encore échapper quelque chose ; — puis, je n'ai pas grande envie de rire.

« Quelqu'un là-bas ! »

Je me tourne comme une paysanne qui porte un seau, comme un jongleur qui attend une boule ; j'ai la tête qui m'entre dans la poitrine, les bras qui me tombent des épaules ; j'ai l'air d'un télescope qu'on ferme.

« Quelqu'un !

— C'est une femme ! Je te dis que c'est une femme !

— Sur quoi est-elle montée ?

— Sur quoi ?

— Oui, sur quoi ? — (Ma mère est aigre, très aigre.)

— Hé ! la bonne femme ! »

Rien ne bouge que mes colis qui ont failli s'écrouler.

. . . .

« Mes amis, nous nous sommes tous trompés... »

La voix de mon père a un accent religieux, des notes graves ; on dirait qu'une larme vient d'en mouiller les cordes.

« Tous trompés, reprend-il avec le ton du plus sincère repentir.

« Ce que nous avons devant nous n'est pas un homme, n'est pas une femme, c'est la PUCELLE D'ORLÉANS[1]. »

Il s'arrête un moment :

« Jacques, c'est la *Pucelle* ! »

J'ai entendu parler d'elle en classe : la vierge de Domrémy, la bergère de Vaucouleurs !

« C'est la Pucelle, Jacques ! »

Je sens qu'il faut être ému, je ne le suis pas. J'ai trop de paniers, aussi !

Ma mère a pris dans le ménage le rôle ingrat ; elle a voulu être mère de famille selon la Bible, et elle n'a guère eu que le temps de fouetter son enfant et de lui faire des polonaises ; elle connaît de réputation Jeanne d'Arc, mais elle ignore le nom chaste que lui a donné l'histoire.

---

1. Statue de Jeanne d'Arc à Orléans : la sainte avait contraint les Anglais à lever le siège de la ville (1429). Cet épisode du salut à la statue est mentionné dans une lettre de mars 1846 par laquelle Vallès raconte son voyage à deux amis de Saint-Étienne, Alfred et Edgar Voilquin.

« Quand tu auras fini de dire des saletés à cet enfant ! »

Les bras lui tombent en voyant que mon père me dit des mots qui ne doivent pas se dire, pendant que je porte des bagages à deux heures de la nuit, dans une ville de province, que nous ne connaissons pas...

« C'est Jeanne d'Arc, reprend ce père accusé d'être léger devant son enfant, celle qui a sauvé la France !

— Oui, répond ma mère d'un air distrait, et elle ajoute d'un air content : on peut s'asseoir contre. »

Nous avons passé la nuit là — c'était un peu dur, mais on avait le dos appuyé.

Un sergent de ville qui nous a vus s'est approché.

Le sergent de ville nous a pris pour une famille de pèlerins fanatiques, qui étaient venus tomber d'épuisement — avec beaucoup de bagages, par exemple, — aux pieds de leur sainte ; — il ne nous a pas brusqués, mais il nous a dit qu'il fallait partir. Il s'est offert à nous mener dans une auberge tenue par son beau-frère même, au bout de la rue, près du marché.

« Tu n'as pas faim ? demande mon père à ma mère pendant le chemin.

— Pourquoi aurais-je faim ? »

Il faut dire que mon père, dans la soirée, avait parlé de dîner au buffet de Vierzon, de peur de manger trop tard si on ne prenait pas cette précaution. Ma mère s'y était opposée et elle n'entendait pas qu'on eût l'air de jeter un reproche sur sa décision en lui demandant si elle avait faim.

Mon père ne souffle mot. — Le sergent de ville coule vers ma mère un regard de terreur.

Nous sommes dans l'auberge.

Elle s'éveillait ; un garçon d'écurie rôdait avec une lanterne, on attelait la carriole d'un paysan. Le sergent de ville appelle son beau-frère, en tapant contre une cloison.

Un grognement.

« On y va, on y va ! »

À travers les fentes, on voit passer une lumière et l'on entend l'homme qui s'habille en bâillant, ses bretelles qui claquent et ses souliers qui traînent.

« Ces personnes demandent à coucher et un morceau sur le pouce. »

Morceau sur le pouce est dit le visage tourné vers mon père. Il se souvient de ce : « Pourquoi aurais-je faim ? » de ma mère.

Mais elle intervient.

« Coucher seulement, fit-elle ; nous mangerons en nous réveillant.

— Comme vous voudrez », fait l'aubergiste, à qui il importe peu de vendre ses fricots le matin ou la nuit, et qui préfère même, une fois les voyageurs couchés, se recoucher aussi.

J'entends les boyaux de mon père qui grognent comme un tonnerre sous une voûte : les miens hurlent ; — c'est un échange de borborygmes ; ma mère ne peut empêcher, elle aussi, des glouglous et des bâillements, mais elle a dit, à la station, qu'il ne fallait pas dîner et l'on ne mangera pas avant demain. On ne *man-ge-ra* pas.

Elle a pourtant crié à mon père :

« Mange, si tu veux, toi ! »

Mon père a simplement branlé la tête ; il a ouvert la bouche comme une carpe, et il a murmuré :

« Non, non, demain. »

Il sait ce que cela signifie !

Cela signifie : Je ne veux pas que tu prennes une miette, que tu grattes un radis, que tu effleures une andouille, que tu respires un fromage !

Mon père va se coucher ; ma mère le suit. On met une paillasse pour moi dans un coin.

Je tombe de fatigue et je m'endors ; mes parents en font autant.

Mais nous nous réveillons tous les trois, par moments, au bruit que font nos intestins.

Ma mère est du concert comme les autres, — mais elle ne cédera pas. — C'est une femme de tête, ma mère. Ah ! je l'admire vraiment ! Quelle volonté ! Quelle différence avec moi ! Si j'avais faim, moi, je le dirais, et même, je becquèterais... s'il y avait de quoi !

Nature vulgaire, poule mouillée, avorton !

Regarde donc ta mère, qui, pour être fidèle à sa parole, s'en tenir à ce qu'elle a dit, passe la nuit à se serrer le ventre, et attend le matin pour casser une croûte. Elle fera encore celle qui mange par habitude, sans appétit, tu verras. — Tu as pour mère une Romaine, Jacques ! tu ne tiens pas d'elle, — surtout par le nez, car tu l'as en pied de marmite.

Nous avons déjeuné, — ma mère, du bout des dents : mais je l'ai vue qui dévorait, dans un coin, un foie de veau qu'elle avait demandé à la cuisine, et qu'on lui avait enfoui dans du pain ; — elle mordait là-dedans !

Mon père a mangé à en éclater, — il en a les oreilles bleues.

Il ne s'est pas rebiffé cette nuit, parce qu'il a les mains liées et qu'il a commis, au moment du départ, une grande imprudence. Il a confié à ma mère tout l'argent.

Ma mère avait dit, sans avoir l'air de rien :

« Mes poches sont plus grandes que les tiennes, l'argent y tiendra mieux ; c'est moi qui paierai en route. »

Mon père n'a pas compris tout de suite l'étendue de son malheur, la gravité de la faute ; mais au premier relais il a senti la blessure. Il ne lui restait plus rien, pas une pièce d'un franc, pas une pièce de deux sous. Il avait vidé sa monnaie dans les mains des gens à pourboires, porteurs du roulage ou facteurs des messageries, et il n'avait pas même de quoi prendre un verre de groseille.

Il mourait de soif.

« Donne-moi de l'argent.

— Tu veux de l'argent ?...

— Oui, Jacques a soif... »

Ma mère se tourne vers moi.

« Tu as soif ? »

Ma foi ! je veux bien soutenir mon père, quand c'est possible ; mais, pourquoi, quand il a soif, dit-il que c'est moi ?

Je ne réponds rien à la question de ma mère, dont les yeux vont avec une ironie froide de son fils à son époux.

« Il peut attendre, bien sûr », dit-elle en se replongeant dans son coin, et ne paraissant pas plus se soucier de mon père que s'il n'existait pas.

Cela a duré trois jours, les demandes d'argent et les refus de versement !

Mon père s'est fâché ; — il y a même eu scandale, d'abord sur le pas d'une auberge, puis dans un wagon ; et ma mère a eu le dessus : mon père a demandé grâce.

C'est qu'elle est courageuse et franche. — Elle dit souvent : « Je suis franche comme l'or. »

Et, comme elle est franche, elle reproche tout haut à mon père, devant les hôteliers, devant les voyageurs, d'être un homme sans cœur, un époux sans conduite.

Elle conte son histoire, elle dit les noms tout haut.

« C'est le regret de quitter ta Brignoline qui te talonne. — Ah ! ah ! — On veut *s'empiffrer* pour oublier... Monsieur veut peut-être l'argent pour lâcher sa femme et son fils et retourner chez sa maîtresse. »

Mon père qui a demandé cinq malheureux francs ! Ce n'est pas avec cela !

Il est sur des épines, tâche de couper les phrases, de morceler les mots, de détruire l'effet ; mais, ma mère est si franche !

« Tu ne me feras pas taire, je pense ! Tu n'as pas besoin de me pousser le coude : ce que je dis est vrai, tu le sais bien... Heureusement qu'il y a du monde ; tu ne me frapperas pas devant le monde, peut-être ?... »

SUR LE BATEAU

Le bateau nous affranchit, — ma mère se trouve malade heureusement.

Elle est restée trop longtemps sans manger, elle a avalé le foie de veau trop vite, — elle n'a pas fermé l'œil de la nuit. — Enfin, la migraine la prend et l'endort.

Mon père reste près d'elle, le temps moral nécessaire pour être sûr qu'elle repose, qu'elle est en plein sommeil, et qu'elle n'a plus la force de fondre sur lui.

Il monte sur le pont...

UNE RECONNAISSANCE

« Chanlaire !

— Vingtras ! »

Chanlaire est un ancien pion du Puy, qui possède à Nantes un oncle avec lequel il était brouillé pendant le pionnage, mais avec lequel il s'est raccommodé, et chez qui il retourne après un voyage à Paris dans l'intérêt de la maison.

Il est heureux, gagne de l'argent.

« Quelle rencontre !

— Nous allons faire la noce, — votre femme n'est pas avec vous ? »

Il pose cette question, comme on manifeste un espoir, et il semble un peu désappointé quand mon père répond, d'un air triste :

« En bas, — et d'un air plus gai : malade.

— Ce ne sera rien.

— Non, — non, — non.

— Ça n'empêche pas de décoiffer une bouteille de bourgogne, au contraire... »

Se tournant vers moi :

« Savez-vous qu'il a grandi, votre gamin ? Quelle tignasse et quels yeux ! — Garçon ! »

Il y avait des sous-officiers qui allaient en congé, et avaient aussi rencontré des camarades.

La table de la cabine est couverte de bouteilles de vin et de cruches de bière.

De la gaieté, des rires comme je n'en ai jamais

entendu de si francs ! On joue aux cartes, on allume des punchs, on boit des bishofs[1], il y a une odeur de citron.

Voilà qu'on chante, maintenant !

Un fourrier entonne un air de garnison, — tous au refrain !

Je m'en mêle, et ma voix criarde se mêle à leurs voix mâles : j'ai bu un petit coup, il faut le dire, dans le verre de mon père, qui a les pommettes roses, les yeux brillants.

Il a conté bravement à Chanlaire, — après la troisième tournée, — qu'il a le gousset vide.

C'est la bourgeoise qui a le sac !

« Voulez-vous vingt francs, vous me les rendrez à Nantes, nous nous y reverrons, j'espère, et, nous y ferons de bonnes parties... Mais, je dis cela devant le moutard...

— Il n'y a pas de danger. »

Non, père, il n'y a pas de danger. Ah ! comme il a l'air jeune ! et je ne l'ai jamais vu rire de si bon cœur.

Il me parle comme à un grand garçon.

« Allons, Jacques, une goutte ! »

Puis une idée lui vient :

« Si nous cassions une croûte ? Ces pieds de cochon me disent quelque chose ; j'ai envie de leur répondre deux mots. »

C'est un langage hardi pour un professeur de septième ; mais le proviseur de Saint-Étienne est loin ; le proviseur de Nantes n'est pas encore là, et les pieds de cochon tendent leurs orteils odorants.

Oh ! j'ai encore le goût de la sauce Sainte-Menehould, avec son parfum de ravigote, et le fumet du vin blanc qui l'arrosa !

---

1. Ou *bischof*, ou *bishop* : infusion d'orange ou de citron dans du vin.

On me donne un couvert, comme aux autres, et on me laisse me servir et me verser moi-même. C'est la première fois que je suis camarade avec mon père, et que nous trinquons comme deux amis.

Je m'essuie à la serviette — tant pis ! —, je mets ma chaise commodément — encore tant pis ! — J'ai de mauvaises manières, je suis à mon aise ! on ne me parle ni de mes coudes, ni de mes jambes, j'en fais ce que je veux. C'est un quart d'heure de bonheur indicible ! Je ne l'ai pas encore connu ; ma jeunesse s'éveille, ma mère dort.

… Ma jeunesse s'éteint, ma mère est éveillée !

Elle apparaît comme un spectre dans la cabine — elle était dans celle du fond, nous sommes dans celle du devant —, elle vient droit à nous, et va commencer une scène.

Mais bah ! le tapage couvre sa voix. — Les garçons vont et viennent, le cuisinier passe avec ses plats, les sous-officiers rôdent avec des bouteilles sur le cœur ; il y a une farce qui part, une chanson qui éclate, un vacarme, un tohu-bohu ! Sa fureur fait long feu.

« Seule de femme », elle est d'avance sûre d'être vaincue ; puis, elle a vu de l'argent dans la main de mon père, qui paie les pieds de cochon.

« Oui, nous avons de l'argent, dit mon père, guilleret et narquois, et il crie :

— Une bouteille de ce jaune-là.

— Je n'ai pas soif.

— Mais, moi, j'ai soif. — Jacques a soif aussi. As-tu soif ? »

C'est la riposte joyeuse au trait de la veille ; il y met de la malice, pas de méchanceté, le vin l'a rendu bon.

« Et vous, madame ? » fait-il en tendant un verre et la bouteille.

Il n'y a pas moyen de se fâcher. Ma mère ne s'y frotte pas et sent que le terrain lui manque. Elle dit sans trop de mauvaise humeur :

« Je monte sur le pont. Tu me rejoindras quand tu auras fini. Jacques, viens avec moi.

— Non, il reste avec nous ! Nous allons jouer une partie de dominos, il fera *troisième*. »

Faire le troisième, à côté des sous-officiers, sur la même table ; écarter les bouteilles pour placer mon jeu, avec les garçons qui me demandent pardon quand ils me heurtent en passant ! Je ne me tiens pas d'orgueil, et c'est moi, moi le fouetté, le battu, le *sanglé*, qui suis là, écartant les jambes, ôtant ma cravate, pouvant rire tout haut et salir mes manches !

La partie de dominos est finie.

« Jacques, va dire à ta mère que nous montons. »

Nous l'avions oubliée, et j'en ai, dès que le coup de feu de la première émotion est passé, j'en ai un peu de remords.

Ma mère m'accueille d'un regard dur et d'un mot menaçant ; mon remords s'en va. Il me semble qu'elle aurait dû deviner que je pensais en ce moment à elle ; qu'il y avait un sentiment tendre qui surnageait au-dessus de mon explosion de gaieté, et je lui en veux de son accueil.

« Quand nous serons arrivés, tu me paieras tout ça. »

Payer quoi ? un moment de bonheur ? Ai-je donc fait du mal ? J'ai trempé le bout de mes lèvres dans des verres où il y avait de la mousse, et où je voyais danser le soleil. Il faudrait payer cela. — Oh ! je ne le paierai jamais trop cher, et, quand je serai arrivé, vous pourrez me battre...

C'est mon jour de chance !

Une dame est venue s'asseoir près de nous et la conversation s'est engagée. Mme Vingtras est toujours aux anges quand une femme bien mise lui fait l'honneur de causer avec elle.

On parle, et les enfants, qui viennent de temps en temps rire à leur mère, m'entraînent dans leurs jeux.

« Jacques, reste là.

— Laissez-les s'amuser ensemble, dit avec un air de bonté l'interlocutrice élégante.

— Vous n'avez pas peur qu'ils se noient ? »

C'est tout ce que ma mère trouve à dire, mais elle est flattée que son fils soit admis dans un jeu d'enfants de riches, et si je me noie, tant pis !

Je crois vraiment qu'elle a peur que je me noie ! Quand nous approchons d'un feu, elle a peur que je me brûle. Un jour, un ballon partait dans la cour du collège, elle a crié : « Il va t'emporter ! »

Mais elle ne sait donc pas que chaque fois qu'elle a soufflé ou tapé sur ma curiosité, mes envies ont enflé comme ma peau sous le fouet.

C'est plus fort que moi. Je me dis que je ne dois pas être plus poltron que les autres, et je cherche toutes les occasions de m'amuser comme mes camarades s'amusent ; ils ne se noient pas, ils ne se brûlent pas, les ballons ne les emportent pas. Et je n'ai jamais raté un *filage*[1] ; je me suis empressé de manquer la classe aussi souvent que j'ai pu, pour filer

---

1. *Filer*, c'est manquer un cours, *sécher*, en argot d'écolier.

en bateau sur le Furens[1], ou près de la forge, dans la grande usine, dont le père de Terrasson est le contremaître.

Je suis monté sur le grand arbre du *Clos Pélissier*[2], et je suis allé jusqu'au bout de la grande branche.

Je me rappelle tout cela en ce moment ; j'ai le cerveau un peu émoustillé. Je me figure que je tiens une balance. Si on m'empêche d'aller sur le bord de l'eau, de m'approcher des briqueteries ou des ballons, je ne dirai rien, — je ne veux pas que ma mère ait peur — ; mais, à la première occasion, je me rattraperai, j'entrerai dans la rivière jusqu'à la ceinture, et je mettrai mon pied au-dessus des *coulées* de fer fondu.

C'est bien décidé. En attendant, ce soir, comme ma mère m'a laissé libre, je ferai tout pour ne pas me noyer.

Si elle m'avait défendu de jouer, je n'aurais pas pu m'empêcher de me pencher sur la roue, de chercher à prendre de l'écume dans le creux de la main...

Nous courons d'un bout du bateau à l'autre ; nous hélons le mécanicien, nous tourmentons l'homme du gouvernail, nous touchons aux cordages, nous tâtons le cabestan, nous essayons de soulever l'ancre...

La journée fuit, le soir arrive.

Nous nous laissons prendre comme des hommes par la mélancolie du crépuscule ; les joues froides, avec un frisson dans le cou, nos grands cheveux secoués par le vent, nous regardons le sillon que

---

1. Ou *Furan* : petit torrent qui coule à Saint-Étienne.
2. Le futur Jardin des plantes, à l'est de Saint-Étienne.

creuse le bateau dans sa marche, nous fixons les premières étoiles qui tremblent au ciel, et nous suivons dans l'eau moirée les traînées de lune.

La machine fait *poum, poum* !

C'est la cloche qui parle à présent ; nous approchons du pont.

Nous voici à Tours : on relâche ici.

M. Chanlaire connaît un hôtel pas cher. Nous irons tous, si l'on veut. C'est entendu. Et, dix minutes après le débarquement, nous arrivons au *Grand Cerf*.

Nous dînons à la table d'hôte.

Il y a des commis voyageurs, une Anglaise, un prêtre : tout le monde fait honneur à la cuisine, qui sent bon, et une certaine moutarde de Dijon a un succès qui profite à la cave. Son piquant donne soif.

J'ouvre des yeux énormes, j'écarte les narines et je dresse les oreilles. Quel luxe ! Combien de réchauds d'argent ! Dix plats ! On bavarde, on dévore.

« Passez-moi le civet. — Voulez-vous du saumon ? »

Il me semble que je suis à un repas des *Mille et Une Nuits*.

Je suis profondément étonné de voir que tout le monde foule aux pieds les préceptes que m'a inculqués ma mère sur la façon de se tenir en société. Le curé lui-même a les coudes sur la nappe et sa chaise tout près de la table comme j'étais, moi aussi, ce matin, dans la cabine, en face du pied de cochon grillé et du petit vin jaune.

Ma mère est à côté de la dame de Paris, qui nous a placés à sa droite, ses fils et moi.

Je suis presque libre, je tombe sur les plats. Ma mère ne s'en plaint pas, et même elle se fâche à un moment parce que je refuse de quelque chose.

« Comme si on voulait le faire mourir de faim !
C'est bien à prix fixe, n'est-ce pas ? demande-t-elle à
M. Chanlaire.

— Oui, deux francs par tête.

— Jacques, crie-t-elle aussitôt, mange de tout ! »

C'est jeté comme un cri des croisades, comme
une devise de combat : « Mange de tout ! »

Cela s'entend par-dessus le bruit des cuillers et
des fourchettes, et fait rire tout un coin de table.

Elle ne peut s'empêcher de s'occuper de moi, de
la place où elle est, et veille toujours sur son enfant.

« Jacques, on ne fait pas des tartines de moutarde. — Jacques, tu sais bien que je ne veux pas
qu'on suce ses doigts. — Veux-tu bien ne pas faire
ce bruit en te mouchant ! — Jacques, tu ne sais pas
manger les croupions ! »

Je la vois en ce moment qui ramasse en cachette
et glisse dans sa poche des provisions qui traînent.
On la remarque. J'en deviens rouge.

« Jacques, veux-tu bien ne pas rougir comme
cela ! »

Ah ! elle m'a gâté mon plaisir... Je m'aperçois
parfaitement que les voisins se moquent d'elle, et
les maîtres de l'hôtel la regardent de travers. Puis
j'aurais voulu avoir l'air d'un homme, en redemander
aux garçons : « Passez-moi ce plat-là ! », m'essuyer la
bouche avec une serviette, en me renversant en
arrière, et dire en finissant : « En voilà encore un que
les Prussiens n'auront pas. »

M. Chanlaire se lève :

« Mesdames, messieurs et gamins, j'offre du champagne.

— Jacques, tu boiras dans mon verre », dit ma
mère, du ton dont elle dirait : « On ne m'enlèvera
pas mon fils. »

« Non, il boira dans le sien, et c'est lui qui aura l'étrenne de cette bouteille, dit M. Chanlaire en pressant le bouchon, qui part comme une balle ; les enfants les premiers ! »

Il remplit mon verre, qui déborde, et dit :

« Vide-moi ça ! »

Ma mère me lance des yeux terribles, et tape de petits coups sur la table, qui veulent dire : regarde-moi donc !

Je n'ose la regarder ni boire.

« Tu es là comme un empoté, voyons ! »

Empoté ! M. Chanlaire dit cela tout haut, j'en ai le cœur qui se fend, la main qui tremble, et je renverse la moitié du champagne sur une robe d'à côté.

« Nigaud ! » dit l'inondée...

Empoté ! Nigaud ! C'est ma mère qui est cause que j'ai été si bête.

Elle me sermonne encore après, en renchérissant sur les autres.

Je vais me coucher, gonflé et piteux.

« Par ici, votre chambre », dit le garçon.

Au moment où je suis au bout du corridor, disant adieu à la dame de Paris et à ses fils, qui m'ont fait tout le soir des amitiés, ma mère m'appelle :

« Jacques, LES CABINETS SONT EN BAS ! »

Il y a l'accent du commandement dans la voix — de la sollicitude aussi — elle prend des précautions auxquelles son enfant, avec l'imprudence de son âge, ne songe pas.

Mes camarades sourient, leur mère rougit, la mienne salue.

Aujourd'hui encore dans mes rêves, dans un salon quelquefois, au milieu de femmes décolletées, à table, dans un bal, j'entends, comme Jeanne d'Arc, une voix : « Jacques ! les cabinets sont en bas ! »

Le lendemain matin nous reprenons le bateau.

La dame de Paris est encore avec ma mère et je suis avec ses fils.

Ils sont plus remuants que moi et ne s'arrêtent pas au milieu du pont, les lèvres entrouvertes et le nez frémissant, pour respirer et boire le petit vent qui passe : brise du matin qui secoue les feuilles sur les cimes des arbres et les dentelles au cou des voyageuses. Le ciel est clair, les maisons sont blanches, la rivière bleue ; sur la rive, il y a des jardins pleins de roses et j'aperçois le fond de la ville qui dégringole tout joyeux !

Là-bas, un pont sur lequel trottinent des paysannes qui rient et un vieillard qui va lentement, avec un chapeau à grandes ailes et des cheveux gris, sans barbe, une redingote comme en ont les prêtres, l'air jésuite aussi.

« C'est lui ! c'est lui ! »

Quelqu'un a donné un nom à cet homme qui passe et on l'a reconnu.

« C'est le chantre des *Gueux*, Jacques, c'est Béranger[1]. »

Mon père me dit cela, comme il m'a dit : c'est la Pucelle !

Il a ôté son chapeau, je crois, et il a pris un air grave, comme s'il faisait sa prière. Il est plein de respect pour les gloires, mon père, et il s'enrhumerait pour les saluer. Il n'a pas encore réussi à

1. Célèbre chansonnier (1780-1857), très populaire au XIXᵉ siècle. Vallès, loin d'approuver ce culte, dénoncera dans *Le Bachelier* la contribution de Béranger à la légende napoléonienne, ainsi qu'une vision idéaliste des « gueux » accusée d'entretenir l'aliénation des opprimés. Il cite alors précisément la chanson qui porte ce titre : « "Les gueux sont des gens heureux !" Mais il ne faut pas dire cela aux gueux ! s'ils le croient, ils ne se révolteront pas [...] ! » (Folio classique, p. 128).

m'inspirer cette vénération et tandis qu'on regarde Béranger sur le pont, je regarde au loin, dans un champ, des oiseaux qui font des cercles autour d'un grand arbre, puis s'abattent et plongent dans l'argent des trembles et dans l'or des osiers.

Dans ma géographie, j'ai vu qu'on appelait ce pays le jardin de la France.

Jardin de la France ! oui, et je l'aurais appelé comme ça, moi gamin ! C'est bien l'impression que j'en ai gardée ; — ces parfums, ce calme, ces rives semées de maisons fraîches, et qui ourlent de vert et rose le ruban bleu de la Loire !...

Il se tache de noir, ce ruban ; il prend une couleur glauque tout d'un coup, et il semble qu'il roule du sable sale, ou de la boue. C'est la mer qui approche, et vomit la marée ; la Loire va finir, et l'Océan commence.

Nous arrivons, voici la prairie de Mauves[1] ! — Je suis resté tout le jour sous l'impression calme du matin. — J'ai peu joué avec mes petits camarades, qui s'étonnaient de mon silence.

L'espace m'a toujours rendu silencieux.

Nous sommes près du pont en fil de fer, je lis au loin *Hôtel de la Fleur*. — C'est Nantes.

NANTES

Ma mère a tanné M. Chanlaire pour lui demander où nous ferions bien d'aller en débarquant, et elle s'y est prise si bien qu'il l'a envoyée au diable — tout bas, — et qu'il s'esquive aussitôt qu'on arrive. Il

---

1. Espace ouvert aux foires... ou aux duels : voir le sous-titre du dernier chapitre, p. 384.

jette son adresse à mon père, sa valise à un portefaix, et le voilà loin.

La dame de Paris s'en va de son côté. Nous nous
serrons la main avec ses enfants, et voilà M. Vingtras, professeur de sixième au collège de Nantes,
debout, sur le pavé de la ville, avec ses malles, sa
femme et son garçon.

Notre spécialité est d'encombrer de notre présence et de gêner de nos bagages la vie des cités où
nous pénétrons. Pour le moment, nous avons l'air
de vouloir demeurer sur le versant du quai, et l'on
croit que nous allons allumer du feu et faire la
soupe. Nous sommes un obstacle au commerce, les
déchargements se font mal. — À nous trois, nous
tenons plus de place qu'il n'est permis dans un port
marchand, et déjà il se forme des rassemblements
autour de notre colonie.

Ma mère a *entrepris* mon père.

« Tu ne pouvais pas demander à M. Chanlaire ?...

— Puisque c'est toi qui t'en étais chargée...

— Moi ! »

Elle a la note aiguë, et qui fait retourner les passants. On s'attroupe.

Un portefaix s'approche.

« Combien ? dit ma mère, pour emporter ça ?

— Trois francs.

— Trois francs !

— Pas un sou de moins.

— Je vais en trouver un, moi, laisse faire, qui ne
demandera pas trois francs », dit ma mère, confiant
ses paquets, ses châles et une boîte à mon père et
allant à un malheureux en guenilles qui traînait par
là.

Il a à peine le temps de répondre que le porte-faix arrive, montre sa médaille, fond dans le tas, accable le déguenillé de coups et la famille Ving-tras d'injures.

Dans la bagarre, les boîtes s'écroulent et roulent vers la rivière.

« Jacques, Jacques ! »

Je cours après un colis, ma mère en poursuit un autre ; elle pousse des cris, le déguenillé aussi ; les gendarmes arrivent vers mon père. Je remonte pour le secourir ; on nous cerne. Voilà notre entrée à Nantes.

Ouf !!!

Nous sommes installés, ce n'est pas sans peine.

Nous avons passé huit jours dans une auberge dont le propriétaire s'appelait Houdebine, je m'en souviens, je ne l'oublierai *jamais*.

Nous avons eu naturellement des discussions avec lui, et ma mère a trouvé moyen de mettre la maison sens dessus dessous : histoires de corridors, disputes d'escalier, *piques* avec des femmes de voyageurs. On a discuté sur la note ; la bonne a réclamé un pour-boire. On nous a chassés ; nous nous sommes trou-vés de nouveau à midi sur le pavé, M. Vingtras, son épouse et son rejeton.

Heureusement, M. Chanlaire est arrivé au moment où nous montions la garde autour des malles. Moi, j'avais les paquets pour pouvoir me mettre en route, comme une division sac au dos, dès qu'on saurait où se diriger.

Nous étions déjà connus dans le quartier, qui avait remarqué nos querelles avec les portefaix. Ce nou-veau déballage en pleine rue, cet entassement de caisses qui, une fois de plus, interrompait le mou-

vement des affaires dans la ville, ma tournure, les
cris de ma mère, l'embarras de mon père, tout
avait fait sensation et, après avoir inspiré la curiosité, commençait à inspirer la défiance.

Que j'aurais donc voulu être sur un navire, pendant une bataille navale, la hache d'abordage à la
main, sous les boulets, loin des bagages !

Nous étions dans la rue, — ma mère d'un côté,
moi de l'autre, mon père en éclaireur morne —
quand M. Chanlaire vint par hasard ; il est notre
providence, décidément.

Il nous mena comme une bande de prisonniers
dans un logement qu'il connaissait : je crois que des
agents nous suivirent. Ils se demandaient ce que
voulait cette famille.

Mon père n'avait pas voulu dire qui il était,
l'auberge étant indigne de sa situation, et il planait
du mystère sur nos têtes.

Mon père est entré en fonctions le lendemain
même de notre emménagement, et il a fait peur aux
élèves, tout de suite : cela lui garantit la tranquillité
dans sa classe pour toujours et des leçons particulières en quantité. — Il a l'air si chien, — on prendra des répétitions !

Tout va bien ! — Voyons maintenant la ville !

Toutes mes illusions sur l'Océan, envolées ; tous
mes rêves de tempêtes tombés dans l'eau douce, car
c'était de l'eau douce !

Point de vaisseaux avec des canons qui tendent la
gueule ni d'officiers en chapeau de commandement ; point de salves d'artillerie ni de manœuvres
de guerre ; pas de faces de corsaires ni de soute aux
poudres ; point de répétition de branle-bas ; pas
d'exercice d'abordage ; des odeurs de goudron, point

de parfums de mer. J'eus une espérance : on me parla de *têtes de mort* entassées sur un trois-mâts ; c'étaient des fromages de Hollande.

Comme la vie de marin me paraît bête !

Il y a une petite buvette en bas de notre maison ; j'y vais chercher du vin en chopine pour notre dîner et j'y coudoie des matelots. Ils ne parlent jamais de combats, ils ne savent pas nager ; ils ne plongent donc pas, du haut du grand mât « dans la vague écumante », ils ne luttent pas « contre la fureur des flots... » Non, s'ils tombaient à l'eau, ils se noieraient. Il n'y a pas cinq matelots sur dix capables de traverser la Loire. Ah bien ! merci !

Il faut dire que nous demeurons au haut de la ville et que les grands vaisseaux sont en bas, sur la Fosse ; mais je ne fais pas grande différence entre les navires marchands et les bateaux. Vu cette absence de canons et d'uniformes, je confonds le matelot et le marinier dans un même mépris ; j'enveloppe dans mon dédain, je confonds dans ma désillusion le loup de mer et l'ameneur de fromages.

MON PROFESSEUR

J'ai pour professeur un petit homme à lunettes cerclées d'argent, au nez et à la voix pointus, avec un brin de moustache, des bouts de jambes un peu cagneuses, — elles ne l'empêcheront pas de faire son chemin, — insinuant, fouilleur, chafouin, furet, belette, taupe : il arrive de Paris, où il a été reçu, comme Turfin, un des premiers à l'agrégation ; il y a laissé des protecteurs que son esprit de gringalet amuse ; il en a rapporté une femme amusante, jolie, et qui doit trouver tous ces provinciaux bien sots.

M. Larbeau[1], c'est son nom, se fiche un peu de ses élèves, — il est caressant avec les fils des influents, qu'il ménage et auprès de qui il a conquis une popularité parce qu'il les traite comme de grands garçons, mais il n'est pas *rosse* pour les autres. Pourvu qu'on rie de ce qu'il dit ! — il fait des calembours et propose quelquefois des charades ; on l'appelle le Parisien.

Je crois qu'il me trouve un peu *couenne*[2] — parce que ses blagues ne m'amusent pas ; puis, il a entendu dire, par un camarade qui prend des répétitions avec lui, que j'ai voulu être cordonnier et que maintenant j'aimerais être forgeron. Je lui semble commun ; ma mère d'ailleurs lui paraît vulgaire et mon père lui fait l'effet d'un pauvre diable. Mais il ne me tourmente pas, il a l'air de me croire, même quand je dis que j'ai *oublié* mes devoirs, ou que je me suis *trompé* de leçon.

À la fin de l'année, aux compositions de prix, il nous lit des romans de Walter Scott.

Arrive la distribution solennelle ; — je n'ai rien — ou j'ai quelque chose, — il me semble bien que je rapportai une ou deux couronnes, et que je fus embrassé sur l'estrade par un homme qui empoisonnait. — Toujours donc !

Mais je n'avais pas la foi et je me moquais d'avoir des prix ou de n'en pas avoir, du moment que mon père ne me tourmentait point.

---

1. Ce Larbeau correspond dans la réalité à Eugène Talbot, professeur de troisième au collège royal de Nantes, rebaptisé « Botal » dans *Le Testament d'un blagueur* (Œuvres, Bibl. de la Pléiade, t. I, p. 1122).
2. Niais, nigaud.

LA MAISON

Nous demeurons dans une vieille maison replâtrée, repeinte, mais qui sent le vieux, et quand il fait chaud il s'en dégage une odeur de térébenthine et de fonte qui me cuit comme une pomme de terre à l'étouffée : pas d'air, point d'horizon !

Je passe là, les dimanches surtout, des heures pénibles. Pas de bruit, que celui des cloches, et ma tristesse d'ailleurs, même en semaine, est plus lourde dans ce pays, sous ce ciel clair, que sous le ciel fumeux de Saint-Étienne.

J'aimais le bruit des chariots, le voisinage des forgerons, le feu des brasiers, et il y avait une chronique des malheurs de la mine et des colères des mineurs.

Ici, dans le quartier que nous habitons du moins, il n'y a pas d'usines à étincelles et d'hommes à œil de feu, comme presque tous ceux qui travaillent le fer et vivent devant les fournaises.

Il y a des paysans aux cheveux longs et rares, tristes et laids ; ils vont muets derrière leurs chariots à travers la ville et ont l'air terne et morne des sourds. Pas de gestes robustes, point l'allure large, la voix forte ! La lèvre est mince ou le nez est pointu, l'œil est creux et la tempe en front de serpent, — ils ne ressemblent pas, comme les paysans de la Haute-Loire, à des bœufs —, ils ne sentent pas l'herbe, mais la vase ; ils n'ont pas la grosse veste couleur de vache, ils portent une camisole d'un blanc sale, comme un surplis crotté. Je leur trouve l'air dévot, dur et faux, à ces fils de la Vendée, à ces hommes de Bretagne.

Le cours Saint-Pierre me paraît si vide — avec ses quelques vieux qui viennent s'asseoir sur les bancs ! Il y a aussi les ombres qui glissent comme des insectes noirs du côté de l'église...

Je me sens des envies de pleurer !

On ne me bat plus. C'est peut-être pour ça. J'étais habitué à la souffrance ou à la colère, — je vivais toujours avec un peu de fièvre.

On ne me bat plus. Le proviseur n'est pas de cette école. Il a entendu parler d'un de ses professeurs qui appliquait la même méthode que mon père sur les reins de son fils ; — il l'a fait venir.

« Vous irez rosser vos enfants ailleurs, si cela vous tient trop, a-t-il dit ; mais si j'apprends que vous continuez ici, je demande votre changement et j'appuie pour votre disgrâce. »

La nouvelle est arrivée aux oreilles de mon père et a protégé les miennes.

Ma mère a fait connaissance de la femme d'un professeur, qui est bossue.

On va se promener tous les soirs quand il fait beau.

J'ai l'air d'un prisonnier qu'on sort un peu. Je marche devant, avec ordre de ne pas m'écarter, de ne pas courir, et je ne puis même pas me baisser pour ramasser une branche ou un caillou, — cela ferait éclater mon pantalon.

Il est arrivé qu'une de mes culottes a craqué un jour, et Mme Boireau, qui n'y voit pas clair, a cependant été très offusquée. On m'a défendu de me baisser jusqu'à ce qu'on m'ait fait une culotte large.

On me l'a faite, il n'y a plus de danger — j'y flâne à l'aise — j'ai l'air d'un canard dont le derrière pousse.

Je vois bien qu'on me regarde, et les mariniers

m'entourent, mais ils me respectent comme l'inconnu ! Les camarades qui me connaissent me font des niches, tirent cela en passant comme la queue d'un chien, — on y met du sel aussi, — on m'appelle Circé[1].

COSTUMES ET TRAHISONS POLITIQUES

Le supplice à propos de ma toilette recommence. Beaucoup de personnes me croient légitimiste. — J'ai une cravate qui fait trois fois le tour de mon cou, comme en portaient les Incroyables[2], comme en avaient les royalistes sous la Restauration. — Cependant les espérances que ce parti a pu concevoir à mon propos ne tardent pas à s'évanouir. Ma mère a trouvé à côté d'un collier de chien, dans le fond d'une malle, un col en crin, et je le mets. On crie « au bonapartisme » cette fois ! C'est le signe de ralliement des brigands de la Loire[3], la cravate des duellistes du café Lemblin[4].

Suis-je venu pour chercher querelle aux membres du club blanc, qui est justement là sur la place ? On se perd en conjectures, mais l'étonnement devient bien autre, quand un dimanche on me voit apparaître sur le cours, vêtu comme la *meilleure des républiques*[5].

1. En référence à la magicienne de la mythologie connue pour avoir métamorphosé en animaux les compagnons d'Ulysse (*Odyssée*, X).
2. Jeunesse dorée d'opinion royaliste, à la tenue vestimentaire volontiers excentrique, sous le Directoire.
3. Nom donné par les royalistes aux soldats perdus de l'armée napoléonienne réfugiés au sud de la Loire après Waterloo (18 juin 1815).
4. Café du Palais-Royal, rendez-vous des anciens officiers de Napoléon sous la Restauration.
5. Allusion à un ouvrage satirique de Louis Reybaud, *Jérôme Paturot à la recherche de la meilleure des républiques* (1848).

J'ai une redingote marron, un parapluie vert et un chapeau gris.

C'est mon costume de demi-saison. Ma mère voit que je grandis et elle a voulu m'habiller comme un homme des classes moyennes, qui a de l'étoffe, ne vise pas au freluquet et a pourtant son cachet à lui. J'ai du cachet, — mais je suis modeste, et je préférerais vivre dans l'obscurité, ne pas donner aux partis des espérances étouffées le lendemain, — avec cela que j'étouffe aussi ! cette redingote est si lourde et les manches sont si longues que je ne puis pas me moucher.

Légitimiste aujourd'hui, bonapartiste demain, constitutionnel après-demain, c'est ainsi qu'on pervertit les consciences et qu'on démoralise les masses !

Puis les camarades sont toujours là, — on m'appelle Louis-Philippe. C'est même dangereux par ce temps de régicide[1].

Les jours de *classe moyenne*, quand je suis en *bourgeois citoyen*, je rentre brisé.

NOS BONNES

Nous avons une bonne, — il paraît que mon père gagne de l'argent[2].

Il donne la répétition en *tas* ; il prend six ou sept élèves qui lui valent chacun vingt-cinq francs, et il leur dit pendant une heure des choses qu'ils n'écoutent pas ; à la fin du mois, il envoie sa note, — et il se fait avec cette distribution de participes, entre les

1. Il y eut effectivement deux attentats contre Louis-Philippe en 1846.
2. La situation matérielle s'améliore en effet, dans l'histoire familiale de Vallès, après le succès de son père à l'agrégation en 1846.

deux classes, une assez jolie somme par trimestre.

Les répétés ont moins de pensums et flânent pendant ces va-et-vient dans les corridors. C'est pendant ce temps-là que s'écrivent ou se dessinent sur les murs et sur les tableaux des farces contre les professeurs, ou les pions, — le nez de celui-ci, les cornes de celui-là, avec des vers de haulte graisse[1] au fusain. On en met de raides, et la femme du censeur est gênée quand elle passe.

Nous la regardons à travers des trous, des fentes : elle est bien jolie, bien fraîche ; elle a épousé le censeur parce qu'il avait quelques sous, puis qu'il sera proviseur un jour. — C'est ce que j'ai entendu marmotter à ma mère qui ajoute aussi qu'elle s'habille mal.

« Si c'est ça, la mode de Paris, j'aime encore mieux celle de *cheux nous*. »

Cela est lancé à la paysanne, d'un ton bon enfant, avec un petit rire qui a sa portée. Moi, je n'aime pas mieux celle de chez nous !

Bien désintéressé dans la question, — puisque j'étonne même les tailleurs du pays et que je ne suis vêtu à aucune mode connue depuis l'Antiquité jusqu'à nos jours ! mannequin inconscient d'une politique que je ne comprends pas, caméléon sans le vouloir, — je puis apporter mon témoignage, il a son poids.

Eh bien, je préfère l'écharpe rose que la femme du censeur entortille autour de sa taille souple au châle jaunâtre dont ma mère est maintenant si fière. Je préfère le chapeau de la Parisienne, à petites

---

1. Expression de Rabelais, qui annonce dans le Prologue de *Gargantua* de « beaulx livres de haulte gresse », c'est-à-dire aussi savoureux qu'un animal de boucherie bien engraissé.

fleurs tremblotantes, avec deux ou trois marguerites aux yeux d'or, à la coiffure que porte celle qui m'a donné ou fait donner le sein — je ne me rappelle plus, — où il y a un petit melon et un oiseau qui a un trop gros ventre.

On est donc heureux à la maison.

Ça m'ennuie que l'on ait pris une bonne ! car j'étais occupé au moins, quand j'allais chercher de l'eau, quand je montais au bois, lorsque je déplaçais les gros meubles. J'aimais à donner des coups de marteau, des coups d'épaule et des coups de scie. Je me sentais fort et je m'exerçais à porter des armoires sur le dos et des seaux pleins à bras tendus. Je ne dois plus toucher à rien et, si je suis pressé, je ne puis même pas décrotter mes souliers.

« Il y a de la boue autour !

— C'est l'affaire de la bonne, cela !

— Avec la grosse brosse seulement ?

— Nous avons une bonne, ce n'est pas pour qu'elle reste à bâiller toute la journée. »

Elle n'a pas le temps de bâiller, la pauvre fille ! Oh ! ma mère a l'œil !

Ce n'est pourtant pas son enfant, ni sa nièce ! Pourquoi donc lui montrer les mêmes égards qu'à moi ? Elle fait pour les étrangers ce qu'elle faisait pour Jacques. Elle n'établit pas de différence entre sa domestique et son fils. Ah ! je commence à croire qu'elle ne m'a jamais aimé !

La pauvre fille ne peut plus y tenir. On la nourrit bien, cependant. Ma mère lui donne tout ce dont nous n'avons pas voulu.

« Ce n'est pas moi qui épargnerais le manger à une bonne ! »

Et elle met sur un rebord d'assiette les nerfs, les peaux, le suif cuit.

« C'est bon pour son tempérament, ces choses-là. Et les boulettes froides, voilà qui fortifie ! »

Pauvre Jeanneton ! Si elle n'était pas soignée si bien, comme elle dépérirait ! Car même avec ce régime, elle se porte mal, elle n'est pas grasse, tant s'en faut !

Je crois m'apercevoir que Jeanneton n'est pas folle de ma mère, et qu'elle s'applique à la contrarier.

« Voulez-vous un verre de cidre, Jeanneton ?

— Merci, Madame.

— Merci oui, ou merci non.

— Non, Madame.

— Vous n'aimez pas le cidre ? »

Jeanneton balbutie.

« Comme vous voudrez, ma fille ! » Et ma mère ajoute d'un air dépité : « Je mets le verre là, vous le prendrez tout à l'heure si vous voulez ; vous le laisserez s'éventer, si cela vous amuse. »

Le cidre ne s'éventera pas, il y a bon temps qu'il l'est. Il y a deux jours qu'il traîne dans une bouteille que mon père a repoussée parce qu'elle sentait l'aigre et qu'on a oublié de boucher. — Il est tombé un *cafard* dedans. Mais ma mère l'a retiré tout à l'heure, avec grand soin, comme elle aurait fait pour elle, et c'est parce qu'elle a senti le cidre qu'elle s'est décidée à l'offrir à Jeanneton.

« Le cidre neuf, le cidre frais a un acide qui est mauvais pour les femmes faibles... Rappelle-toi cela, mon enfant. »

Je me le rappellerai. Si jamais j'ai les poumons faibles, je prendrai du cidre comme celui-là, *qui n'a pas d'acide*, qui sent l'aigre et le moisi. Faudra-t-il mettre un cafard dedans ?

Ma mère m'avait vu regarder ce cafard en réfléchissant.

« C'est signe que le cidre est bon. S'il était mauvais, il n'y serait pas allé. Les insectes ont leur *jugeote* aussi. »

Ah ! les malins !

Encore une observation dont je tiendrai compte. Quand il y a des insectes dans quelque chose, c'est bon. Et moi qui ne voulais pas manger de fromage parce qu'il y avait des vers, et qui aimais mieux qu'il n'y eût pas de mouches dans l'huile !

Jeanneton est partie en refusant encore un verre de vin que ma mère lui offrait en signe d'adieu.

« Jacques, m'avait-elle dit, va chercher la bouteille qui était pour faire du vinaigre, tu sais, qui avait des *fleurs*[1]. »

Jeanneton a refusé.

On remplace Jeanneton par Margoton.

Mais la maison est connue maintenant pour les distributions de nerfs, de peaux et de suif cuit. Margoton fait ses conditions en entrant.

« Moi, je n'ai pas les poumons faibles, dit-elle, et elle se donne un coup de poing dans l'estomac, un gros estomac qui danse dans sa robe d'indienne ; je n'ai pas les poumons faibles et j'aime la viande ; je veux manger chaud. »

Margoton joue gros jeu.

Mais Margoton vient de la part de la femme du proviseur, et l'estomac de Margoton est protégé comme les reins du petit Vingtras. L'autorité veille

---

1. Moisissures qui se développent à la surface de certains liquides.

dans le corsage de la bonne comme dans la culotte de l'enfant. On ne destituerait pas publiquement M. Vingtras parce qu'il flanquerait en passant une roulée à son rejeton, ou parce qu'il étoufferait sa bonne avec des chicots de boulettes ou de gras de mouton ; mais il fera bien tout de même de ne pas déplaire au grand chef à propos de son môme et de sa domestique.

Ah ! quelle faute on a commise en s'adressant à la femme du proviseur, par genre, pour avoir l'air de demander avis !

On n'ose pas renvoyer la grosse recommandée, malgré les prétentions qu'elle affiche, et elle entre en place.

Ma mère a toujours la main sur le gigot et un pied dans la tombe, à propos de cette bonne.

Elle n'est pas forte et ça la fatigue de couper. Couper une tranche pour son mari, pour son enfant, c'est son devoir d'épouse, c'est son rôle de mère ; elle n'y faillira pas !

Mais quand il faut servir Margoton !...

« Vous avez encore faim ?

— Oui, Madame.

— Comme cela ?

— Encore un petit morceau, si vous voulez. »

Ma mère en mourra ; je le vois bien, je le vois aux sons douloureux qu'elle étrangle quand elle reprend le couteau, à l'expression de ses yeux quand elle ajoute du jus, et elle est si lasse au dessert, qu'elle est forcée de mettre les cerises dans l'assiette de la bonne, une par une, comme avec un déchirement.

Marguerite en redemande toujours.

Mais ma mère renaît à vue d'œil. Mon Dieu ! mon
Dieu ! soyez béni !

Elle renaît, redevient espiègle, reprend des couleurs. Elle est entrée un jour dans le cabinet de mon
père, toute joyeuse.

« Antoine ! — et elle lui a parlé à l'oreille.

— Tu es sûre ? » a répondu mon père avec stupeur et en dérangeant son bonnet grec.

Elle se contente de hocher la tête en souriant.

« Il ne s'agit plus que de les surprendre... »

Elle enlève le bonnet grec et dépose d'un geste à
la fois langoureux et hardi, sur le front d'Antoine,
son époux, mon père, un baiser furtif.

On a surpris quelque chose ce matin, je ne sais pas
quoi, mais ma mère a mis son châle jaune et son
beau chapeau — celui au petit melon et à l'oiseau au
gros ventre. Elle va chez la femme du proviseur.

Elle en revient en se frottant les mains et en balançant joyeusement la tête : à en faire tomber l'oiseau
et le melon.

Dix minutes après, je vois Margoton qui fait ses
paquets et à qui on règle son compte. Elle a laissé
de la viande dans son assiette : qu'y a-t-il ?

Les larmes lui sortent des yeux comme des gouttes
de bouillon.

« Madame, c'était pour le bon motif !

— Pour le bon motif !... dans une cave !... »

Qu'est-ce que c'est que le bon motif ? On ne m'en
dit rien, mais quelques jours après, ma mère parlant
à mon père cause de Margoton.

« Heureusement nous avons eu cette occasion de
la renvoyer sans que le proviseur se fâche. Si elle
n'avait pas eu ce roulier pour amant ! »

Je ne comprends pas.

Il est décidé qu'on ne prendra plus de bonnes qu'on nourrira : ça fatigue trop ma mère !

Je vois arriver un matin une grosse fille, rouge, mais rouge ! avec des taches de rousseur, courte et ronde — une boule. Des yeux qui sortent de la tête, et de l'estomac qui crève sa robe ! Il nous vient beaucoup d'estomac à la maison.

Elle doit venir faire la vaisselle, l'ouvrage sale, et accompagner ma mère au marché pour porter les provisions. Ma mère veut même qu'elle sorte avec moi, pour montrer que nous avons toujours une bonne, qu'il y a une domestique attachée à ma personne. J'obéis, en allant un peu en avant ou en arrière de Pétronille ; c'est son nom. Elle a malheureusement la manie de parler et elle s'accroche à moi ; on nous voit ensemble.

On nous voit, et il arrive qu'un matin, en entrant au collège, on m'appelle *suçon*[1]. Sur les murs des classes, je vois le portrait de mon père avec *suçon* au bas et l'on ne nous nomme plus que les Suçons.

Voici pourquoi.

Pétronille occupe ses heures de loisir à vendre des sucres d'orge dans les rues, et les élèves la connaissent bien. On s'est demandé, en me rencontrant avec elle, quel lien mystérieux nous reliait, et le bruit se répand que nous fabriquons les sucres d'orge la nuit, que mon père a ajouté cette branche d'industrie au professorat.

On dit même qu'ils sont moins bons depuis qu'il est associé à Pétronille.

Comme je m'ennuie ! — Je trouve mal qu'on ne me permette pas de rester à la maison et qu'on me

1. Nom familier donné au sucre d'orge.

force à sortir pour marcher, sans avoir le droit de
ramasser des fleurs. On m'en fait ramasser quelquefois, mais c'est comme si je m'appelais *Munito*[1] —
comme si les fleurs étaient des dominos, que j'ai à
aller chercher sur un coup d'œil ; qu'il faut prendre
comme ceci, puis placer comme cela. Hé ! Munito !

Je me pique dans les orties, je m'enfonce les épines
sous la peau, c'est une corvée, un embêtement ! J'en
arrive à haïr les jardins, à détester les bouquets, à
confondre les fleurs nobles et les fleurs comiques, les
roses et les gratte-cul.

Je dois faire de très grands pas, c'est plus *homme*,
puis ça use moins les souliers. Je fais de grands pas
et j'ai toujours l'air d'aller relever une sentinelle, de
rejoindre un guidon[2], d'être à la revue. Je passe dans
la vie avec la raideur d'un soldat et la rapidité d'une
ombre chinoise.

Et toujours une petite queue d'étoffe par-derrière !

Je voudrais être en cellule, être attaché au pied
d'une table, à l'anneau d'un mur ; mais ne pas aller
me promener avec ma famille, le soir.

J'ai marché ce matin pieds nus, sur un *chose* de
bouteille. (Ma mère dit que je grandis et que je dois
me préparer à aller dans le monde ; elle me demande
pour cela de châtier mon langage, et elle veut que je
dise désormais : *chose* de bouteille, et quand j'écris
je dois remplacer *chose* par un trait.)

J'ai marché sur un *chose* de bouteille et je me suis
entré du verre dans la plante des pieds. Ah ! quel mal

---

1. Nom d'un caniche savant, présenté à Paris en 1818, qui compre-
nait plusieurs langues, jouait aux cartes et aux dominos.
2. *Guidon* : en langage militaire, étendard d'une compagnie, ou celui
qui porte cet étendard.

cela m'a fait ! Le médecin a eu peur en voyant la plaie.

« Vous devez souffrir beaucoup, mon enfant ? »

Oui, je souffre, mais à ce moment le vent a entrouvert ma fenêtre ; j'ai aperçu dans le fond le coin du faubourg, le bout de banlieue, le bord de campagne triste où l'on m'emmène tous les soirs. Je n'irai plus de quelque temps. J'ai le pied coupé. Quelle chance !

Et je regarde avec bonheur ma blessure qui est laide et profonde.

MON ENTRÉE DANS LE MONDE

Ma mère ne se contente pas de me recommander la chasteté pour les mots, elle veut que je joigne l'élégance à la pudeur.

Elle a eu l'idée de me faire donner des leçons de « *comme il faut* ».

Il y a M. Soubasson qui est maître de danse, de chausson et professeur de « *maintien* ».

C'est un ancien soldat, qui boit beaucoup, qui bat sa femme, mais qui nage comme un poisson et a une médaille de sauvetage. Il a retiré de l'eau l'inspecteur d'académie qui allait se noyer. On lui a donné cette *chaire* de chausson et de danse au lycée en manière de récompense et de gagne-pain. Il y a adjoint son cours de *maintien*, qui est très suivi, parce que M. Soubasson a la vue basse, l'oreille dure, aime à *téter*, et qu'en lui portant aux lèvres un biberon plein de *tord-boyaux*, on est libre de faire ce qu'on veut dans son cours.

Dieu sait ce qu'on n'y fait pas !

Mais moi, j'ai des leçons particulières en dehors du lycée. M. Soubasson vient à la maison. Il amène son fils, que mon père saupoudre d'un peu de latin, et en échange M. Soubasson me donne des répétitions de maintien.

Ma mère y assiste.

« Glissez le pied, un, deux, trois — la révérence ! —, souriez !

— Tu entends, Jacques, souris donc ! mais tu ne souris pas ! »

Je ne souris pas ? Mais je n'en ai pas envie.

Il faut essayer tout de même, et je fais la bouche en *chose* de poule.

Ma mère, elle, minaude devant la glace, essaie, cherche, travaille et trouve enfin un sourire qu'elle me présente comme une grimace.

« Tiens, comme cela ! »

Je dois aussi tenir le petit doigt en l'air, ça me fatigue !

« Attention à l'auriculaire », dit toujours M. Soubasson, qui s'est fait indiquer les noms scientifiques des doigts de la main, et qui trouve que le latin est une bien belle chose, vu que c'est toujours avec ce petit doigt qu'il se fouille l'oreille. Il se la fouille même un peu trop à mon idée.

Ce que ma mère me dit de choses blessantes pendant la leçon de maintien, ce que je la fais souffrir dans ses goûts d'élégance, cette femme, à quel point je suis commun et j'ai l'air d'un paysan, non, ce n'est pas possible de le dire ! Je ne puis pas arriver à glisser mon pied ni même à tenir mon petit doigt en l'air !

« Je te croyais fort », dit ma mère, qui sait que je pose un peu comme le *moignon* et qui veut me blesser dans mon orgueil.

Je ne suis pas fort, il paraît, puisque, au bout de dix minutes, l'auriculaire retombe énervé, demandant grâce, crispé comme une queue de rat empoisonné ! Rien que d'y penser, il se tord encore aujourd'hui et j'en ai la chair de poule.

Au bout de deux mois, c'est à peine si je suis en état de faire une révérence à trois glissades ; en tout cas, je suis incapable de parler en même temps. Si je parlais, il me semble que je dirais : *j'avons, jarnigué*[1], *moussu le maire*, parce que je salue comme les villageois dans les pièces. Il me prend des envies, quand je répète avec ma mère, de l'appeler « Nanette » et de lui crier que je m'appelle « Jobin », ce qui est faux, on le sait, et ce qui est mal, je le sens bien !

Il faut pourtant que tout ce temps-là n'ait pas été perdu, que je mette en pratique, tôt ou tard, mes leçons d'élégance et que je fasse plus ou moins honneur à M. Soubasson, à ma mère.

« Jacques, nous irons samedi voir la femme du proviseur. Prépare ton maintien. »

J'en serre l'auriculaire avec frénésie, je fais et refais des révérences, j'en sue le jour, j'en rêve la nuit !

Le samedi arrive, nous allons chez le proviseur en cérémonie.

« Pan, pan !

— Entrez ! »

Ma mère passe la première, je ne vois pas comment elle s'en tire, j'ai un brouillard devant les yeux.

C'est mon tour !

---

1. *Jarnigué* : juron (par contraction de : « Que je renie Dieu »), que l'on rencontre chez les paysans des comédies de Molière.

Mais il me faut de la place, je fais machinalement signe qu'on s'écarte.

La compagnie, stupéfaite, se retire comme devant un faiseur de tours.

On se demande ce que c'est : vais-je tirer une baguette, suis-je un sorcier ? Vais-je faire le saut de carpe ? On attend.

J'entre dans le cercle et je commence :

Une — je glisse.

Deux — je recule.

Trois — je reviens, et je fends le tapis comme un couteau.

C'est un clou de mon soulier.

Ma mère était derrière modestement et n'a rien vu.

Elle me souffle :

« Le sourire, maintenant ! »

Je souris.

« Et il rit, encore ! » murmure, indignée, la femme du proviseur.

Oui, et je continue à éventrer le tapis.

« C'est trop fort ! »

On se rapproche, on m'enveloppe, je suis fait prisonnier. Ma mère demande grâce.

Moi, j'ai perdu la tête et je crie : « Nanette ! Nanette ! »

« Mon avancement est fichu pour cinq ans », dit mon père, le soir en se couchant.

On renvoie M. Soubasson le lendemain, comme un malotru, et nous en faisons tous trois une maladie. Je retourne aux mauvaises manières ; je ne suis pas fâché pour mon petit doigt qui se détend, reprend sa forme accoutumée. Je préfère avoir de mauvaises manières et n'avoir pas l'auriculaire comme une queue de rat empoisonné.

J'ai une *veine* dans mon malheur.

Ma blessure au pied était mal guérie. Elle se rouvre de temps en temps et je mens un peu d'ailleurs pour avoir le droit de ne pas sortir, sous prétexte que je ne puis marcher. Je la gratte même et je la gratterais encore davantage, mais ça me chatouille.

Ce *chose* de bouteille (je vous obéirai, ma mère) m'a rendu un fier service. Je reste à la maison et je ne rôde plus dans des chemins vides, bordés d'arbres, auxquels je ne puis pas grimper, ourlés d'herbe sur laquelle je ne puis pas me rouler, et dans la poussière desquels je traîne, comme un insecte estropié dans la boue.

Je reste devant une table où il y a des livres que j'ai l'air de lire, tandis que je fais des rêves qu'on ne devine point.

Mon père travaille de l'autre côté et ne me gêne pas, excepté quand il se mouche avec trop de fracas. Il a bien, bien soin de son nez.

Je n'ai pas besoin de bûcher beaucoup pour le collège, je suis souvent le premier et je n'ai qu'à faire claquer les feuilles du dictionnaire pour que mon père croie que je cherche des mots, tandis que je cours après des souvenirs de Farreyrolles, du Puy, de Saint-Étienne...

Je trouve une drôle de joie à regarder dans ce passé !

On nous donne quelquefois un paysage à traiter en *narration*. J'y mets mes souvenirs.

« Vous avez fait de mauvais devoirs cette semaine », me dit le professeur, qui n'y retrouve ni du Virgile ni de l'Horace, si ce sont des vers ; ni des

guenilles de Cicéron, si c'est du latin ; ni du Thomas[1]
ni du Marmontel[2], si c'est du français.

Mais je vais arriver à être le dernier un de ces
matins !

Je me sens grandir, j'oublie les *anciens*. Je songe
plus à ce que je deviendrai qu'à ce qu'est devenu tel
empereur romain. Ma *facilité*, mon imagination s'éva-
nouissent, meurent, sont mortes !!! (Bossuet, *Orai-
sons funèbres*[3].)

Un monsieur David, qui est président de l'*Académie poétique* de Nantes, donne de grandes soirées.
Il invite les professeurs et leurs femmes à venir danser chez lui.

C'est un grand salon nu, où il y a le buste de
Socrate sur la cheminée. Une jeune dame le regarde
et dit :

« C'est donc si vilain que ça, un philosophe ? »

Ma mère vient avec mon père, *naturellement*, et
même on m'a amené au commencement.

Notre arrivée est annoncée avec plaisir et est
accueillie avec faveur.

Mon père est, comme toujours, sec, maigre, le nez
en corne, le front comme un toit sur des yeux gris :
on dirait deux prunelles de chat sous une gouttière.
Il a l'air peu commode.

---

1. Antoine-Léonard Thomas (1732-1785), ami de Marmontel, litté-
rateur, est l'auteur d'*Éloges* considérés longtemps comme des modèles
rhétoriques malgré leur emphase.
2. Jean-François Marmontel (1723-1799), protégé de Voltaire, a
publié des poésies, des tragédies, un roman épique (*Bélisaire*, 1767),
des *Éléments de littérature* (1787) et des ouvrages didactiques (*Leçons
d'un père à ses enfants sur la langue française*) qui inspirèrent l'enseignement du français au XIXe siècle.
3. Vallès parodie un passage célèbre de l'*Oraison funèbre d'Henriette
d'Angleterre*, prononcée par Bossuet en 1670 : « Madame se meurt, Madame est morte ! »

Ma mère... hum !... ma mère !... Elle a une robe raisin avec une ceinture jaune ; aux poignets, des nœuds jaunes aussi, un peu bouffants, comme des nœuds de paille à la queue troussée d'un cheval. Rien que ça comme toilette. *Être simple*, c'est sa devise.

Une fois seulement, elle a ajouté l'oiseau de son chapeau — en broche, le bec en bas, le *chose* en l'air. Une fantaisie, un essai, comme la Metternich[1] mit une couleuvre en bracelet.

« Qu'est-ce que cet oiseau fait là ? », demande-t-on.

Il y en avait qui auraient préféré le bec en l'air, le *chose* en bas.

Ma mère faisait la mignonne, agaçant le bec de la bête comme s'il était vivant.

« Ti... ti... le joli petit oiseau, c'est mon *toiseau* ! »

Mon père a obtenu qu'elle laissât l'oiseau sur le chapeau, — le joli *toiseau* !

Mais pour les nœuds, comme il avait voulu y toucher une fois :

« Antoine, avait répondu ma mère, suis-je une honnête femme ? Oui ou non ! Tu hésites, tu ne dis rien ! Ton silence devient une injure !...

— Ma chère amie !

— Tu me crois honnête, n'est-ce pas ?... Jamais tu n'as pu soupçonner que Jacques, notre enfant, provenait d'une source impure, était un fruit gâté, avec un ver dedans ?

« Avec un ver dedans ? reprend-elle. Eh bien, aie confiance. Ta femme a un soupçon de coquetterie, peut-être, — nous sommes filles d'Ève, que veux-tu ?

---

1. Pauline Sandoz, princesse de Metternich, épouse de l'ambassadeur d'Autriche à Paris, sous le Second Empire.

Mais aie confiance, Antoine. Si j'allais trop loin, — je suis ignorante, moi ! — tu aurais le droit de me faire des reproches. Mais, non !... Et ne prends pas pour les hommages d'une flamme coupable les politesses qu'on fait à un brin de toilette et de bon goût. »

Elle tape sur sa jupe et taquine un des nœuds jaunes, puis donne un petit coup sec sur la main de mon père :

« Vilain jaloux ! »

On danse.

« Vous ne dansez pas, Mme Vingtras ?

— Nous sommes trop *vieux*, dit mon père avec un sourire et en saluant.

— Trop *vieux* ! C'est pour moi que tu as dit cela ? » fait ma mère.

La scène se passe dans un coin où elle a acculé Antoine, derrière un rideau.

« Ce ne peut être que pour moi, puisque ce monsieur est plus jeune que sa femme. Antoine, écoute-moi...

— Parle moins haut.

— Je parlerai sur le ton qu'il me plaît. »

Elle élève encore plus la voix.

« Oh ! tu ne me feras pas taire ! Non. Si tu veux m'insulter, je n'ai pas envie de l'être, entends-tu ? Trop *vieux* ! (Elle le toise des pieds à la tête.) Trop *vieux* ! parce que je n'ai pas l'âge de la Brignoline, n'est-ce pas ? »

Je suis sur des épines, et je fais un peu de bruit avec mes pieds, un peu de bruit avec ma bouche. Pour couvrir leurs voix, j'imite dans mon coin des instruments à vent — au risque d'être calomnié !

Enfin, on s'apaise derrière le rideau.

Je ne m'amuse pas aux soirées du proviseur ; on me trouve trop triste. — Je suis habillé à neuf. Seulement on a choisi une drôle d'étoffe, j'ai l'air d'être dans un bas de laine ; c'est terne, à *côtes*, mais si terne !

Comme ça déteint, je fais des taches aux habits des autres.

On s'écarte de moi. Ma mère elle-même ne me parle que de loin, comme à un étranger presque ! — Oh ! mon Dieu !

« Je dan-se-rai », a-t-elle dit ; et elle danse.

Elle embrouille le quadrille, marche sur quelques pieds, mais, bah ! elle sauve tout par de petites plaisanteries et des petits airs ; — une véritable écolière, je vous dis !

Au galop final une idée lui vient, celle de faire partager à son enfant les joies de Terpsichore[1], et s'éloignant du galop une seconde, elle me saisit et m'attire dans le tourbillon. Le galop est fini que je saute encore, et elle a l'air d'un Savoyard qui fait danser une marionnette. — Ça me fait si mal sous les bras !

Depuis quelque temps elle est rêveuse.

« Ta mère a quelque idée en tête », fait mon père du ton d'un homme qui prévoit un malheur.

Elle s'enferme toute seule et on entend des bruits, des petits cris, des tressaillements de plancher ; on l'a surprise à travers la porte qui faisait des grâces devant un miroir, en s'appuyant le front.

Soirée chez M. David. La femme du professeur d'histoire, qui est d'origine espagnole, esquisse un

---

1. Muse de la Danse : référence mythologique plaisante dans ce contexte.

fandango assez leste, eh ! eh ! quoique revu et corrigé comme les morceaux choisis par l'archevêque
de Tours.

La femme du professeur d'allemand, une Alsa-
cienne, chante un *titi la itou, la itou la la,* en valsant
une valse du pays.

C'est fini. Elle se repose sur la banquette et le cercle où l'on vient de danser est vide.

On entend un petit cri.

Eh ! youp ! eh ! youp !

Mon père, qui est en face de moi, a l'air frappé
d'un coup de sang, et je vais *voler dans ses bras.*

Eh ! youp ! eh ! youp ! la Catarina ! eh ! youp !

En même temps une apparition traverse le salon
et tourne sur le parquet.

L'apparition chante :

> *Ché la bourra, la la !*
> *Oui, la bourra, fouchtra !*

Et la voix devenant énergique, presque biblique,
dit tout d'un coup :

« *Anyn*[1], mon homme ! »

Cet homme, c'est *Antoine* qui au premier *youp !
youp !* avait pressenti le danger, — c'est mon père
qui est entraîné comme je le fus le jour des marion-
nettes.

« *Anyn*, mon homme, *anyn* ! »

Et ma mère le plante devant elle, en le gourman-
dant de sa *mollèche* — à la *chtupéfacchion*[2] de l'assistance, qui n'a pas été prévenue.

« Eh chante ! chante donque ! »

1. Voir n. 2, p. 93.
2. Mots ostensiblement déformés par l'accent auvergnat : le son *s*
devient *ch.*

J'ai peur qu'on *chonge* à moi aussi, et je disparais dans les cabinets. Toute la soirée, je répondis :

« *Il y a quelqu'un !...* »

La nuit me trouva harassé, vide !

Je sortis enfin quand la dernière lampe fut éteinte, et je revins au logis, où l'on ne pensait pas à moi.

Ma mère seule avec mon père murmurait à son oreille :

« Eh bien ! Est-ce que la bourrée ne vaut pas le fandango ? »

Et elle ajouta d'une voix un peu tremblante :

« Dis-moi *cha* ! »

C'était la mutinerie dans la fierté, l'espièglerie dans le bonheur !

Tout se gâte.

Mon père — Antoine — n'a plus voulu aller dans le monde avec ma mère.

La soirée de la bourrée lui a complètement tourné la tête, elle s'est grisée avec son succès ; restant dans la veine trouvée, s'entêtant à suivre ce filon, elle parle *charabia*[1] tout le temps, elle appelle les gens *mouchu* et *monchieu*.

Mon père à la fin lui interdit formellement l'auvergnat.

Elle répond avec amertume :

« Ah ! c'est bien la peine d'avoir reçu de l'éducation pour être jaloux d'une femme qui n'a pour elle que son *esprit naturel* ! Mon pauvre ami, avec ta latinasserie et ta grécaillerie, tu en es réduit à défendre à ta femme, qui est de la campagne, de *t'éclipser* ! »

---

1. À l'origine, le mot s'appliquait au patois auvergnat, avant de désigner, par extension, tout langage incompréhensible.

L'Enfant

Les querelles s'enveniment.

« Tu sais, Antoine, je t'ai fait assez de sacrifices, n'en demande pas trop ! Tu as voulu que je ne dise plus *estatue*, je l'ai fait. Tu as voulu que je ne dise plus *ormoire*, je ne l'ai plus dit, mais ne me pousse pas à bout, vois-tu, ou je recommence. »

Elle continue :

« Et d'abord ma mère disait *estatue*... elle était aussi respectable que la tienne, sache-le bien ! »

Mon père se trouve menacé de tous côtés, entre *estatue* et *mouchu*.

Il met les pieds dans le plat et défend l'un et l'autre.

Ma mère se venge en l'injuriant ; elle cherche des mots qui le blessent : *es*cargot — *es*pectacle ! *es*to-mac — *es*quelette ! Ces diphtongues entrent pro-fondément dans le cœur de mon père. Le samedi suivant, il s'habille sans mot dire et va en soirée sans elle.

Le samedi d'après, même jeu, mais à minuit ma mère vient me réveiller.

« Lève-toi, tu vas aller attendre ton père à la porte de chez M. David, et quand il sortira tu crieras : *La la, fouchtra* ! J'arriverai, tu nous laisseras. »

J'ai crié : *La la, fouchtra* ! j'ai eu tort.

Elle lui fait une scène devant tout le monde, tout haut, disant qu'il laisse mourir sa famille de faim pour courir les bals.

« Il a un bien gros derrière pour un enfant qui meurt de faim, dit quelqu'un.

— Oui, répète ma mère, il nous laisse mourir de faim. »

Nous avons mangé une grosse soupe à dîner, puis des andouilles ; pour finir, il y a eu du lapin. Moi, je ne meurs pas de faim ; elle a beaucoup mangé aussi.

Ma mère crie toujours.

« Mon enfant n'a pas une chemise à se mettre sur le dos, voyez comme il est mis ! »

Je ne suis pas en noir aujourd'hui, je suis en habit gris, pantalon gris ; je ressemble à un infirmier.

Le monde s'amasse, mon père veut glisser sous une voiture, s'égare entre les jambes des chevaux. Il faut le tirer de là-dessous.

Il reparaît enfin ; son chapeau de soirée est écrasé et a l'air d'un accordéon. Ma mère lui prend le bras comme ferait un sergent de ville.

« Viens, mon enfant, ajoute-t-elle, en me parlant avec des larmes. Viens, dis-lui que tu es son fils ! »

Il le sait bien ; est-ce qu'il ne m'a pas reconnu ? Est-ce que je suis changé depuis sept heures ?

Tout le long du chemin, je tâche de trouver à la porte des modistes ou des tailleurs une glace, pour voir quelle figure j'ai depuis que je meurs de faim.

TU, VOUS

La maison est redevenue morne presque autant que jadis, du temps de Mme Brignolin, quand c'était si triste. Mon père ne va plus en soirée, il va je ne sais où.

Ma mère, un soir, m'a ordonné de le suivre en me cachant. Mais mon père est arrivé au même moment.

Je me tenais devant elle, tout craintif, tout honteux, me disant tout bas : Est-ce que c'est bien d'espionner son père ?

« Voulez-vous donc faire un policier de votre fils ?
a-t-il dit. J'ai entendu ce que vous lui recomman-
diez. »

Ce *vous* la fit pâlir. Jamais elle ne m'en reparla
depuis.

Elle essaie de rattraper par quelque bout le terrain
qu'elle perd, on le sent à l'accent, on le voit au geste.

« C'est que, dit-elle, ce n'est pas gai d'être éveillé
tous les soirs quand *tu* rentres...

— Je ne *vous* réveillerai plus », répond mon père.

Le soir de ce jour-là, mon père alla chercher un
matelas et un pliant dans le grenier.

On n'entendit plus de bruit dans la maison. Nous
vivions chacun dans notre coin, et l'on se parlait à
peine.

Les femmes de ménage au bout de huit jours par-
taient, disant qu'on jaunissait dans cette baraque.

« Comme c'est triste là-dedans ! » C'était le pro-
verbe du quartier.

Il y a longtemps que cela dure. Ma mère m'oblige
à lui tenir compagnie le soir, et je lui lis des choses
saintes, dans sa chambre, à la lueur d'une mauvaise
chandelle, près d'un feu sans flamme.

Il n'est question que d'enfer et de douleur. — C'est
toujours des désolations dans ces livres d'église.

Une scène !

Mon père, en retournant une vieille malle, a découvert quelque chose de lourd, de sonnant.

C'est un bas plein jusqu'à la cheville de pièces de
cent sous.

Il est en train de s'étonner, quand ma mère entre
comme une furie et se jette sur le bas pour le lui
arracher.

« C'est à moi, cet argent-là. Je l'ai économisé sur ma toilette. »

Mon père ne lâche pas, ma mère crie :

« Jacques, aide-moi ! »

Moi je ne sais que crier et dire en allant de l'un à l'autre :

« Papa ! Maman ! »

Mon père reste maître du sac et l'enferme dans son armoire.

Ils se sont raccommodés !

Ma mère est tout simplement allée trouver mon père et lui a dit :

« Je ne puis plus vivre comme cela, j'aime mieux partir — retourner chez ma sœur, emmener mon enfant. »

Mais elle ne veut pas s'en aller, et elle finit par le dire tout haut, par l'avouer à Antoine, à qui elle confesse qu'elle a eu tort — et lui demande d'oublier.

Il en a assez lui aussi, sans doute, et il ne se défend que pour la forme, il se fait un peu tirer l'oreille ; il est flatté qu'on lui demande grâce ; c'est le fond de sa nature, qu'on s'agenouille devant lui ; et maintenant qu'il est sûr d'être le maître, qu'elle a lâché pied, il préfère s'évader de la gêne où le mettait tant de tristesse et de silence.

« Faut-il reporter le pliant et le matelas au grenier, dis, papa ? »

J'ai regret de ce que j'ai dit, je les vois embarrassés.

« Jacques, répond mon père, tu peux aller jouer avec le petit du premier. »

XIX

LOUISETTE[1]

M. Bergougnard a été le camarade de classe de mon père.

C'est un homme osseux, blême, toujours vêtu sévèrement.

Il était le premier en dissertation, mon père n'était que le second, mais mon père redevenait le *preu*[2] en vers latins. Ils ont gardé l'un pour l'autre une admiration profonde, comme deux hommes d'État qui se sont combattus, mais ont pu s'apprécier.

Ils ont tous les deux la conviction qu'ils sont nés pour les grandes choses, mais que les nécessités de la vie les ont tenus éloignés du champ de bataille.

Ils se sont partagé le domaine.

« Toi, tu es l'Imagination, dit Bergougnard, une imagination brûlante... »

Mon père se rengorge et se donne un mal du diable pour se mettre un éclair dans les yeux, il jette un regard un peu trouble dans l'espace — et se dépeigne en cachette.

« Tu es l'Imagination folle... »

Mon père joue l'égarement et fait des grimaces terribles.

« Moi, reprend Bergougnard, je suis la Raison froide, glacée, implacable. » Et il met sa canne toute droite entre ses jambes.

---

1. Personnage douloureusement marqué, pour Vallès, par le double souvenir de sa sœur Marie-Louise, morte en 1859, et de sa fille Jeanne-Marie, morte à l'âge de dix mois en 1875.
2. Premier, en langage d'écolier.

Il ajuste en même temps, sur un nez jaunâtre, piqué de noir comme un dé, il ajuste une paire de lunettes blanches qui ressemblent à des lentilles solaires, et m'effraient pour mon habit un peu sec.

On croit qu'elles vont faire des trous. Je me demande même quelquefois si elles ne lui ont pas cuit les yeux, qui ont l'air d'une grosse tache noire, là-dessous.

« Je suis la Raison froide, glacée, implacable... »

Il y tient. Il dit cela presque en grinçant des dents, comme s'il écrasait un dilemme et en mâchait les cornes.

Il a été dans l'Université aussi, ça se voit bien ; mais il en est sorti pour épouser une veuve, — qui crut se marier à un grand homme et lui apporta des petites rentes, avec lesquelles il put travailler à son grand livre *De la raison chez les Grecs.*

Il y travaille depuis trois ans ; toujours en ayant l'air de grincer des dents ; il tord les arguments comme du linge, il veut raisonner serré, lui, il ne veut pas d'une logique lâche, — ce qui le constipe, il paraît, et lui donne de grands maux de tête.

« Le cerveau, vois-tu, dit-il à mon père, en se tapant le front avec l'index...

— Pas le cerveau », dit le médecin, qui croit à une affection du gros intestin ; si bien qu'il ne sait pas au juste si M. Bergougnard est philosophe parce qu'il est constipé, ou s'il est constipé parce qu'il est philosophe.

On en parle ; il s'élève quelques petites discussions très aigres à ce propos dans les cafés. Le cerveau a ses partisans.

Ma mère s'était d'abord prononcée avec violence.

Mon père, un certain jour, avait eu l'idée de prendre M. Bergougnard comme orateur et de le dépêcher

à elle, solennel, les dents menaçantes, venant, avec
l'arme de la raison, essayer de la convaincre qu'elle
s'écartait quelquefois, vis-à-vis de son mari, des lois
du respect tel que les Anciens et les Modernes l'ont
compris, en lui faisant des scènes dont on n'avait
pas l'équivalent dans les grands classiques.

« Je viens vous poser un dilemme.

— Vous feriez mieux de vous mettre des sina-
pismes[1] quelque part. »

Il était parti, et il ne serait jamais revenu si ma
mère n'avait surmonté ses répugnances à cause de
moi.

Elle mit sa réponse un peu verte sur le compte
d'une gaieté de paysanne qui aime à *rire un brin*, et
elle qui ne faisait jamais d'excuses, en avait fait
pour que M. Bergougnard revînt — dans mon intérêt — par amour pour son fils.

C'est pour son Jacques qu'elle s'abaissait jusqu'à
l'excuse, et faisait encore asseoir près d'elle, — autant
que s'asseoir se pouvait, — cette statue vivante de la
constipation.

Pour moi, oui ! — parce que M. Bergougnard
m'apprenait, me montrait dans les textes, me prouvait, livre en main, que les philosophes de la vieille
Grèce et de Rome battaient leurs fils à tour de
bras ; il rossait les siens au nom de Sparte et de
Rome, — Sparte les jours de gifles, et Rome les jours
de fessées.

Ma mère, malgré son antipathie, par amour pour
son Jacques, s'était rejetée dans les bras horrible-
ment secs de M. Bergougnard, qui avait les entrailles
embarrassées, comme homme, mais qui n'en avait

1. *Sinapisme* : cataplasme à base de farine de moutarde, que l'on
pose sur une partie du corps.

pas comme philosophe, et qui mouillait des chemises à graver les principes de la philosophie sur le *chose* de ses enfants, — comme on cloue une enseigne, comme on plante un drapeau.

Ma mère avait deviné que je n'avais pas la foi cutanée.

« Demande à M. Bergougnard ! vois M. Bergougnard, regarde les côtes du petit Bergougnard ! »

En effet, après avoir mis quatre ou cinq fois le nez dans le ménage de M. Bergougnard, je trouvais ma situation délicieuse à côté de celles dans lesquelles les petits Bergougnard étaient placés journellement : tantôt la tête entre les jambes de leur père, qui, du même coup, les étranglait un peu et les fouettait commodément ; tantôt en face, enlevés par les cheveux et épousetés à coups de canne, mais à fond, — jusqu'à ce qu'il n'y eût plus de cheveux ou de poussière.

On entendait quelquefois des cris terribles sortir de là-dedans.

Des hommes du pays montraient la Villa Bergougnard à des illustrations :

« C'est là que demeure le philosophe, disaient-ils en étendant les bras vers la villa, — c'est là que M. Bergougnard écrit : *De la raison chez les Grecs…* C'est la maison du sage. »

Tout d'un coup ses fils apparaissaient à la fenêtre en se tordant comme des singes et en rugissant comme des chacals.

Oui, les coups qu'on me donne sont des caresses à côté de ceux que M. Bergougnard distribue à sa famille.

M. Bergougnard ne se contente pas de battre son fils pour son bien — le bien de Bonaventure ou de Barnabé — et pour son plaisir à lui, Bergougnard.

Il n'est pas égoïste et personnel, — il est dévoué à une cause, c'est à l'humanité qu'il s'adresse, en relevant d'une main la chemise de Bonaventure, en faisant signe de l'autre aux savants qu'il va exercer son système.

Il donne une fessée comme il tire un coup de canon, et il est content quand Bonaventure pousse des cris à faire peur à une locomotive.

Il aurait apporté aux rostres[1] le derrière saignant de son fils ; en Turquie, il l'eût planté comme une tête au bout d'une pique, et enfoncé à la grille devant le palais.

Je ne suis qu'un isolé, un déclassé, un inutile — je ne sers à rien —, on me bat, je ne sais pas pourquoi, tandis que Bonaventure est un exemple et entre *à reculons*, mais profondément dans la philosophie.

Je ne plains pas Bonaventure.

Bonaventure est très laid, très bête, très méchant. Il bat les petits comme son père le bat, il les fait pleurer et il rit. Il a coupé une fois la queue d'un chat avec un rasoir et on la voyait dégoutter comme un bâton de cire à la bougie ; il faisait mine de cacheter les lettres avec les gouttes de sang. Une autre fois, il a plumé un oiseau vivant.

Son père était bien content.

« Bonaventure aime à se rendre compte, Bonaventure aime la science... »

---

1. Dans la Rome antique, tribune aux harangues, ornée des éperons (en latin, *rostra*) pris aux navires ennemis. Pendant les guerres civiles, on y exposait les têtes des adversaires exécutés.

Depuis qu'il a coupé la queue du chat, depuis qu'il a plumé l'oiseau, je le déteste. Je le laisserais écraser à coups de pierre comme un crapaud. Est-ce que je suis cruel aussi ? L'autre jour il tordait le poignet d'un mioche ; je l'ai bourré de coups de pied et tapé le nez contre le mur.

Mais sa petite sœur ! — ô mon Dieu !

Elle était restée chez une tante, au pays. La tante est morte, on a renvoyé l'enfant. Pauvre innocente, chère malheureuse !

Mon cœur a reçu bien des blessures, j'ai versé bien des larmes ; j'ai cru que j'allais mourir de tristesse plus d'une fois, mais jamais je n'ai eu devant l'amour, la défaite, la mort, des affres de douleur, comme au temps où l'on tua Louisette devant moi.

Cette enfant, qu'avait-elle donc fait ? On avait raison de me battre, moi, parce que, quand on me battait, je ne pleurais pas, — je riais quelquefois même parce que je trouvais ma mère si drôle quand elle était bien en colère, — j'avais des os durs, du *moignon*, j'étais un homme.

Je ne criais pas, pourvu qu'on ne me cassât pas les membres — parce que j'aurais besoin de gagner ma vie.

« Papa, je suis un pauvre, ne m'estropie pas ! »

Mais la mignonne qu'on battait, et qui demandait pardon, en joignant ses menottes, en tombant à genoux, se roulant de terreur devant son père qui la frappait encore... toujours !...

« Mal, mal ! Papa, papa ! »

Elle criait comme j'avais entendu une folle de quatre-vingts ans crier en s'arrachant les cheveux, un jour qu'elle croyait voir quelqu'un dans le ciel qui voulait la tuer !

Le cri de cette folle m'était resté dans l'oreille, la voix de Louisette, folle de peur aussi, ressemblait à cela !

« Pardon, pardon ! »

J'entendais encore un coup ; à la fin je n'entendais plus rien qu'un bruit étouffé, un râle.

Une fois, je crus que sa gorge s'était cassée, que sa pauvre petite poitrine s'était crevée, et j'entrai dans la maison.

Elle était à terre, son visage tout blanc, le sanglot ne pouvant plus sortir, dans une convulsion de terreur, devant son père froid, blême, et qui ne s'était arrêté que parce qu'il avait peur, cette fois, de l'achever.

On la tua tout de même. Elle mourut de douleur à dix ans. . . . .
De douleur !... comme une personne que le chagrin tue.

Et aussi du mal que font les coups !

On lui faisait si mal ! et elle demandait grâce en vain.

Dès que son père approchait d'elle, son brin de raison tremblait dans sa tête d'ange. . . . .

Et on ne l'a pas guillotiné, ce père-là ! On ne lui a pas appliqué la peine du talion à cet assassin de son enfant, on n'a pas supplicié ce lâche, on ne l'a pas enterré vivant à côté de la morte !

« Veux-tu bien ne pas pleurer », lui disait-il, parce qu'il avait peur que les voisins entendissent, et il la cognait pour qu'elle se tût : ce qui doublait sa terreur et la faisait pleurer davantage[1].

---

1. Vallès se rappelle dans *Le Cri du peuple* du 27 octobre 1884 la rédaction de ce passage : « Le jour où je racontai la mort de Louisette, j'eus une explosion de douleur, comme si le cadavre eût été là, devant moi. » (*Œuvres*, Bibl. de la Pléiade, t. II, p. 1404).

Elle était gentille, toute gaie, toute contente, si rose, quand elle arriva.

Au bout de quelque temps, elle n'avait plus de couleurs déjà, et elle avait des frissons comme un chien qu'on bat, quand elle entendait rentrer son père.

Je l'avais embrassée en caressant ses joues rondes et tièdes ! aux Messageries, où nous avions accompagné M. Bergougnard, pour la recevoir comme un bouquet.

Dans les derniers temps (ah ! ce ne fut pas long, heureusement pour elle !) elle était blanche comme la cire ; je vis bien qu'elle savait que toute petite encore elle allait mourir — son sourire avait l'air d'une grimace. — Elle paraissait si vieille, Louisette, quand elle mourut à dix ans, — de douleur, vous dis-je !

Ma mère vit mon chagrin le jour de l'enterrement.

« Tu ne pleurerais pas tant, si c'était moi qui étais morte ? »

Ils m'ont déjà dit ça quand le chien est crevé.

« Tu ne pleurerais pas tant. »

Je ne dis rien.

« Jacques ! quand ta mère te parle, elle entend que tu lui répondes... — Veux-tu répondre ? »

Je n'écoute seulement pas ce qu'ils disent, je songe à l'enfant morte, qu'ils ont vu martyriser comme moi, et qu'ils ont laissé battre, au lieu d'empêcher M. Bergougnard de lui faire du mal ; ils lui disaient à elle qu'elle ne devait pas être méchante, faire de la peine à son papa !

Louisette, méchante ! cette miette d'enfant, avec cette voix tendre et ce regard mouillé !

Voilà que mes yeux s'emplissent d'eau, et j'embrasse je ne sais pas quoi, un bout de fichu, je crois,
que j'ai pris au cou de la pauvre assassinée.

« Veux-tu lâcher cette saleté ! »

. . . .

Ma mère se précipite sur moi. Je serre le fichu
contre ma poitrine ; elle se cramponne à mes poignets avec rage.

« Veux-tu le donner !

— C'était à Louisette...

— Tu ne veux pas ? — Antoine, vas-tu me laisser
traiter ainsi par ton fils ? »

Mon père m'ordonne de lâcher le fichu.

« Non, je ne le donnerai pas.

« Jacques ! », crie mon père, furieux.

Je ne bouge pas.

« Jacques ! » Et il me tord le bras.

Ils me volent ce bout de soie que j'avais de Louisette.

« Il y a encore une saleté dans un coin que je vais
faire disparaître aussi », dit ma mère.

C'est le bouquet que me donna ma cousine.

Elle l'a trouvé au fond d'un tiroir, en fouillant un
jour.

Elle va le chercher, l'arrache et le *tue*. Oui, il me
sembla qu'on *tuait* quelque chose en déchirant ce
bouquet fané...

J'allai m'enfermer dans un cabinet noir pour les
maudire tout bas ; je pensais à Bergougnard et à
ma mère, à Louisette et à la cousine...

Assassins ! assassins !

Cela sortait de ma poitrine comme un sanglot, et
je le répétai longtemps dans un frisson nerveux...

Je me réveillai, la nuit, croyant que Louisette était là, assise avec son drap de morte, sur mon lit. Il y avait son bras grêle qui sortait, avec des marques de coups !...

XX

MES HUMANITÉS

Comme mon professeur de cette année[1] est *serin*[2].

Il sort de l'École normale, il est jeune, un peu chauve, porte des pantalons à sous-pieds et fait une traduction de Pindare[3]. Il dit *arakné*[4] pour araignée, et quand je me baisse pour rentrer mes lacets dans mes souliers, il me crie : « Ne portez pas vos extrémités digitales à vos *cothurnes*[5]. » De beaux cothurnes, vrai, avec des caillots de crottes et des dorures de fumier.

Je vais toujours rôder dans une écurie qui est près de chez nous et où je connais des palefreniers, avant d'entrer en classe, et je n'ai pas seulement du crottin aux pieds, j'en dois avoir aussi dans mes livres.

Il dit *cothurnes* et *arakné* avec un bout de sourire, pour qu'on ne se moque pas trop de lui, mais il y croit au fond, cela se voit, il aime ces allusions antiques, *je le sais* (imité de Bossuet).

1. En 1846-1847, au collège royal de Nantes, Vallès a pour professeur, en seconde, Auguste Damien.
2. Nigaud, imbécile.
3. Poète grec (ve siècle av. J.-C.).
4. *Araignée* en grec.
5. Chaussures montantes à semelles épaisses des acteurs de tragédie, dans l'Antiquité grecque.

Il m'aime, parce que je trousse bien le vers latin.

« Quelle imagination il a, et quelle facilité ! Minerve[1] est sa marraine !

— Tante Agnès, dit ma mère.

— Tantagnès, Tantagnétos, Tantagnététon[2].

— Vous dites, fait Mme Vingtras, qui semble effrayée par une de ces consonances, et a rougi du génitif pluriel !

— Quelle imagination ! » répète le professeur pour se sauver.

Et je laisse dire que je suis intelligent, que j'ai *des moyens*.

JE N'EN AI PAS !

On nous a donné l'autre jour comme sujet, — « Thémistocle[3] haranguant les Grecs ». — Je n'ai rien trouvé, rien, rien !

« J'espère que voilà un beau sujet, hé ! » a dit le professeur en se passant la langue sur les lèvres — une langue jaune, des lèvres crottées.

C'est un beau sujet certainement, et, bien sûr, dans les petits collèges[4], on n'en donne pas de comme ça ; il n'y a que dans les collèges royaux, et quand on a des élèves comme moi.

Qu'est-ce que je vais donc bien dire ?

« Mettez-vous à la place de Thémistocle. »

Ils me disent toujours qu'il faut se mettre à la place

1. Déesse de la sagesse.
2. Le professeur décline *Tantagnès* en le prenant pour un nom grec, avec génitif singulier en -*tos* et génitif pluriel en -*tétôn*. On comprend que Mme Vingtras soit choquée par la « consonance » du génitif pluriel, surtout si Vallès, prenant un peu de libertés avec le grec cette fois, invite à prononcer *téton* et non *tétôn*...
3. Homme d'État athénien (vᵉ siècle av. J.-C.), artisan de la victoire de Salamine contre les Perses (480 av. J.-C.).
4. Les « collèges communaux », qui dépendent des municipalités, par opposition aux grands « collèges royaux ».

de celui-ci, de celui-là, — avec le nez coupé comme Zopyre[1] ? avec le poignet rôti comme Scévola[2] ?

C'est toujours des généraux, des rois, des reines !

Mais j'ai quatorze ans, je ne sais pas ce qu'il faut faire dire à Annibal[3], à Caracalla[4], ni à Torquatus[5], non plus !

Non, je ne le sais pas !

Je cherche aux adverbes, et aux adjectifs du *Gradus*[6] et je ne fais que copier ce que je trouve dans l'*Alexandre*[7].

Mon père l'ignore, je n'ai pas osé l'avouer.

Mais lui, lui-même ! (oh ! je vends un secret de famille !) j'ai vu que ses exercices à lui, pour l'agrégation, étaient faits aussi de pièces et de morceaux. — Sommes-nous une famille de crétins ?...

Quelquefois il compose un discours où il faut faire parler une femme. — Les plaintes d'Agrippine[8], Aspasie à Socrate[9], Julie à Ovide[10].

1. Satrape perse fidèle à Darius ; afin de pénétrer dans Babylone assiégée, il se coupa le nez pour apparaître comme une victime de Darius et inspirer confiance à l'ennemi, qui ouvrit ainsi les portes de la ville à l'armée perse (519 av. J.-C.).
2. *Mucius Scaevola* : héros légendaire de l'Antiquité romaine ; il se fit brûler le poignet droit pour se punir de n'avoir pu tuer le roi étrusque, Porsenna, qui assiégeait Rome (507 av. J.-C.).
3. Ou *Hannibal* : général et homme d'État carthaginois (247-183 av. J.-C.), il déclencha la deuxième guerre punique et remporta d'importantes victoires en Italie avant d'être vaincu par les Romains (voir n. 2, p. 203).
4. Empereur romain (188-217) qui étendit le droit de cité à tout l'Empire et qui fit construire à Rome des thermes célèbres.
5. *Titus Manlius Torquatus* : consul à Rome en 340 av. J.-C., il imposa une discipline si rigoureuse qu'il fit trancher la tête de son fils qui avait combattu sans son ordre.
6. Voir n. 1, p. 216.
7. Voir n. 2, p. 216.
8. Mère de l'empereur Néron, qui la fit assassiner (Ier siècle ap. J.-C.).
9. Aspasie, maîtresse de Périclès, et le philosophe Socrate sont effectivement contemporains : ils ont vécu à Athènes au Ve siècle av. J.-C.
10. Rapprochement également vraisemblable du point de vue de la chronologie, même s'il relève comme le précédent de l'artifice scolaire et du jeu rhétorique : Julie, fille de l'empereur Auguste, a vécu de 39 av. J.-C. à 14 ap. J.-C. ; le poète Ovide de 43 av. J.-C. à 17 ou 18 ap. J.-C.

Je le vois qui se gratte le front, et il touche sa barbe avec horreur ; — il est Agrippinus, Aspasios[1], il n'est pas Aspasie, il n'est pas Agrippine, — il se tord les poils et les mord, désespéré !

Je sens toute l'infériorité de ma nature et j'en souffre beaucoup.

Je souffre de me voir accablé d'éloges que je ne mérite pas, on me prend pour un fort, je ne suis qu'un simple filou. Je vole à droite, à gauche, je ramasse des *rejets*[2] au coin des livres. Je suis même malhonnête quelquefois. J'ai besoin d'une épithète ; peu m'importe de sacrifier la vérité ! Je prends dans le dictionnaire le mot qui fait l'affaire, quand même il dirait le contraire de ce que je voulais dire. Je perds la notion du juste ! Il me faut mon spondée ou mon dactyle[3], tant pis ! — la *qualité* n'est rien, c'est la *quantité* qui est tout.

Il faut toujours être près du Janicule[4] avec eux.

Je ne puis cependant pas me figurer que je suis un Latin.

Je ne puis pas !

Ce n'est pas dans les latrines de Vitellius[5] que je vais, quand je sors de la classe. Je n'ai pas été en Grèce non plus ! Ce ne sont pas les lauriers de Miltiade[6] qui me gênent, c'est l'oignon qui me fait du

1. Vallès s'amuse à transposer au masculin les deux noms féminins avec les terminaisons du latin *(-us)* et du grec *(-os)*.
2. *Rejet* : en poésie versifiée, bref élément « rejeté » en début de vers alors qu'il est syntaxiquement lié au vers précédent.
3. En métrique latine, le *spondée* est l'unité rythmique composée de deux syllabes longues, le *dactyle* d'une longue suivie de deux brèves. Il s'agit donc bien d'un souci prioritaire de la *quantité* (Vallès souligne le mot parce qu'il joue sur son sens) dans la répartition des syllabes.
4. Colline de Rome, à l'ouest du Tibre.
5. Empereur de Rome (15-69) ; il s'était caché dans des latrines après avoir été vaincu par Vespasien.
6. Héros athénien (540-489 av. J.-C.), vainqueur des Perses à la bataille de Marathon.

mal. Je me vante, dans mes narrations, de blessures que j'ai reçues par-devant, *adverso pectore*[1] ; j'en ai bien reçu quelques-unes par-derrière.

« Vous peindrez la vie romaine comme ci, comme ça... »

Je ne sais pas comment on vivait moi ! je fais la vaisselle, je reçois des coups, j'ai des bretelles, je m'ennuie pas mal ; mais je ne connais pas d'autre consul que mon père, qui a une grosse cravate, des bottes ressemelées, et en fait de vieille femme (*anus*[2]), la mère Gratteloux qui fait le ménage des gens du second.

Et l'on continue à dire que j'ai de la facilité.

C'est trop d'hypocrisie. Oh ! le remords m'étouffe !...

Il y a M. Jaluzot, le professeur d'histoire, que tout le monde aime au collège. On dit qu'il est riche *de chez lui*, et qu'il a son franc-parler. C'est un bon garçon.

Je me jette à ses pieds et je lui dis tout.

« M'sieu Jaluzot !

— Quoi donc, mon enfant ?

— M'sieu Jaluzot ! »

Je baigne ses mains de mes larmes.

« J'ai, m'sieu, que je suis un filou ! »

Il croit que j'ai volé une bourse et commence à rentrer sa chaîne.

Enfin j'avoue mes vols dans *Alexandre*[3], et tout ce que j'ai réavalé de *rejets*, je dis où je prends le derrière de mes vers latins.

« Relevez-vous, mon enfant ! Avoir ramassé ces épluchures et fait vos compositions avec ? Vous n'êtes

1. En latin, littéralement, « la poitrine de face ».
2. *Anus* : en latin, « vieille femme ».
3. Voir n. 2, p. 216.

au collège que pour cela, pour mâcher et remâcher ce qui a été mâché par les autres.

« — Je ne me mets jamais à la place de Thémistocle ! »

C'est l'aveu qui me coûte le plus.

M. Jaluzot me répond par un éclat de rire, comme s'il se moquait de Thémistocle. On voit bien qu'il a de la fortune.

Pour la *narration française*, je réussis aussi par le retapage et le ressemelage, par le mensonge et le vol.

Je dis dans ces narrations qu'il n'y a rien comme la patrie et la liberté pour élever l'âme.

Je ne sais pas ce que c'est que la liberté, moi, ni ce que c'est que la patrie. J'ai été toujours fouetté, giflé, — voilà pour la liberté ; — pour la patrie, je ne connais que notre appartement où je m'embête, et les champs où je me plais, mais où je ne vais pas.

Je me moque de la Grèce et de l'Italie, du Tibre et de l'Eurotas[1]. J'aime mieux le ruisseau de Farreyrolles, la bouse des vaches, le crottin des chevaux, et ramasser des pissenlits pour faire de la salade.

RÉCITATION CLASSIQUE ET DÉBIT

« Plus fort, mon enfant ! »

C'est ma mère qui parle, elle a bien de la douceur aujourd'hui ! « Plus fort » est dit comme par une sœur d'hôpital à un malade dont on tient le front brûlant : « plus fort ! là ! du courage ! c'est bien ! »

---

1. Le *Tibre* coule à Rome, l'*Eurotas* à Sparte. Les deux fleuves symbolisent donc l'Antiquité gréco-latine.

Je retombe exténué sur un fauteuil, les bras pendants et mous comme un lapin mort ; j'ai même, comme le lapin assassiné, une goutte de sang au bout du museau ; puis, tout autour, la peau est rougeâtre et lisse comme une pelure d'oignon, lisse, lisse !... Si j'avais quelques petits poils qui faisaient les fous, ils sont partis, noyés, tant il m'a passé d'eau dans les narines depuis ce matin !

C'est qu'aujourd'hui on compose en *récitation classique et débit*, et ma mère veut que j'aie le prix.

Pour cela, il faut non seulement savoir, mais *bien dire* ; et un nez vigoureusement clarifié permet d'avoir la voix claire.

On m'a clarifié le nez.

Ma mère l'a pris et l'a mis dans l'eau ; il est resté là longtemps, longtemps ! oh ! les minutes étaient des siècles. Enfin elle l'a retiré bien proprement et m'a dit :

« Renifle, mon enfant ! renifle ! »

Je ne pouvais plus.

« Fais un effort, Jacques ! »

Je l'ai fait.

Seringue molle, mon nez a tiré et craché l'eau pendant une demi-heure, peut-être plus, et il me semble qu'on m'a vidé et que ma tête tient à mon cou comme un ballon rose à un fil ; le vent la balance. J'y porte la main. « Où est-elle ? — Ah ! la voilà ! »

Il n'y a que le nez qui compte ; il me cuit comme tout et il flambe comme un bouchon de carafe.

Je m'y attache, je le prends par le bout, moi-même, et je me conduis comme cela, sans me brusquer, jusqu'à mon pupitre, où je repasse ma leçon.

Quelquefois le but est manqué, mon nez dégoutte dans tous les sens, il en tombe des perles d'eau comme d'un torchon pendu, et je dis : « Baban ».

BABAN, pour appeler celle qui m'a donné le jour !

Oh ! baban, ba père ! pour dire : « Maman, ma mère. »

En classe, quand je récite le premier chant de l'*Iliade*, je dis : *Benin, aeïde ! — atchiou ! theia Beleia-deo, — atchiou*[1] !

Je traîne dans le ridicule le vieil *Hobère* ! Atchoum ! Atchoum ! Zim, mala ya, boum, boum !

Quelquefois le rhume ne vient pas, et je parle simplement comme un trombone qui a un trou — où j'ai le nez. Je représente bien l'homme tel qu'un philosophe l'a dépeint, un tube percé par les deux bouts.

Rien de meilleur pour une tête d'enfant, dit le proviseur parlant de l'exercice de purification nasale dont ma mère lui a parlé. Rien de meilleur pour en faire une pâte, oui.

Je suis malgré ou *balgré* tout, — avec ou sans *atchiou, atchoum,* — d'une force *énorbe* en récitation. Ma mémoire prend ça comme mon nez prend l'eau, et je renifle des chants entiers de l'*Iliade* et des chœurs d'Eschyle, du Virgile et du Bossuet, — mais ça part comme c'est venu. J'oublie le Bossuet comme on oublie l'aloès bienfaisant.

---

1. **Déformation** des mots grecs du premier vers de l'*Iliade* d'Homère (qui signifie en français : « Chante, déesse, la colère d'Achille, fils de Pélée ») : *Menin* devient *Benin*, *Pêléiadeo* devient *Beleiadeo*.

LES MATHÉMATIQUES

« Il a une imagination de feu, cet enfant. »

C'est acquis. Je suis un petit volcan (dont la bouche sent souvent le chou : on en mange tant à la maison !).

« Une imagination de feu, je vous dis ! ah ! ce n'est pas lui qui sera fort en mathématiques ! »

On a l'air d'établir qu'être fort en mathématiques c'est bon pour ceux qui n'ont rien *là*.

Est-ce qu'à Rome, à Athènes, à Sparte, il est question de chiffres, une minute ! Justement, je n'aime pas faire des soustractions avec des zéros, et je ne comprends rien à la preuve de la division, rien, rien !

Mon père en rit, le professeur de lettres aussi.

Je suis toujours dans les six derniers.

Mais un beau jour, une nouvelle se répand.

Grand étonnement. Rumeur dans la cour, sous les arcades.

J'ai été premier en géométrie.

Le professeur de lettres me fait un peu la mine. Suis-je un volcan — ou n'en suis-je pas un ?...

Le coup est tellement inattendu qu'on se demande si je n'ai pas pillé, copié, *truqué*, et l'on m'appelle au tableau pour voir si je m'en tirerai la craie à la main.

Je m'en tire, et j'ajoute même à la leçon. Je me tourne vers mes camarades et je leur explique le problème en faisant des gestes, en prenant des livres, en ramassant des bouts de bois ; je roule des cornets, je bâtis des figures et je ne m'arrête que quand le professeur me dit d'un air blessé :

« Est-ce que vous avez bientôt fini votre manège ?
Est-ce vous qui faites le cours, ou moi ? »

Je remonte à ma place au milieu d'un murmure
d'admiration.

À la fin de la classe, on m'interroge :

« Comment as-tu donc fait ? Quand as-tu appris ? »
Comment j'ai appris ?

Il y a dans une petite rue une maison bien triste
avec quelques carreaux cassés qu'on a emplâtrés de
papier ; une cage noire pend à la fenêtre du second,
au-dessus d'un pot de fleurs qui grelotte au vent.

Là demeure un pauvre, un Italien proscrit.

La première fois que je le vis, je frissonnai ; j'étais
ému. Tout le passé de mes versions allait m'apparaître en chair et en os, représenté par un homme
qui s'était baigné dans le Tibre : Tacite, Tite-Live, le
cheval de César, la chèvre de Septimus, la torche de
Néron[1] !...

Mais comme ce logement est triste !

Une petite lampe qui brûle sur une table chargée
de vieux livres, un chien qui me regarde en faisant
les yeux blancs, et un homme à cheveux gris, avec
de grosses lunettes, qui raccommode une culotte en
guenilles.

C'était le Romain.

« Je viens de la part de mon père, M. Vingtras... »

Je lui remis une lettre qu'on m'avait chargé de
porter. Il lut, je le suivais des yeux.

Quoi ! il venait de Rome ? Il était du pays des gla-
diateurs, ce vieux tout gris, qui avait l'air d'un hibou
dans une échoppe de savetier et qui mettait un fond
à son pantalon ?

1. Allusion à l'incendie de Rome attribué à Néron. Vallès évoque ici,
après des noms d'historiens latins, différents sujets de versions latines.

C'était son *vexillum*[1] à lui, et cette aiguille était son épée ? Où donc son casque et son bouclier ? Il a un tricot de laine...

En regardant, je vis qu'il lui manquait trois doigts à la main ; c'était laid, ces bouts d'os ronds, et les autres doigts qui restaient avaient l'air de deux cornes.

Il trembla un peu en refermant la lettre.

« Vous remercierez bien votre père », dit-il.

Il me sembla qu'il avait une tache brillante, une goutte d'eau dans les yeux.

Il pleurait, — mais est-ce que les Romains pleuraient ?

Je commençais à croire qu'on s'était trompé ou qu'il avait menti ; il me tendit un petit livre.

« C'est moi qui l'ai fait, dit-il. Aimez-vous les mathématiques ?... »

Il vit que non à mon air.

« Non ! — Eh bien ! mon livre vous plaira peut-être tout de même. Tenez, il y a une boîte avec. »

Il me conduisit jusqu'à la porte, tenant toujours sa culotte, et relevant ses lunettes avec ses bouts de doigts ; je l'entendis qui disait à son chien :

« C'est une leçon de quarante sous ; tu auras de la pâtée ; moi, j'aurai du pain. »

Il avait été adressé à mon père, par hasard, et mon père lui avait trouvé une répétition ; c'était l'objet de la lettre.

« Aimez-vous les mathématiques ? »

Il ne voyait donc pas tout de suite que j'étais un *volcan* ? Est-ce qu'il les aimait, lui ? Est-ce que c'était une âme de teneur de livres, ce descendant

1. Enseigne, dans l'armée romaine.

de Romulus ? Il n'avait vraiment rien du *civis* et du
commilito[1], avec son pantalon et ses lunettes !

Qu'y avait-il dans sa boîte ?
Des plâtres en tranches.
Et dans ce livre ? Des mots de géométrie.

Le lendemain, un dimanche, au lieu d'aller chez
un camarade, comme mon père me l'avait permis,
je passai ma journée avec ce livre et ces plâtres.
C'était le samedi suivant que j'étais premier.
J'allai tout joyeux en faire part à cet homme, qui
me raconta son histoire.
Il avait failli mourir sous les coups des agents du
roi de Naples, qui étaient venus pour l'arrêter
comme conspirateur, et contre lesquels il s'était
défendu pour sauver des papiers qui compromet-
taient d'autres gens. C'est là qu'il avait eu les doigts
hachés. Il avait pu se traîner dans un coin ; on
l'avait ramassé, sauvé, et il était passé en France.
« Conspirateur ! Vous étiez conspirateur ?
— J'étais maçon, heureusement. J'ai profité de ce
que je savais de mon métier pour faire ces modèles
de géométrie. À propos : vous avez compris mon
système, il paraît.
— Il n'y a qu'à regarder et à toucher. Tenez, voulez-vous que je vous explique ? »
Prenant les plâtres que je trouvais sous la main,
je refis ma démonstration.
« C'est ça ! c'est ça ! disait-il en hochant la tête.
On veut enseigner aux enfants ce que c'est qu'un
cône, comment on le coupe, le volume de la sphère,
et on leur montre des lignes, des lignes ! Donnez-

1. *Civis* et *commilito* : « citoyen » et « compagnon d'armes », en latin.

leur le cône en bois, la figure en plâtre, apprenez-leur cela, comme on découpe une orange ! — De la théologie, tout leur vieux système ! Toujours le bon Dieu ! le bon Dieu !

— Qu'est-ce que vous dites du bon Dieu ?

— Rien, rien. »

Il eut l'air de sortir d'une colère, et il me reparla de la géométrie avec des fils et du plâtre.

XXI
MADAME DEVINOL

« M. Vingtras, quand Jacques sera premier, je l'emmènerai au théâtre avec moi.

« Voulez-vous ? »

C'est Mme Devinol qui demande cela. Elle a un fils dans la classe de mon père, qui est un cancre et un *bouzinier*[1]. Si M. Devinol n'était pas un personnage influent, riche, on aurait mis le moutard à la porte depuis longtemps.

Mais sa mère est distinguée, un peu trop brune peut-être ; les yeux si noirs, les dents si blanches ! Elle vous éclaire en vous regardant. Elle vous serre les mains quand elle les prend. C'est doux, c'est bon.

« Pourquoi deviens-tu rouge ? » me demande-t-elle brusquement.

Je balbutie, et elle me tape sur la joue en disant :

« Voyez-vous ce grand garçon !... Oui, je l'emmènerai au théâtre chaque fois qu'il sera premier. »

1. Chahuteur.

Cela flatte mon père qu'on me voie dans la société
d'une si importante personne, mais cela étonne
beaucoup ma mère.

« Vous n'avez pas peur qu'il vous fasse honte ?

— Honte ! — Mais savez-vous qu'il a de la tournure, votre fils, un petit mulâtre, et qui marche
comme un soldat !

— Il a un bien gros ventre ! dit ma mère. On ne le
dirait pas... mais Jacques a beaucoup de ventre. »

Moi, du ventre ? Je fais des signes de protestation.

« Oui, oui, c'est comme ça, peut-être moins maintenant, mais tu as eu le *carreau*[1], mon enfant. (Se
tournant vers Mme Devinol.) Je dissimule ça par la
toilette. »

Mme Devinol sourit en me regardant.

« Moi, il me plaît comme il est. Veux-tu prendre
ton chapeau, mon ami, et m'accompagner ? »

Quel chapeau ? Le gris ? Celui des *classes moyennes*, qui me fait ressembler à Louis-Philippe ?

Ma mère consent à me laisser sortir avec ma casquette.

J'ai par hasard un habit assez propre, gagné à la
loterie. Il y avait une tombola. Une maison de confec-
tion avait offert un costume ; ma mère avait pris un
numéro au nom de son enfant.

Le numéro est sorti.

« Tu le vois, mon fils, la vertu est toujours récom-
pensée.

— Et ceux qui n'ont pas gagné ?

— Les desseins de Dieu sont impénétrables[2]. Ce
n'est pas tout laine, par exemple. »

Mme Devinol m'emmène.

1. Maladie abdominale provoquant une dureté du ventre.
2. Lieu commun de la prédication chrétienne, inspiré de la Bible
(voir par exemple *Romains* 11, 33-34).

« Donne-moi ton bras, pas un petit bout de rien du tout... Comme ça, là ; très bien ! Je puis m'appuyer sur toi ; tu es fort. »

Je ne sais pas comment je n'éclate pas brusquement, d'un côté ou d'un autre, tant je gonfle et raidis mes muscles pour qu'elle sente la vigueur du biceps.

« Et maintenant, dis-moi, il y a donc une histoire sur ce chapeau gris ? Et puis, tu as eu le *carreau* ; tu as bien des choses à me conter ! »

Je perds contenance, je rougis, je pâlis. Ah ! bah ! tant pis, je lui conte tout.

Elle rit, elle rit à pleine bouche, et elle se trémousse à mon bras en disant :

« Vrai, la *polonaise*, le gigot[1] ! »

Et ce sont des *ah ! ah !* sonores et gais comme des grelots d'argent.

Je lui narre mes malheurs.

J'ai jeté mon chapeau gris par-dessus les moulins, et je lui ai dévidé mon chapelet avec un peu de verve ; je crois même que je l'ai tutoyée à un moment ; je croyais parler à un camarade.

« Ça ne fait rien, va, reprend-elle en s'apercevant de ma peur. Je te tutoie bien, moi. Vous voulez bien qu'on vous tutoie, monsieur ? C'est que je pourrais être ta maman, sais-tu ? »

Fichtre ! comme j'aurais préféré ça !

« Je suis une vieille... Me trouves-tu bien vieille, dis ? »

Elle me regarde avec des yeux comme des étoiles.

« Non, non.

---

1. Rappel d'épisodes antérieurs : voir p. 74 (pour la « polonaise ») et p. 146 (pour le « gigot »).

— Tu me trouves jolie ou laide ? Tu n'oses pas me répondre ? C'est que tu me trouves laide alors, trop laide pour m'embrasser...

— Non... oh ! non !...

— Eh bien ! embrasse-moi donc, alors... »

Elle me mène au spectacle chaque fois que je suis premier, comme c'est convenu.

Il y a un mois que nous nous connaissons.

« Tu aimes à venir avec moi ? me demanda-t-elle un jour.

— Oui, madame ; moi, j'aime bien le théâtre, je me plais beaucoup à la comédie. »

Une fois, à Saint-Étienne, on m'avait mené voir les *Pilules du Diable*[1] ; j'étais sorti fou, et je n'avais fait que parler, pendant deux mois, de Seringuinos et de Babylas. C'étaient des drames, maintenant ; quelquefois de l'opéra. Il n'y avait plus tant de décors ! Mais, comme je prenais tout de même à cœur la misère des orphelins, les malheurs du grand rôle ! Et *Les Huguenots*[2], avec la bénédiction des poignards ! *La Favorite*[3], quand Mlle Masson chantait :

« Ô mon Fernand ! »

Elle dénouait ses cheveux, tordait ses bras :

1. Féerie en cinq actes d'Anicet Bourgeois, Ferdinand Laloue et Laurent (1839) : l'apothicaire Seringuinos, à la recherche de sa fille Isabelle enlevée par Babylas, connaît de multiples aventures où se mêlent le romanesque et le fantastique. Ce spectacle avait été donné à Saint-Étienne en 1842.
2. Opéra en cinq actes dont la musique est de Meyerbeer et le livret de Scribe et Émile Deschamps. Spectacle riche en péripéties, joué à Saint-Étienne en 1840.
3. Opéra en quatre actes de Donizetti, avec un livret d'Alphonse Royer et Gustave Vaëz. Le rôle de Léonor, la « favorite » qui aime le jeune Fernand, fut effectivement interprété par la chanteuse Élisa Masson (1820-1867).

Ô mon Fernand, tous les biens de la terre !

Elle disait cela avec son âme, et comme si elle était une de ces chrétiennes dont on nous racontait le martyre au collège. Mais ce n'était pas le ciel qu'elle priait, c'était un grand brun, qui avait une moustache noire, des bottes molles.

Ce n'était donc pas pour le bon Dieu seulement qu'on soupirait fort et qu'on tournait les yeux !

> *Oh ! viens dans une autre patrie !*
> *Viens cacher ton bonheur...*

Mes jambes tremblaient et mon col se mouillait sur ma nuque ; — la mère Vingtras disait que ces soirées, c'était la mort du linge.

Même avant que le rideau fût levé, je me sentais grandi et pris d'émotion.

J'ouvrais les narines toutes larges pour humer l'odeur de gaz et d'oranges, de pommades et de bouquets, qui rendait l'air lourd et vous étouffait un peu. Comme j'aimais cette impression chaude, ces parfums, ce demi-silence !... ce froufrou de soie aux *premières*, ce bruit de sabots au *paradis* ! Les dames décolletées se penchaient nonchalamment sur le devant des loges ; les voyous jetaient des lazzis et lançaient des programmes. Les riches mangeaient des glaces ; les pauvres croquaient des pommes ; il y avait de la lumière à foison !

J'étais dans une île enchantée ; et devant ces femmes qui tournaient la traîne de leurs robes, comme des sirènes dans nos livres de mythologie tournaient leur queue, je pensais à Circé et à Hélène.

Il y avait le gémissement du trombone, le pleur du violon, le *pchhh* des cymbales, en notes sourdes comme des chuchotements de voleur, quand les musiciens entraient un à un à l'orchestre, et essayaient leurs instruments.

Lorsque Mlle Masson était en scène, j'oubliais que Mme Devinol était là.

Elle s'en apercevait bien.

« Tu l'aimes plus que moi, n'est-ce pas ?

— Non !... oui !... je l'aime bien. »

Mme Devinol était venue me prendre un peu plus tôt, certain jour, pour faire un tour, et nous flânions près du théâtre.

Nous croisons une dame en chemin.

« La reconnais-tu ?

— Qui ?

— Cette femme, là-bas, qui passe près du café, avec un mantelet de soie. »

Je regarde.

« Mlle Masson ? »

Je ne suis pas encore bien sûr.

« Oui, *mon Fernand* », fit Mme Devinol en riant...

Quelle désillusion ! Elle avait presque la figure d'un homme, puis trop de choses au cou : un fichu, une dentelle, un boa, — je ne sais quoi aussi en poil ou en laine, qui pendait à sa ceinture, trop gros, et elle relevait mal sa jupe.

« Eh bien ! » me dit Mme Devinol.

À ce moment même, le directeur du théâtre passa et salua l'actrice qu'il vit la première, Mme Devinol ensuite.

Elles répondirent à son salut : l'actrice comme tout le monde, Mme Devinol avec une inclination de tête, et un jeu de paupières qui lui donnèrent une petite mine de religieuse, mais si jolie, et un air fier, mais si fier !

Le directeur disparu, elle s'appuya de nouveau sur mon bras.

« Eh bien ! l'aimes-tu toujours mieux que moi ?

— Oh ! non ! par exemple !

— Il dit cela de si bon cœur ! grand gamin, va ! On me préfère alors ? »

Quand je suis dans sa baignoire[1], elle me fait asseoir près d'elle, tout près.

« Encore plus près. Je te fais donc peur ? »

Un peu.

Comme je bûche mes compositions, maintenant !

De temps en temps je rate mon affaire tout de même. Je ne suis pas premier.

Oh ! une fois ! en vers latins !

On nous avait donné à raconter la mort d'un perroquet. J'ai dit tout ce qu'on pouvait dire quand on a à parler d'un malheur comme celui-là : que jamais je ne m'en consolerais, que Caron[2] en voyant passer la cage — cercueil aujourd'hui — en laisserait tomber sa rame, que d'ailleurs j'allais l'ensevelir moi-même ! — *triste ministerium*[3] — et que nous verserions des fleurs, *Manibus date lilia plenis*[4].

Dans un vers ingénieux, je m'étais écrié : « Maintenant, hélas ! vous pouvez planter du persil sur la tombe ! »

---

1. Loge où prennent place les spectateurs, dans un théâtre.
2. Ou *Charon* : dans la mythologie grecque, le passeur qui conduit sur sa barque les âmes des morts aux enfers.
3. « Affligeant devoir ».
4. « Donnez des lis à pleines mains. » Citation de Virgile, qui rend par ces mots un hommage funèbre, dans l'*Énéide* (VI, 883), à Marcellus, l'héritier d'Auguste mort prématurément.

Le professeur a rendu hommage à ce dernier trait, mais je ne dois passer qu'après Bresslair, dont l'émotion s'est encore montrée plus vive, la douleur plus vraie. Il a eu l'idée, comme dans les cantiques, de mettre un refrain qui revient :

Psittacus interiit ! Jam fugit psittacus, eheu[1] !

Eheu, quatre fois répété ! je ne puis pas crier à l'injustice. Oh ! c'est bien !

Je ne suis que second, et je n'irai pas au théâtre. C'est à s'arracher les cheveux : et je m'en arrache. Je les mets même de côté. Qui sait ?

Ils sont gras comme tout, par exemple ! Car je me pommade, maintenant. J'ai soin de moi. Je me rase aussi. Je voudrais avoir de la barbe.

Mon père cache ses rasoirs. J'ai pris un couteau que je fourre sous mon matelas, parce qu'il a le fil tout mince et tout bleu. Je l'ai usé à force de frotter sur la machine.

Le matin, au lever du soleil, je le tire de sa retraite, et je me glisse, comme un assassin... dans un lieu retiré.

Je ne suis pas dérangé. Il est trop tôt !

Je puis m'asseoir.

J'accroche un miroir contre le mur, je fouette mon savon, je fais tous mes petits préparatifs, et je commence.

Je racle, je racle, et je fais sortir de ma peau une espèce de jus verdâtre, comme si on battait un vieux bas.

---

1. « Le perroquet est mort ! Maintenant s'en est allé le perroquet, hélas ! »

J'attrape des entailles terribles.

Elles sont souvent horizontales — ce qui fait beaucoup réfléchir le professeur d'histoire naturelle, qui demeure au second, et qui me prend la tête quand il a le temps.

« Ou cet enfant se penche de côté exprès, pour que le chat puisse l'égratigner, ce qui n'est pas dans la nature humaine... »

Il s'arrête pensif et m'interroge.

« Te penches-tu pour qu'il t'égratigne ?

— Quelquefois. (Je dis ça pour me ficher de lui.)

— Pas toujours ?

— Non, m'sieu.

— Pas toujours ! — C'est donc les mœurs du chat qui changent... Après avoir été donné, pendant des siècles, de haut en bas, le coup de patte est donné maintenant de droite à gauche... Bizarrerie du grand Cosmos ! métamorphose curieuse de l'animalisme ! »

Il s'éloigne en branlant la tête.

Nous étions au théâtre. Mme Devinol me dit :

« Tu as l'air tout drôle aujourd'hui. Qu'as-tu donc ? Tu es fâché ?... »

Fâché ! elle croit que je puis être fâché contre elle, moi qui ai quinze ans, des lacets de cuir, qui ai un pensum à faire pour demain, moi l'indécrottable !

Je ne suis pas fâché. Mais je me suis, hier, presque coupé le bout du nez en me rasant, et j'ai une petite place rose comme une bague.

Je dirai tout de même : « Je suis fâché ! »

C'est commode comme tout. J'ai un prétexte pour lui tourner le dos et cacher mon nez.

Je m'arrangeai pour n'être pas premier, tant que la cicatrice fit anneau, et pour n'être pas là quand elle venait à la maison. Enfin, il ne resta qu'une petite place blanche d'un côté. Je pus lui parler de profil.

Quelles soirées !

Nous revenons du théâtre ensemble et tout seuls quelquefois. Son mari ne s'occupe point d'elle. Il est toujours au café des Acteurs, où l'on fait la partie après le spectacle. C'est un joueur. Elle prend mon bras la première, et elle le presse. Elle languit contre moi. Je sens depuis son épaule jusqu'à ses hanches. Il y a toujours une de ses mains qui me touche la main ; le bout de ses doigts traîne sur mon poignet entre ma manche et mon gant.

Arrivés à sa porte, nous revenons sur nos pas, et nous recommençons ce manège jusqu'à ce qu'elle se dégage elle-même d'un geste lent et sans me lâcher.

« Tu me retiens toujours si longtemps... »

Moi ! Mais je ne l'ai jamais retenue, j'ai même été si étonné le premier jour où, au lieu de rentrer, elle a voulu se promener encore et rôder en chatte sur le trottoir, où sonnaient ses bottines ! Elle relevait sa robe et je voyais le chevreau qui moulait sa cheville, en se fronçant quand elle posait son petit pied ; elle avait un bas blanc, d'un blanc doré comme de la laine, un peu gras comme de la chair.

Elle s'arrêta deux ou trois fois.

« Est-ce que je n'ai pas perdu mon médaillon ? »

Elle cherchait dans son cou mat, et elle dut défaire un bouton.

« Tu ne le vois pas ? dit-elle. — Oh ! il aura glissé ! »

Ses doigts tournaient dans sa collerette, comme les miens dans ma cravate quand elle serre trop.

« Aide-moi… »

Au même moment le médaillon jaillit et brilla sous la lune.

On aurait dit qu'elle en était furieuse.

« Tu as perdu quelque chose aussi, fit-elle, d'une voix un peu sèche, en voyant que je me baissais.

— Non, je lace mes souliers. »

Je lace toujours mes souliers parce que les lacets sont trop gros et les œillets trop petits, puis il y a une boutonnière qui a crevé.

« Jacques, si tu es premier pour le second samedi du mois, je t'emmènerai à Aigues-la-Jolie. Je dirai à mon mari que je vais chez la nourrice de Joséphine, et nous partirons pour la campagne tous les deux *en garçons*. Nous mangerons des pommes vertes dans le verger, et puis des truffes dans un restaurant. »

Des truffes ? Ah ! j'ai besoin de lacer mes souliers !

J'ai entendu parler des truffes une fois par un ami de mon père, devant ma mère qui a rougi.

Je suis premier, parbleu !

J'ai accouché d'une poésie latine qui a soulevé l'admiration.

« Ne croirait-on pas entendre le gallinacé ? » a dit le professeur.

Il s'agissait encore d'un oiseau, — d'un coq.

Et j'avais fait un vers qui commençait :

Caro, cara, canens[1]… (harmonie imitative).

---

1. « Chère *(cara)* chair *(caro)* chantante *(canens)* ». Le vers décrit le coq tout en imitant son chant par les allitérations, exemple cocasse d'*harmonie imitative* parodique.

Nous irons donc à la campagne, comme c'est convenu.

Nous nous retrouvons dans la cour de l'auberge où est la diligence pour Aigues. Le conducteur achève d'habiller les chevaux.

Je m'étais caché au coin de la rue pour *la* voir venir, et je ne suis arrivé qu'après elle ; j'avais peur de rester là tout seul. Si l'on m'avait demandé : « Qui attendez-vous ? »

Elle m'a dit qu'il faudrait l'appeler « ma tante » devant le monde. Elle m'a dit cela hier, et elle me le répète aujourd'hui, en montant dans la voiture.

Il arrive une goutte d'eau, comme un crachat, sur la vitre du coucou.

Le ciel devient sombre — un coup de tonnerre au loin, — la pluie à torrents.

Un voyageur de l'impériale demande si on peut lui donner asile. On n'ose lui refuser, mais chacun se fait gros pour ne pas l'avoir à son côté.

Ma *tante* seule se fait mince et montre qu'il y a de la place à sa gauche, de son côté.

Elle est bonne et se sacrifie ; elle appuie à droite, elle est presque assise sur moi, qui en ai la chair de poule...

À chaque coup de tonnerre, elle fait un saut et paraît avoir bien peur. Je crains qu'elle ne voie la petite cicatrice qui fait anneau, et je ne sais où mettre mon nez. Mais comme c'est doux, cette femme à moitié dans mes bras, et dont le souffle me fait chaud dans le dos !...

Nous sommes arrivés ; il pleut toujours.

Elle se retrousse, sous le porche, pendant qu'on dételle la diligence dont la bâche ruisselle et que j'étire mes jambes moulues.

« Il n'y a pas moyen d'avoir une voiture ?

— Une voiture, pour aller aux Aigues, avec des chemins larges d'un pied, et des ornières comme des cavernes ! Vous plaisantez, ma petite dame !

— Dis-donc, Jacques ! Qu'allons-nous devenir ? »

Elle me regarde, et elle rit.

« S'il y avait une chambre où s'abriter en regardant l'orage.

— Nous en avons une, dit l'aubergiste.

— Ah ! »

DANS LA CHAMBRE

« Je me sens toute mouillée, sais-tu... »

Comment ! le temps d'aller de la voiture sous le porche !

« Toute mouillée. — J'ai de l'eau plein le cou. Ça me roule dans la poitrine. Oh ! c'est froid... Il faut que j'ôte ma guimpe... Tu permets !... Je vous fais peur, monsieur ? »

. . . .

Des cris, une explosion de cris !

On m'appelle...

« Vingtras ! Vingtras ! »

Ils sont dix à demander Vingtras.

C'est la seconde étude qui est venue en promenade de ce côté et qui s'est précipitée dans l'auberge.

Je vois cela à travers le rideau.

Mme Devinol saute sur la porte et la ferme à clef ; puis elle se ravise.

« Non, sors plutôt ; va, va vite ! »

Je cherche mon chapeau, qui n'y est pas.

« Avez-vous vu mon chapeau ?

— Sors donc, que je referme ! »

— Oui, oui ; mais qu'est-ce que je dirai ?

— Tu diras ce que tu voudras, IMBÉCILE ! »

Voici ce qui s'était passé.

En entrant dans l'auberge on avait remarqué sur une table un pardessus bizarre, c'était le mien, et mon chapeau à gros poils.

On m'avait reconnu !...

ÉPILOGUE

Je suis forcé de quitter la ville. On a jasé de mon aventure.

Le proviseur conseille à mon père de m'éloigner.

« Si vous voulez, mon beau-frère le prendra à Paris, à prix réduit, comme il est fort, dit le professeur de seconde. Voulez-vous que je lui écrive ?

— Oui, mon Dieu, oui », dit mon père, qui a envie d'aller faire un tour à Paris ; et c'est une occasion.

On fixe le chiffre. Je me jette dans les bras de ma mère ; je m'en arrache, et en route !

Nous courons sur Paris[1].

---

1. Vallès passe totalement sous silence les raisons *politiques* pour lesquelles son père l'a éloigné de Nantes en 1848 : la Révolution de février et les conséquences des journées de Juin ne sont pas mentionnées. Il met ainsi l'accent sur l'histoire *affective* de la personnalité de Jacques Vingtras, aux dépens de son initiation à la révolte sociale, encore largement censurée dans *L'Enfant*. En resserrant ainsi le roman autour de la famille et de l'éducation, il lui donne plus d'unité. L'apprentissage politique viendra plus tard, dans *Le Bachelier* et *L'Insurgé* ; mais il prendra logiquement la suite d'une révolte qui naît, dans *L'Enfant*, des servitudes subies dans le monde clos des parents et des professeurs.

XXII
LA PENSION LEGNAGNA[1]

Je suis à Paris.

J'y suis arrivé avec une fluxion. Legnagna, le maître de pension, m'a accueilli avec étonnement. Il a
dit à sa femme : « Ce n'est pas un élève, c'est une
vessie. »

Enfin, cela n'empêche pas d'avoir des prix aux
concours.

« Vous travaillerez bien, n'est-ce pas ? »

Et moi, dont la lèvre tient toute la joue, je réponds :
« Boui, boui. »

Il m'a trouvé moins fort qu'il ne pensait. Je mets
du mien dans mes devoirs.

« Il ne faut pas mettre du *vôtre*, je vous dis : il
faut imiter les Anciens. »

Il me parle haut, me fait sentir que je paye moins
que les camarades.

Il y a fait allusion dès le second jour. Il y avait
des épinards. Je n'aime pas les épinards, et voilà
que je laisse le plat.

Il passait.

« Vous n'aimez pas ça ?

— Non, monsieur !

---

1. *Legnagna* : déformation satirique du nom de Théophile Lemeignan, chez qui Vallès fut effectivement pensionnaire, à Paris (198 *bis*,
faubourg Saint-Honoré), en 1848-1849, tandis qu'il suivait sa classe de
rhétorique au lycée Bonaparte. Dans *Le Testament d'un blagueur*, on
pouvait déjà lire : « C'est dans la maison Legnagna que je vais être
enterré — comme une charogne, pour donner des vers » (*Œuvres*, Bibl.
de la Pléiade, t. I, p. 1123).

— Vous mangiez peut-être des ortolans, chez vous ? Il vous faut sans doute des perdrix rouges ?

— Non ; j'aime mieux le lard ! »

Il a ricané en haussant les épaules et s'en est allé en murmurant : « Paysan ! »

Il donne des soirées, le dimanche ; on m'invite.

Je dis toujours : « Sacré mâtin ! » C'est une habitude ; elle me suit jusque dans son salon.

« *Môssieu* Vingtras, me crie-t-il d'un bout de la table à l'autre, où avez-vous été élevé ? Est-ce que vous avez gardé les vaches ?

— Oui, monsieur, avec ma cousine. »

Il en perd la tête et devient tout rouge.

« Croyez-vous, madame ! » dit-il à une voisine.

Et se tournant vers moi :

« Allez au dortoir ! »

Je suis dans la classe des grands, qui se fichent de moi tant soit peu, mais sans que ça me gêne ; qui ont l'air de faire les malins, et que je trouve bêtes, mais bêtes !... Il y a une gloire, un prix de concours ; il est maigre, vert, a comme la danse de Saint-Guy[1], se gratte toujours les oreilles, et cherche constamment à s'attraper le bout du nez avec le petit bout de sa langue.

Il y a une demi-gloire, — Anatoly.

Il est pour les bons rapports entre les élèves et les maîtres ; il voudrait qu'on s'entendît bien, — pourquoi donc ?

J'ai l'air *mastoc*[2] ; on me trouve lourd quand je joue aux barres, on me blague comme provincial. Anatoly me protège.

1. Autre nom de la chorée, maladie nerveuse qui se manifeste par des mouvements brusques et saccadés.
2. Épais, lourd.

« Il se fera, ne l'embêtez pas ! Dans un mois, il sera comme nous ; dans deux, vous verrez ! »

Oh ! on ne m'embête pas beaucoup ! Je suis solide, et je n'ai pas mes parents pour me rendre timide, honteux, gauche. Ça m'est à peu près égal qu'on me blague, je ne suis pas ébloui par les copains.

Ah ! je me faisais une autre idée de ces forts en latin ! Je trouvais la province plus gaie, moi !

Ils parlent toujours, mais toujours de la même chose, — de celui-ci qui a eu un prix, de celui-là qui a failli l'avoir ; il y a eu un barbarisme commis par Gerbidon, un solécisme par...

« Chez Labadens[1], tu sais, le petit qui devait avoir le prix de version grecque, il n'est pas venu parce que son père était mort le matin. Labadens a été le chercher en lui promettant qu'il le ramènerait en voiture à l'enterrement. Il n'a pas voulu et a continué à pleurer. »

Ils ont l'air de trouver ce petit stupide.

La pension mène à Bonaparte[2].

Le mardi, on a le droit de rester pour fignoler sa composition, et je reste jusqu'à ce que le professeur ait eu le temps de tourner le coin ; alors je m'échappe aussi. J'ai devant moi une grande heure, au bout de laquelle j'irai porter chez son concierge la copie qu'on me croit en train de finir.

Je flâne dans les rues pleines de femmes en cheveux ; elles sont si gaies et si jolies avec leurs grands sarraux d'atelier ! Je les suis des yeux, je les écoute fredonner, et je les regarde à travers les vitres déjeu-

---

1. Nom fictif d'une institution imaginée par Labiche (dans *L'Affaire de la rue de Lourcine*, 1857) ; le mot devient presque un nom commun — un « Labadens », c'est un ancien élève de l'institution — au point d'être emblématique de tout ancien pensionnaire qui renoue avec ses relations de collège.
2. L'actuel lycée Condorcet (près de la gare Saint-Lazare).

ner à côté de ciseleurs en blouses blanches et d'imprimeurs en bonnets de papier. C'est tout ce que je regarde.

Je n'ai pas envie de voir les monuments, quoiqu'il n'y ait plus de bagages pour m'en empêcher ; je trouve que toutes les pierres se ressemblent, et je n'aime que ce qui marche et qui reluit.

Je ne connais donc rien de Paris, rien que les alentours du faubourg Saint-Honoré, le chemin du lycée Bonaparte, la rue Miromesnil, la rue Verte, place Beauvau ; j'y rencontre beaucoup de domestiques en gilet rouge et de femmes de chambre, en coiffe, dont les rubans volent à la brise.

Le dimanche nous allons en promenade.

Le plus souvent, c'est aux Tuileries, dans l'allée du Sanglier.

Ce Sanglier[1] ! je le déteste, il m'agace avec son groin de pierre.

Je m'ennuie moins cependant, à partir du jour où M. Chaillu devient notre pion.

Il n'a pas la foi, lui ; il nous laisse nous éparpiller le dimanche, à condition qu'à six heures nous soyons là.

Nous, nous filons sur les Hollandais, au Palais-Royal. C'est le café des saint-cyriens et des volailles. On appelle *volailles* ceux qui se destinent aux écoles à uniforme et en ont un déjà, à bande orange, à collet saumon, avec des képis à visières dures, à galons d'or ou d'argent.

Quoique *des lettres*, je suis bien avec les volailles, surtout avec les Lauriol. Malheureusement, je n'ai

---

1. Restaurant dont l'enseigne était un sanglier, associé aux combats des journées de Juin dans *Le Testament d'un blagueur* (*Œuvres*, Bibl. de la Pléiade, t. I, p. 1131).

que des semaines de vingt sous, et je suis forcé d'y
regarder à deux fois avant de trinquer.

Un jour j'ai eu une fière peur. Nous avions joué et
j'avais perdu un franc cinquante. À partir de la première partie, je voulais me lever ; je n'ai pas osé.

« Allons, allons, reste là ! »

Sueur dans le dos, frissons sur le crâne.

Je joue mal, et je laisse voir mes dominos. Tout
est fini, j'ai la *culotte*[1] !...

Par bonheur on se battit. Il s'éleva une querelle
entre une volaille jaune et une volaille rouge, entre
des nouveaux et des anciens de Saint-Cyr, et les
carafons se mirent à voler.

Ce fut une mêlée, et je m'y jetai à corps perdu.

Je comptais sur quelque coup qui me mettrait en
pièces. Pas de chance ! je donne beaucoup et ne reçois rien.

Je n'en fus pas moins sauvé tout de même.

On nous jeta à la porte, tout un lot, pour débarrasser la place, et je partis vers le Sanglier, devant
trente sous aux Hollandais ; mais j'avais jusqu'à
l'autre dimanche.

Je vendis un discours latin à la composition du
mardi, — vingt sous comptant.

Je faisais ce commerce quelquefois, je procurais
ainsi une bonne place à quelqu'un qui attendait un
oncle, ou qui voulait épater pour sa fête, ou qui
avait un intérêt quelconque à être *dans les dix*,
quoi !

Je retournai aux Hollandais, mes trente sous
dans le creux de la main. On ne voulut pas de mon
argent. C'est la caisse de Saint-Cyr ou une sous-

---

1. Perte importante au jeu (familier).

cription des volailles qui avait réglé la *casse* et les consommations.

J'eus de l'argent devant moi, et en plus une réputation de friand du coup de poing.

N'importe, je reviens toujours pensif de cet estaminet de riches ! Et la nuit, dans mon lit d'écolier, je me demande ce que je deviendrai, moi que l'on destine à une école dans laquelle j'ai peur d'entrer, moi qui n'ai pas, comme ces volailles, ma volonté, mon but, et qui n'aurai pas de fortune.

Ma vie des dimanches change tout d'un coup.

Il y avait au collège de Nantes un élève modèle nommé Matoussaint[1].

Matoussaint vient rester à Paris. Mon père lui a donné une lettre qui l'autorise à me faire sortir le dimanche.

Matoussaint n'est libre qu'à deux heures. C'est bien assez de la demi-journée, — nous ne savons que faire jusqu'à cinq heures ; nous ne voulons pas aller au café pour ne pas dépenser notre argent. Il m'a apporté vingt francs de la part de ma mère : mais je les ménage.

Nous tuons mal l'après-midi. — C'est ennuyeux, je trouve, de se promener quand tous les autres se promènent aussi, et qu'on a tous l'air bête. Ah ! si c'était comme en semaine ! On verrait grouiller le monde. Aujourd'hui, on ne fait pas de bruit ; on glisse comme des prêtres.

Il faudrait aller à Meudon[2] ! Là on rit, on s'amuse.

1. Matoussaint, qui jouera un rôle important dans *Le Bachelier*, correspond à Charles-Louis Chassin (1831-1901), élève au collège de Nantes comme Vallès, futur journaliste et historien, auteur du *Génie de la Révolution française* (1863).
2. Au sud-ouest de Paris : au XIXe siècle, campagne appréciée des citadins.

Mais, c'est *dix sous*, de Paris à Meudon ! Attendons qu'on ait fait fortune !

« Ça fait du bien de marcher par ce froid-là », dit Matoussaint, — qui veut me faire croire qu'il s'amuse, mais qui grelotte comme un lustre qu'on époussette.

J'aimerais mieux me porter plus mal et avoir plus chaud.

Les dimanches de pluie, nous allons dans les musées.

« On apprend toujours quelque chose », dit Matoussaint, en entrant dans les galeries.

« On apprend quoi ?

— Tu contemples les tableaux, les marbres.

— Et après ? »

Matoussaint m'appelle positif, et me dit avec amertume :

« Toi qui as fait de si beaux vers latins ! »

C'est vrai tout de même !

Matoussaint me voit ébranlé et continue :

« Tu renies tes dieux, tu craches sur ta lyre !

— Messieurs, crie le gardien en habit vert, en étendant sa baguette et nous montrant du son, si vous voulez cracher, c'est dans le coin. »

Cinq heures arrivent enfin. Je ne suis pas fou des chefs-d'œuvre et des monuments, décidément.

C'est à cinq heures que Lemaître nous rejoint. Lemaître est *calicot*[1] et Matoussaint le tient en petite estime ; il ne comprend que les professions nobles. Cependant, comme Lemaître connaît des *douillards*[2] et des *rigolos*, il l'accueille à bras ouverts.

1. Commis de magasin de nouveautés.
2. *Douillard* : en argot, « riche », « qui a de l'argent ».

Il arrive et l'on va prendre l'absinthe à la Rotonde[1], ou à la Pissote, où l'on espère rencontrer Grassot. « Oh ! voici Sainville[2] ! — Non ! Si ! »

L'absinthe une fois sirotée dans le demi-jour de six heures, nous filons du côté du Palais-Royal, où l'on doit trouver les amis chez Tavernier. Ils se mettent toujours dans la grande salle, à la table du coin.

Nous dînons à trente-deux sous.

Les calicots, camarades de Lemaître, sont avec leurs petites amies, bien chaussées, toutes gentilles, et qui rient, qui rient, à propos de tout et de rien...

Et comme c'est bon ce qu'on mange !

Purée Crécy, côtelettes Soubise, sauce Montmorency. À la bonne heure ! Voilà comment on apprend l'histoire !

Ça vous a un goût relevé, piquant, ces plats et ces sauces !

M. Radigon, le loustic de la bande, n'est pas pour toutes ces blagues-là.

« Garçon, un pied de cochon grillé... Pour faire des pieds de cochon, prenez vos pieds, grattez-les. »

On rit. Moi, je ne dis rien, j'écoute.

« Votre ami est muet, monsieur Matoussaint ? »

Je fais une grimace et pousse un son, pour établir que je n'appartiens pas aux disciples de l'abbé de l'Épée[3]. On me discute au coin de la table.

« Une tête — des yeux. — Mais il a l'air trop *couenne*[4] ! »

---

1. Café du Palais-Royal.
2. Paul-Louis Auguste Grassot et Morel dit Sainville : célèbres acteurs comiques du Palais-Royal au milieu du XIXᵉ siècle.
3. L'abbé de l'Épée (1712-1789) est le fondateur de l'Institution des sourds-muets.
4. Voir n. 2, p. 250.

Je me rattrape par les tours de force. J'abaisse les poignets, j'écrase les doigts, je soulève la soupière avec les dents, je reste quatre-vingts secondes sans respirer, à la grande peur des gens d'à côté, qui voient mes veines se gonfler ; les yeux me sortent de la tête.

« Je n'aime pas qu'on fasse ça près de moi quand je mange », dit un voisin.

Radigon lui-même en a assez.

« Ah ! c'est qu'il nous embête, à la fin, avec sa respiration ! »

Après le dîner, il faut que je parte.

Les autres élèves de la pension ont jusqu'à minuit. Legnagna — par méchanceté — exige que je sois là à huit heures.

Je quitte la *société* et je redescends du côté du faubourg Saint-Honoré.

Il me reste un quart d'heure à assassiner avant de regagner le bahut, mais j'aurais l'air de n'avoir pas su où dépenser mon temps si je reparaissais avant l'heure.

J'aimerais mieux être rentré. Je ne crains pas la solitude de ce dortoir où j'entends revenir un à un les camarades. Je puis penser, causer avec moi, ce sont mes seuls moments de grand silence. Je ne suis pas distrait par le bruit de la foule où ma timidité m'isole, je ne suis pas troublé par les bruits de dictionnaires, ni les récits de grands concours.

Je me souviens de ceci, de cela, — d'une promenade à Vourzac, d'une moisson au grand soleil ! — et dans le calme de cette pension qui s'endort, la tête tournée vers la fenêtre d'où j'aperçois le champ du ciel, je rêve non à l'avenir, mais au passé.

On m'appelle un jour chez Legnagna.

Il me délivre un paquet que ma mère m'envoie ; il a l'air furieux.

« Vous emporterez cela aussi », me dit-il.

Il me glisse en même temps un pot et me reconduit vers la porte.

Je n'y comprends rien, je déplie le paquet. J'y trouve une lettre :

Mon cher fils,
Je t'envoie un pantalon neuf pour ta fête, c'est ton père qui l'a taillé sur un de ses vieux, c'est moi qui l'ai cousu. Nous avons voulu te donner cette preuve de notre amour. Nous y ajoutons un habit bleu à boutons d'or. Par le même courrier, j'envoie à M. Legnagna un bocal de cornichons pour le disposer en ta faveur.
Travaille bien, mon enfant, et relève tes basques quand tu t'assieds.

Il y avait un mot de mon père aussi.

Je lui avais écrit que Legnagna essayait de m'humilier, que je voudrais quitter la pension, vu que je souffrais d'être ainsi blessé tous les jours.

Mon père m'a répondu une lettre qui m'a tout troublé. Fait-il le comédien ? Est-il bon au fond ?

Prends courage, mon ami ! Je ne veux pas te dire que c'est de ta faute si tu es à Paris... Aie de la patience, travaille bien, paye avec tes prix ta pension, puis tu pourras lui dire ses vérités.

Pas une allusion au passé, rien ? Pas un reproche ; presque de la bonté, un peu de tristesse !... Je lui aurais sauté au cou s'il avait été là.

Je ferai comme il l'a dit : j'attendrai et j'essaierai d'avoir des prix.

Et cependant comme ce latin et ce grec sont ennuyeux ! et qu'est-ce que cela me fait à moi, les barbarismes et les solécismes !

Et toujours, toujours le grand concours[1] !

Le professeur s'appelle D***[2].

Il a une petite bouche pincée, il marche comme un canard, il a l'air de glousser quand il rit, et sa perruque est luisante comme de la plume. Il a eu pour la troisième fois le prix d'honneur au concours général ; l'an passé, on l'a décoré, il a une crête rouge. Il parle un peu comme un incroyable, il prononce : « Cicé-on, discou-e, *Alma pa-ens*[3]. »

Il est le professeur de latin, il a un français à lui.

Quand des élèves ont manqué la classe pour aller au café ou au bain et qu'il aperçoit des bancs vides, il dit :

« Je vois ici beaucoup d'élèves qui n'y sont pas. »

Le professeur de français s'appelle N***... c'est le frère d'un académicien qui a deux morales au lieu d'une : abondance de bien ne nuit pas[4].

Il est long, maigre et rouge, a une redingote à la prêtre, des lunettes de carnaval, une voix cassée, flûtée, sifflante.

---

1. Concours général, qui oppose à l'époque les meilleurs candidats des lycées et collèges de la région parisienne.
2. Le professeur de Vallès en latin et grec au lycée Bonaparte s'appelait alors Durand.
3. *Alma parens* : « mère nourricière » (comme *alma mater*) ; expression latine qui désigne la mère patrie, ou l'Université.
4. Auguste Nisard, frère de l'érudit Charles Nisard, auteur d'une célèbre *Histoire des livres populaires ou de la littérature de colportage*, et de l'académicien Désiré Nisard, évoqué ici : conservateur cynique, ce dernier avait dans une conférence de 1855 parlé des deux morales, l'une, étroite, régissant l'action des simples particuliers, l'autre, fort large, réservée aux princes. Cette déclaration révolta le public étudiant et l'événement fit grand bruit.

De cette voix-là, il lit des tirades d'*Iphigénie* ou d'*Esther*, et quand c'est fini, il joint les mains, regarde le plafond plein d'araignées, et crie : « À genoux ! à genoux ! devant le divin Racine ! »

Il y a un nouveau qui, une fois, s'est mis à genoux pour tout de bon.

Et d'un geste de dédain, chassant le bouquin qu'il a devant lui, le professeur continue :

« Il ne reste plus qu'à fermer les autres livres. »

Je ne demande pas mieux.

« Et à s'avouer impuissant ! »

C'est son affaire.

J'ai commencé par avoir de bonnes places en dis-cours français, mais je dégringole vite.

De second, je tombe à dixième, à quinzième !

Ayant à parler de paysans qui, pour fêter leur roi, trinquent ensemble, j'avais dit une fois :

Et tous réunis, ils burent un BON *verre de vin.*

« UN BON ! — Ce garçon-là n'a rien de fleuri, rien, rien ; je ne serais pas étonné qu'il fût méchant. UN BON ! Quand notre langue est si fertile en tours heu-reux, pour exprimer l'opération accomplie par ceux qui portent à leurs lèvres le jus de Bacchus, le nec-tar des dieux ! Et que ne se souvenait-il de l'image à la fois modeste et hardie de Boileau :

Boire un verre de vin qui rit dans la fougère[1] !

C'est que je n'ai jamais compris ce vers-là, moi !

1. Dans *Le Lutrin* de Boileau, un personnage « Tient un verre de vin qui rit dans la fougère » (chant III, v. 30). On appelle *verres de fougère* les verres dans la composition desquels entre un sel tiré de la cendre de fougère. Pour *verre de fougère*, on dit par abréviation *fougère*, notam-ment dans la poésie classique : le mot ne désigne pas alors le végétal.

Boire un verre qui se tient les côtes dans l'herbe, sous la coudrette !

Je suis sec, plus sec encore qu'il ne croit, car il y a un tas de choses que je ne comprends pas davantage.

« Bien peu là-dedans », fait le professeur en mettant un doigt sur son cœur.

Il s'arrête un moment :

« Mais rien là-dedans, bien sûr », ajoute-t-il en se frappant le front, et secouant la tête d'un air de compassion profonde. « Il a une fois réussi, parce qu'il avait lu Pierrot[1], — mais allez, c'est un garçon qui aimera toujours mieux écrire "fusil", qu'*arme qui vomit la mort*. »

C'est que ça me vient comme cela à moi ! nous parlons comme cela à la maison ; — on parle comme cela dans celles où j'allais. — Nous fréquentions du monde si pauvre !

Je me rejette sur le vers latin, et le vers latin me réussit.

Il était temps.

Je sentais le moment où ce misérable Legnagna, dans son dépit de me voir sans succès, me porterait trop de coups sourds. Je lui aurais, un beau matin, cassé les reins.

J'avais même songé une fois à filer pour tout de bon : non pas pour aller flâner aux Champs-Élysées ou devant les saltimbanques, comme je faisais quand je manquais la classe ; mais pour lâcher la pension du coup, et me plonger, comme un évadé du bagne, dans les profondeurs de Paris.

Qu'aurais-je fait ? Je l'ignore.

---

1. Allusion à Jules-Amable Pierrot (1792-1846), dit Pierrot de Selligny, proviseur du collège royal Louis-le-Grand sous la monarchie de Juillet, auteur d'un *Cours d'éloquence française* (1820-1822).

Mais je me suis demandé souvent s'il n'aurait pas autant valu que je m'échappasse ce jour-là, et qu'il fût décidé tout de suite que ma vie serait une série de combats ? Peut-être bien.

Ma résolution était presque prise. C'est Anatoly le Pacifique qui la changea, parce qu'il crut bon d'avertir Legnagna.

Celui-ci me fit venir et me dit qu'il savait ce que je voulais faire. Il ajouta qu'il avait prévenu le commissaire, et que si je m'échappais, j'appartenais aux gendarmes. Ce mot me fit peur.

C'est sur ces entrefaites que je composai une pièce en distiques, qui fut, paraît-il, une révélation. J'aurais le prix si je m'en tirais comme cela au concours.

Le prix au concours, je voudrais bien. Ce serait pour payer ma dette, et en sortant de la Sorbonne, en pleine cour, je prendrais les oreilles de Legnagna et je ferais un nœud avec.

Le jour du concours arrive.

Nous nous levons de grand matin. On nous a donné un *filet* qui est un des trophées de la maison, et l'on y met du vin, du poulet froid. Legnagna me tend la main. Je ne puis pas lui refuser la mienne, mais je la tends mal, et ce geste de fausse amitié est pire que l'hostilité et le silence.

« Distinguez-vous... »

Il rit d'un rire lâche.

Nous partons, Anatoly et moi ; il fait un petit froid piquant.

Nous arrivons presque en retard.

Je n'avais jamais vu Paris par le soleil frais du matin, vide et calme, et je me suis arrêté cinq minutes sur le pont, à regarder le ciel blanc et à écouter couler l'eau. Elle battait l'arche du pont.

Il y avait sur le bord de la Seine un homme en chapeau qui lavait son mouchoir. Il était à genoux comme une blanchisseuse ; il se releva, tordit le bout du linge et l'étala une seconde au vent. Je le suivis des yeux. Puis il le plia avec soin et le mit à sécher sous sa redingote, qu'il entrouvrit et reboutonna d'un geste de voleur.

Il ramassa quelque chose que j'avais remarqué par terre. C'était un livre comme un dictionnaire.

Anatoly me tira par les basques, il fallait partir ; mais j'eus le temps de voir une face pâle, tout d'un coup au-dessus des marches.

Je l'ai encore devant les yeux, et toute la journée elle fut entre moi et le papier blanc. Je ferais mieux de dire qu'elle a été devant moi toute ma vie.

C'est que dans la face de ce laveur de guenille, plus blanc que son mouchoir mal lavé, j'avais lu sa vie !

Ce livre me disait qu'il avait été écolier aussi, lauréat peut-être. Je m'étais rappelé tout d'un coup toute l'existence de mon père, les proviseurs bêtes, les élèves cruels, l'inspecteur lâche, et le professeur toujours humilié, malheureux, menacé de disgrâce !

« Je parierais que ce pauvre que je viens de voir sous le pont est bachelier », dis-je à Anatoly.

Je ne me trompais pas.

Au moment même où l'on nous appelait pour entrer à la Sorbonne, *un Charlemagne*[1] avait crié, montrant une ombre noire qui montait la rue :

« Tiens, l'ancien répétiteur de Jauffret ! »

---

1. Un élève du lycée Charlemagne, grand rival du lycée Bonaparte dans la course aux prix.

C'était la face pâle, l'homme au mouchoir, le pauvre au livre[1].

On dicte la composition.

Vais-je la faire ? À quoi bon !

Pour être répétiteur comme cet homme, puis devenir laveur de mouchoirs sous les ponts ? Quelle est son histoire, à cet être qui obsède ma pensée ?

Je ne sais. Il a peut-être giflé un censeur, pas même giflé, blagué seulement.

Il a peut-être écrit un article dans *L'Argus de Dijon* ou *Le Petit homme gris* d'Issingeaux[2], et pour cette raison on l'a destitué.

Pas ce métier-là, non, non !

Il faut cependant que je me conduise honnêtement, il faut que je fasse ce que je puis.

Je ne trouve rien, rien — j'ai du dégoût comme une fois où j'avais, tout petit, mangé trop de mélasse.

Voilà enfin quarante alexandrins de *tournés* ! C'est ma copie.

« Tu as fini ? me dit mon voisin.

— Oui.

— Moi aussi. Veux-tu que nous fassions cuire des petites saucisses ? »

---

1. Vallès avait déjà raconté ce matin de concours dans un article de *L'Époque* repris dans *La Rue* (sous le titre « Jeunes élèves », *Œuvres*, Bibl. de la Pléiade, t. I, p. 850-852). Il ne mentionnait pas cependant cette rencontre éminemment symbolique du « pauvre au livre », ajout de *L'Enfant*.

2. Titres inventés ou déformés pour évoquer la petite presse libérale de province : plusieurs titres de journaux commençaient par *L'Argus...* ; *Le Petit Homme gris*, qui rappelle le titre d'une chanson de Béranger, désigne un journal qui a existé à Paris sous le Second Empire ; Issingeaux, ou Yssingeaux, est une petite ville de Haute-Loire.

Il tire un petit fourneau à esprit-de-vin et le cache
entre les dictionnaires, puis il sort un bout de poêle.

« Ça va crier, prends garde ! »

Le professeur qui surveillait était Deschanel[1] ;
c'était un garçon d'esprit, — il entendit cuire les
saucisses. — On avait le droit de manger cru dans
la longue séance, — il pensa qu'on pouvait manger
cuit. Tant pis pour celui qui tenait la casserole au
lieu du dictionnaire dans la bataille !

« Le café, maintenant. J'aime bien mon café, et
toi ? »

Celui de Charlemagne fit le café.

Il manquait la goutte. On vendit des morceaux de
composition, des tranches de copie à des *bouche-
trou*[2] de Stanislas et de Rollin[3] qui avaient des faux
cols droits, des rondins de drap fin, et de l'argent
dans leurs goussets. Nous eûmes une bonne rincette
et une petite *consolation*[4]. Pour finir, je me chargeai
spécialement du *brûlot*.

« Ton brouillon ? » fit Anatoly le Pacifique, dès
que je rentrai à la pension.

Legnagna arriva, et ils l'épluchèrent ensemble.

Je sais que ma composition est ratée, et maintenant que le souvenir de la face pâle est moins vif et
que les fumées de notre banquet sont évanouies, je
me sens chagrin, j'éprouve comme des remords.

Legnagna ne me dit pas un mot. Il me jette un regard de haine.

1. Émile Deschanel (1819-1904), maître de conférences de littérature
grecque à l'École normale, père du futur président de la République
Paul Deschanel.
2. Candidats de niveau moyen qui viennent étoffer la représenta-
tion de leur lycée au concours en jouant les figurants.
3. Les lycées Stanislas et Rollin, dans la hiérarchie des établissements parisiens, venaient après Bonaparte et Charlemagne.
4. Verre d'eau-de-vie.

Le résultat est connu. — Je n'ai rien !

Mais Anatoly n'a rien non plus, la classe n'a rien, le collège n'a pas grand-chose. C'est un désastre pour le lycée.

Les bûcheurs et les malins n'ont pas fait mieux que moi, ma conscience est plus calme.

La distribution des prix arrive. J'y assiste, obscur et inglorieux ! *Fractis occumbam inglorius armis*[1] !

Et chacun s'en va...

Moi je reste.

J'attends une lettre de mon père, et des instructions. Rien ne vient. On me laisse ici à la merci de Legnagna, qui me hait.

Nous sommes quatre dans la pension.

Un qui n'a pas de parents et dont le tuteur envoie la pension, un créole des Antilles qui ne sort que par hasard, et un petit Japonais qui ne sort jamais.

Ils payent cher, ceux-là ; moi, je suis engagé au rabais, et je devais avoir des prix. Je n'ai rien eu, et je mange beaucoup.

J'ai écrit. Si mes parents ne viennent pas demain, si je n'ai pas de réponse, je quitte la maison et je pars.

Legnagna me laissera filer, par économie, sans aller chez le commissaire, cette fois.

Oh ! ces lettres attendues ! ce facteur guetté ! mes supplications dont mon père et ma mère se rient !

J'ai presque pleuré dans mes phrases, en demandant qu'on vînt me chercher, parce que Legnagna me larde de reproches éternels.

---

1. « Que je tombe sans gloire, les armes brisées ! » (imité de Virgile).

« C'était bien assez de me nourrir pendant l'année, il faut qu'il me nourrisse encore pendant les vacances ! »

Un jour une scène éclate ; mon père est en jeu. Legnagna arrive échevelé.

« Quoi ! me dit-il en écumant, je viens d'apprendre que monsieur votre père gagne de l'argent, *s'est fait huit mille*, cette année ; je viens d'apprendre que j'ai été sa dupe, que je vous ai fait payer comme à un gueux, quand vous pouviez payer comme un riche. C'est de la malhonnêteté, cela, monsieur, entendez-vous ? »

Il frappe du pied, marche vers moi...

Oh ! non, halte-là ! Gare dessous, Legnagna !

Il devine et s'échappe en déchargeant sa colère contre la porte avec laquelle il soufflette le mur.

Une fois parti, le bruit de ses injures tombé, je réfléchis à ce qu'il vient de dire, et je lui donne raison.

Oh ! mon père ! vous pouviez m'éviter ces humiliations !

Est-ce bien vrai que vous n'êtes pas un pauvre ?

C'est vrai. — Celui qui a averti Legnagna est son beau-frère lui-même, arrivé de Nantes la veille.

Après la scène, Legnagna est venu à moi dans la cour.

« Je n'aurais rien dit, fait-il, si votre père vous avait retiré à la fin des classes, mais voilà huit jours qu'on vous laisse ici sans nouvelles ; cela a l'air d'une moquerie, vous comprenez ! »

Je balbutie et ne trouve rien à répondre ; je pense comme lui.

« Mon père payera ces huit jours.

— Il le peut... Votre père a plus gagné que moi cette année, et il n'avait pas besoin de venir demander une remise de trois cents francs sur votre pension. »

C'est pour trois cents francs que j'ai tant souffert !

XXIII
MADAME VINGTRAS À PARIS

« Jacques ! »

C'est ma mère ! Elle s'avance et, mécaniquement, me prend la tête. Le petit Japonais rit, le créole bâille, — il bâille toujours.

Ma tête a été prise de côté, et ma mère a toutes les peines du monde à trouver une place convenable pour m'embrasser.

On nous a fait entrer dans une chambre où l'on voit à peine clair, c'est le soir, et la bougie que le concierge apporte ne jette qu'une faible lumière.

« Comme tu as grandi ! comme tu es devenu fort[1] ! »

C'est son premier mot. Elle ne me laisse pas le temps de parler ; elle me tourne, retourne, et vire sur ses petites jambes.

« Embrasse-moi donc comme il faut ; va, ne sois pas méchant pour ta mère. »

1. Vallès situe ici une visite maternelle sans doute plus tardive en réalité : selon Roger Bellet, elle se situerait en 1853 et non en 1849, ce qui expliquerait l'étonnement de Mme Vingtras devant les changements physiques de Jacques.

C'est dit d'assez bon cœur. Elle crie toujours :

« Tu as si bonne tournure ! Je t'ai apporté un habit à la française ; je te ferai faire des bottes. Mais fais-toi donc voir : de la moustache ; tu as des moustaches ! »

Elle n'y peut plus tenir de joie, d'orgueil. Elle lève les mains au ciel et va tomber à genoux.

« C'est que tu es beau garçon, sais-tu ! »

Elle me dévisage encore.

« Tout le portrait de sa mère ! »

Je ne crois pas. J'ai la tête taillée comme à coups de serpe, les pommettes qui avancent et les mâchoires aussi, des dents aiguës comme celles d'un chien. J'ai du chien. J'ai aussi de la toupie, le teint jaune comme du buis.

Quant à mes yeux, prétendait Mme Allard, la lingère, qui me demanda une fois si je la trouvais potelée, je ne pouvais pas cacher que j'étais auvergnat ; ils ressemblaient à deux morceaux de charbon neuf.

« Tu as l'air sérieux aussi, sais-tu ? »

Peut-être bien. Cette année-là a été la plus dure. J'ai été humilié pour de bon, sans gaieté pour faire balance.

J'ai aussi un dégoût au cœur. Ma désillusion de Paris a été profonde.

Je vois l'horizon bête, la vie plate, l'avenir laid. Je suis dans la grande Babylone[1] ! Ce n'est que cela, Babylone !

Les gens y sont si petits ! Je n'ai entendu que parler latin !

---

1. C'est un lieu commun, au XIXᵉ siècle, de comparer Paris, la cité moderne populeuse et corrompue, à la « grande Babylone » de l'Antiquité.

Dimanche et semaine, j'ai été à la merci de ce Legnagna qui est né faible, envieux, capon, et que l'insuccès a encore aigri.

Ces dix derniers jours surtout m'ont pesé comme un supplice.

« Pourquoi ne m'écrivais-tu pas ?

— Je m'attendais à partir d'un jour à l'autre », dit ma mère.

C'était pour épargner un timbre.

Je lui parle des reproches de pauvreté qu'on me faisait, des humiliations que j'ai bues.

« C'est lui qui parle de notre pauvreté ! Quand il aura gagné ce qu'a gagné ton père cette année, il pourra dire quelque chose...

— Mais alors, si mon père a gagné de l'argent, pourquoi ne pas lui avoir payé ma pension au prix des autres, quand je vous ai écrit qu'il m'insultait et que j'étais si malheureux ?

— Des insultes, des insultes ? — Eh bien, après ? Est-ce que tu t'en portes plus mal, dis, mon garçon ? Nous aurons toujours épargné trois cents francs, et tu seras bien content de les trouver après notre mort. Il y a trois cents francs et plus, tiens là-dedans... Ce n'est pas lui qui les aura ! »

Elle rit et tape sur sa poche.

« Il faut faire comme ça dans le monde, vois-tu ; maintenant que tu es grand, tu dois le savoir. Crois-tu par hasard qu'il t'a pris pour tes beaux yeux et pour nous faire la charité ? Non, on t'a pris comme une bonne vache, tu ne vêles pas comme ils veulent, tu n'as pas des prix à leur grand concours. Il fallait choisir mieux : qu'ils te tâtent avant que tu commences. Je vais lui dire son affaire, moi, attends un peu, va ! »

Je souffre de la voir se fâcher ainsi. Cet homme que je croyais haïr, voilà qu'il me fait de la peine !

Tout en m'annonçant ses intentions de le *sabouler*[1] d'importance, ma mère dit :

« Fais tes paquets ! »

Nous étions déjà dans le corridor — le concierge y était aussi.

« Madame, rien ne peut sortir de la maison.

— Les affaires de mon fils ! — Je n'aurais pas le droit de prendre son linge ? Les chaussettes de mon enfant !... C'est votre *Gnagnagna* qui a dit ça ?

— Non. C'est le propriétaire, à qui M. Legnagna doit, et qui a donné la consigne. »

Il y a le boulanger aussi qui a une note, puis le boucher...

Triste homme, oui, triste homme ! Il bousculait les pauvres, car il n'y avait pas que moi qu'il traitât mal. Tous ceux qui étaient abandonnés ou à prix réduit recevaient ses crachats, et les petits même recevaient des coups.

Il est bête — on parle de lui comme d'un type, entre pensions. On emploie son nom pour dire cuistre, bêta et un peu cafard.

Le raisonnement que vient de me tenir ma mère, l'argument de la vache, m'a ôté des scrupules, m'a frappé.

Cette vache... c'est vrai ! Ils ne m'ont pas pris pour mes beaux yeux, bien sûr !

« Non, va, tu peux être tranquille », a repris ma mère, qui lisait mes réflexions dans mon silence et mon regard.

---

1. Bousculer, secouer.

Je le plains tout de même, ce malheureux. J'obtiens de ma mère qu'elle ne fasse pas de scène, et nous obtenons du propriétaire qu'il laisse sortir mon trousseau.

On quitte la pension, je ne sais comment. On prend un fiacre pour aller rejoindre les malles que ma mère a laissées au bureau de la diligence.

Elle murmure toujours des injures contre Legnagna ; ce sont des ricanements, des cris : elle le blague et le bouscule de la voix, du geste, comme s'il était là :

« Voulez-vous bien vous taire ! Ah ! si vous m'aviez dit ce que vous lui avez dit ! (Se tournant vers moi.) Tu n'as pas eu de cœur de t'être laissé traiter ainsi ! Ah ! tu n'es pas le fils de ta mère ! »

Suis-je un enfant du hasard ? Ai-je été fouetté par erreur pendant treize ans ? Parlez, vous que j'ai appelée jusqu'ici *genitrix*[1], ma mère, dont j'ai été le *cara soboles*[2], parlez !

« Et où allons-nous, maintenant ? »

Ma mère me pose cette question quand nous sommes déjà empilés dans la voiture. Le cocher attend.

« Nous n'allons pas coucher dans le fiacre, n'est-ce pas ? Voilà un an que tu es à Paris, et tu ne sais pas encore où mener ta mère, tu ne connais pas un endroit où descendre ? »

Je connais la Sorbonne ? — Le Sanglier ? — Est-ce qu'on lui ferait un lit aux Hollandais[3] ?

---

1. Génitrice, en latin.
2. « Rejeton chéri » ; formule de Virgile, *Bucoliques*, IV, 49.
3. Café du Palais-Royal évoqué dans le chapitre précédent, comme le Sanglier : voir p. 316.

« Allons, c'est moi qui vais te conduire ! Ah ! les enfants. »

Elle me pousse vers la portière.

« Appelle le cocher.

— Cocher ! »

Il s'arrête et se penche.

« Connaissez-vous l'Écu-de-France ?

— C'est à Dijon, ça, ma bourgeoise !

— Dans toutes les villes, il y a un hôtel qui s'appelle l'Écu-de-France.

— Connais pas ici ! »

Relevant son châle sur les épaules, prenant son sac de voyage d'une main, elle empoigne la portière de l'autre, et saute à terre.

« Je ne resterai pas une minute de plus dans cette voiture.

— Comme vous voudrez, mes enfants ; j'aime pas trimbaler du monde qui est si *chose* que ça ! Payez l'heure, et voilà vos malles. »

Nous payons, — et l'histoire d'Orléans, de la place de la Pucelle, de Nantes et du quai recommence. Nous sommes debout devant des colis et des cartons à chapeau qui s'écroulent. Ma mère ne peut pas entrer dans une ville sans embarrasser la voie !...

Elle me donne des coups de parapluie.

« Mais remue-toi donc ! »

Je remue ce que je peux, il faut que je veille aux cartons, je n'ai pas grand-chose de libre sur moi, tout est pris, il me reste un doigt.

« Arrête une autre voiture. »

Je fais signe à un nouvel automédon[1] mais l'équilibre a des lois fatales qu'il ne faut pas violer, et ce signe me perd ! La montagne de bagages s'écroule.

---

1. Cocher (du nom du cocher d'Achille chez Homère).

— Ma mère pousse un cri ! Les voitures s'arrêtent, des sergents de ville accourent, — toujours ! toujours ! Quelle spécialité !

Que serions-nous devenus sans des philanthropes qui passaient par là ?

Ils ne nous demandèrent rien qui pût attenter à nos convictions politiques ou religieuses ! Non, rien. Ils nous aidèrent de leurs conseils, sans exiger ni transaction de conscience ni lâcheté. Ce n'est pas les jésuites qui auraient fait ça !

Ils nous conseillèrent d'aller en face, « juste en face, où il y a un écriteau » et ils nous apprirent que les *chambres meublées* étaient pour les gens qui n'en avaient pas.

« Tu ne le savais donc pas, Jacques ! dit ma mère. C'est les vers latins qui l'auront rendu comme ça ! ou peut-être un coup. Tu n'es pas tombé sur la tête, dis ?

— Non, sur le derrière seulement. »

Ma mère paraît un peu plus tranquille.

Nous sommes installés : une chambre et un cabinet.

Des cris dans la chambre de ma mère...

« Jacques, Jacques !

— Me voilà. »

À peine j'ai le temps de passer mon pantalon, mais j'ai tout le mal du monde pour le garder.

Elle l'a attrapé par le fond et elle m'attire à elle, à rebours.

« Es-tu mon fils ? »

Je commence à être sérieusement inquiet. Elle me l'a déjà demandé une fois.

Je vois, éparpillées sur la table, deux culottes et deux vestes que j'ai portées toute cette année.

Elle me fait tourner brusquement et me fixe comme si elle soupçonnait toujours que je lui aie présenté un étranger à ma place.

Enfin presque sûre que je ne me suis pas trompé, avertie d'ailleurs par la voix du sang, elle laisse échapper sa douleur.

« Jacques, dit-elle, Jacques, sont-ce là les culottes, sont-ce là les vestes, est-ce l'habit bleu barbeau que je t'ai envoyés ? Je sais comme un habit est tout de suite sale avec toi, je le sais, mais je ne puis pas croire que tu aies mangé la couleur pour t'amuser, et puis ce que je t'ai envoyé était plus large ! Il y avait une ressource dans le fond, du flottant, de l'air, de la place ! Ici, rien ! rien ! »

« Jacques, nous l'avons cousu ensemble, ton père et moi ! Je te l'ai écrit, tu le savais ! — Qu'ont-ils fait de mon fils ! »

C'est la troisième fois qu'elle a l'air d'être inquiète ! Je me tâte.

« Mais explique-toi, imbécile ! »

Oh non, elle m'a bien reconnu.

J'explique l'histoire des vêtements.

J'avais usé les habits que je portais en arrivant. Ceux qu'on m'avait envoyés, taillés par mon père, cousus par ma mère, étaient trop larges ; il aurait pu tenir quelqu'un avec moi dedans. Je ne connaissais personne.

Je suis tombé sur Rajoux qui était deux fois gros comme moi, et qui avait, lui, des habits trop petits.

Il m'a demandé si je voulais changer, que j'avais une si drôle de tournure avec ces fonds trop abondants. Ça inquiétait beaucoup de gens de me voir marcher avec difficulté ! Que ne disait-on pas ?

Nous avons signé le marché un jour au dortoir, il
m'a donné ses frusques, j'ai pris les siennes, et j'ai
pu jouer aux barres, de nouveau.

Ma mère se taisait. J'attendais accablé ; enfin elle
sortit de son silence.

« Ah ! ce n'est pas du mauvais drap !... Mais il ne
devait rien y connaître, ton Rajoux, tu aurais pu
demander quelque chose en retour, un gilet de fla-
nelle, un bout de caleçon. Ah ! si ç'avait été moi !
va ! Oui, le drap est bon. Seulement nous n'avons
pas de pièce (examinant un fond rayé) ; pour ce
fond-là je ne vois que le tapis de ma chambre. Je
pourrai arranger cette doublure avec mes vieux
rideaux. »

Diable !

« Tu ne peux pas faire des conquêtes avec ça, par
exemple. Et moi j'aime bien un homme qui a un
peu de coquetterie dans sa toilette, — une redingote
verte, — un pantalon à carreaux... Oh ! je ne voudrais pas qu'on en abuse ! Plaire, mais non pas se
lancer dans le vice ; parce qu'on est bien mis, ne pas
rouler dans la vie dorée, non ! mais, tu diras ce que
tu voudras, un brin d'originalité ne fait pas de mal,
et je ne t'en aurais pas voulu, si on s'était retourné
pour te regarder à mon bras dans la rue. Qui est-ce
qui se retournera pour te regarder ? personne ! Tu
passeras inaperçu. Enfin, si tu es modeste !... (il y a
un peu d'ironie et de désappointement dans l'accent), mais c'est du bon, je ne dis pas que ce n'est
pas du bon. »

« Où me mènes-tu dîner ? »

Elle dit ça presque comme Mlle Herminie le disait
à Radigon, en me câlinant.

Il me va et me touche, cet air bon enfant, et je lui parle tout de suite de Tavernier, à trente-deux sous.

« Je voudrais aller une fois aux Frères-Provençaux ou chez Véfour[1] ; — pour une fois, on n'en meurt pas, va ; puis ton père a fait une si bonne année ! »

J'ai eu toutes les peines du monde à éviter Véfour. Elle était disposée à ne pas lésiner ; s'il fallait dix francs on les mettrait ! « Ah ! tant pis ! on fait la noce ! »

Dix francs, fichtre ! — j'entrevis la note montant à un louis, ma mère les appelant voleurs. « Je sais le prix de la viande, moi ! Vous ne m'apprendrez pas ce que c'est qu'un rognon. Vingt sous pour un fromage ! »

Je mentis un peu, je dis qu'il y avait des amis qui y avaient dîné, et qu'ils m'avaient juré que les côtelettes coûtaient trente sous.

« On s'est moqué de toi, mon garçon ! Ah ! tu ne t'es pas plus déluré que ça dans ton Paris ! Tu ne me feras pas croire qu'on demande trente sous pour une côtelette. Mais avec trente sous on peut avoir un petit cochon dans nos pays !

— Ce n'est pas si bon qu'on le croit (je hasarde cela timidement).

— Si c'est mauvais, je leur savonnerai la tête pour leurs dix francs, sois tranquille ! »

Je ne l'étais pas, et je reprends :

« Essayons de Tavernier d'abord, crois-moi. »

Nous allons chez Tavernier.

Elle a commencé par dire en entrant :

1. Deux restaurants réputés de la galerie du Beaujolais, dans le quartier du Palais-Royal.

« C'est trop beau ici pour qu'ils donnent bon ; tout ça, c'est du flafla, vois-tu ? »

Elle parlait tout haut, comme chez elle, et j'étais tout honteux en voyant la dame *du comptoir des desserts* qui l'entendait.

Pour trouver une place, nous avons fait trois fois le tour de la salle.

On commence à dire que nous passons bien souvent ! Enfin ma mère paraît fixée.

« Nous serons bien ici… — non, de ce côté-là… — Va-t'en voir si nous ne pourrions pas nous mettre près de la fenêtre, au fond. »

Je traverse le restaurant, rouge jusqu'aux oreilles.

Nous interrompons la circulation des garçons de salle et la délivrance des menus. Il m'arrive deux ou trois fois de m'opposer absolument au passage d'une sole et d'un œuf sur le plat. Le garçon prenait à gauche, moi aussi ! — À droite : il me trouvait encore ! Il allait droit — halte-là !

Des paris s'engagent dans le fond.

— Passera, passera pas !

Ma mère disait : C'est mon fils !

« *Je vous en félicite, madame !* »

Je parviens à la rejoindre : le garçon m'a filé sous le bras, aux applaudissements des spectateurs. Ceux qui ont perdu à cause de moi règlent leurs paris en louchant de mon côté, en me regardant d'un air courroucé.

Nous sommes plus forts à deux ; ma mère ne veut plus me quitter.

« Restons ensemble », dit-elle !

Nous nous portons sur un point stratégique qui nous paraît le plus sûr, et nous tenons conseil.

On nous regarde beaucoup.

« Tu as faim ? mon pauvre enfant ! »

Pourquoi m'appelle-t-elle son pauvre enfant devant tout ce monde-là ?

Une scie[1] s'organise.

« *Va rincer l'pau...*

— *Consoler l'pau...*

— *Remplir l'pau... vre enfant.* »

Mais on est allé avertir le patron, qui mettait du vin en bouteilles. Il arrive avec sa serviette qui frémit sous son bras.

« Êtes-vous venus pour dîner ? Voyons ! »

Je réponds « non », audacieusement.

Étonnement de cet homme. — Murmure de la foule.

J'ai dit non, parce qu'il avait l'air si furieux.

« Vous n'êtes pas venus pour dîner ? Pour quoi faire donc ?

— Monsieur, je m'appelle Mme Vingtras, j'arrive de Nantes. Il s'appelle Jacques, lui ! »

On crie bravo dans la salle. — *Écoutez ! écoutez ! laissez parler l'orateur !*

Mes oreilles tintent. Je n'entends plus. Je distingue seulement que le patron dit : Il faut en finir !

On vint à bout de nous : on nous accula dans un coin.

J'avouai à la fin que nous étions venus pour dîner.

On nous servit en se tenant sur la défensive.

« Je connais ça, disait un des garçons, un vieux ; ce sont des frimes, ils font les ânes pour avoir du foin, tout à l'heure, ils pisseront à l'anglaise[2]. »

« J'aime autant un autre restaurant, et toi ? demande ma mère.

---

1. Refrain ou rengaine dérivé du modèle : « Va rincer le pot. »
2. Ils fileront à l'anglaise.

— Moi aussi, oh ! oui, moi aussi. Je déteste la chanson : *Rincer l'pau...*, *Vider le pau...* Nous irons chez Bessay[1], il est à deux pas justement, et ce n'est que vingt-deux sous. »

Ma mère s'installe chez Bessay.

« Qu'allez-vous me donner, monsieur le garçon ?

— Maman, on ne dit pas *monsieur* le garçon !

— Ah ! tu es devenu impoli, maintenant ! Il ne faut pas être si fier avec les gens, on ne sait pas ce qu'on peut devenir, mon enfant ! »

Le garçon n'a pas répondu à la question polie de ma mère, il est occupé avec un client, à qui il dit :

« Nous avons une tête de veau, n'est-ce pas ? »

Le monsieur fait signe que oui, il ne nie pas, il a bien une tête de veau.

Le garçon revient à nous.

« Voyons, que nous conseillez-vous ? dit ma mère.

— Je vous recommande le fricandeau.

— Je ne suis pas venue à Paris pour manger ce que je puis manger chez moi, — non. — Que mangeriez-vous, vous-même ? Dites-nous ça. »

Elle compte qu'il lui parlera comme un ami. « Là, voyons, qu'y a-t-il de bon ? De quel pays êtes-vous ? »

Il propose un plat, elle a l'air d'accepter, mais, non, non, elle a réfléchi...

« Jacques, rappelle-le !

— Garçon ? »

Je dis ça timidement, comme on sonne à la porte d'un dentiste. J'espère qu'il ne m'entendra pas.

« Tu ne vois donc pas qu'il s'en va : cours après lui, cours donc ! »

1. Restaurant, 11 rue de l'Arbre-Sec, près de Saint-Germain-l'Auxerrois.

Je rattrape le garçon qui, un pied en l'air, la tête en bas, crie d'une voix de stentor dans l'escalier :

« ET MES TRIPES ? »

Il se retourne brusquement :

« Qu'y a-t-il ?

— Ce n'est pas un rôti qu'il faut.

— Qu'est-ce qu'il faut, alors ? »

Ma mère, du fond de la salle :

« Une bonne côtelette, pas très grasse ; si elle est grasse, il n'en faut pas ; avec une assiette bien chaude, s'il vous plaît ! »

« La côtelette... enlevons !

— Je vous ai dit : pas grasse !

— Ce n'est pas gras, ça, madame !

— Voyons, mon ami, si vous êtes franc... »

Le garçon a disparu.

Ma mère tourne et retourne la côtelette du bout de sa fourchette ; elle finit par accoucher de cette proposition :

« Jacques, va t'informer à la cuisine si on veut te la changer.

— Maman !

— Si on ne peut pas avoir ce qu'on aime, avec son argent ! Ne dirait-on pas que nous demandons la charité, maintenant ! (d'une voix tendre) : Tu voudrais donc que je mange quelque chose qui me ferait du mal ? Va prier qu'on la change, va, mon ami. »

Je ne sais où me fourrer ; on ne voit que moi, on n'entend que nous ; je trouve un biais, et d'un air espiègle et boudeur (je crois même que je mords mon petit doigt) :

« Moi qui aime tant le gras ! »

— Tu l'aimes donc, maintenant ? Qu'est-ce que je te disais, quand j'étais forcée de te fouetter pour que tu en manges, — que tu en serais fou un jour ? — Tiens, mon enfant, régale-toi. »

Je déteste toujours le gras, mais je ne vois que ce moyen pour ne pas reporter la côtelette, puis je pourrai peut-être escamoter ce gras-là. En effet, j'arrive à en fourrer un morceau dans mon gousset, et un autre dans ma poche de derrière.

Mais un soir ma mère me prend à part ; elle a à me parler sérieusement :

« Ce n'est pas tout ça, mon garçon, il faut savoir ce que nous allons faire maintenant. Voilà une semaine que nous courons les théâtres, que nous nous gobergeons dans les restaurants, et nous n'avons rien décidé pour ton avenir. »

Chaque fois que ma mère va être solennelle, il me passe des sueurs dans le dos. Elle a été bonne femme pendant sept jours ; le huitième, elle me fait remarquer qu'elle se saigne aux quatre veines, que j'en prends bien à mon aise. « On voit bien que ce n'est pas toi qui gagnes l'argent. Le restaurant, ce n'est que vingt-deux sous pour un, mais pour deux, c'est quarante-quatre sous, sans compter le garçon. Tu as voulu qu'on lui donnât trois sous ! Je les ai donnés, c'est bien, quand deux auraient suffi parfaitement ; si c'était moi, je ne donnerais rien, pas ça ! »

Elle a une façon de souligner les plaisirs qu'elle m'offre qui les gâte un peu.

Quand nous sommes allés au Palais-Royal, par exemple, il faut que je rie pendant deux jours — pour bien montrer que ça n'a pas été de l'argent

perdu. — Si je ne me tords pas les côtes, elle dit :
« C'était bien la peine de dépenser quatre francs ! »

Je ris autant que je puis ! Dès qu'elle tourne la
tête, je me repose un peu, mais ça fatigue tout de
même !

Elle m'a mené voir l'hippodrome — nous sommes
revenus à pied. Elle aime marcher, moi pas. J'ai
l'air mélancolique.

« Monsieur fait le triste, maintenant ! Tu ne faisais pas le triste quand tu jouais au mirliflore[1] dans
une bonne *seconde* et que tu regardais les écuyères. »

Au mirliflore ???

« Allons ! que va-t-on faire de toi ?

— Je n'en sais rien !

— As-tu une idée ?

— Non.

— Il faut finir tes classes. »

Je n'en vois pas la nécessité.

Ma mère devine le fond de ma pensée.

« Je parie, — oui, je parie ! — qu'il consentirait à
ce que les sacrifices qu'on a faits pour lui soient
perdus. Il accepterait de quitter le collège, tenez ! Il
laisserait ses études en plan !... »

Pour ce que ça m'amuse et pour ce que ça me
servira !... (c'est en dedans toujours que je fais ces
réflexions).

« Mais répondras-tu, crie ma mère, me répondras-tu ?

— À quoi voulez-vous que je réponde ?

— Que comptes-tu faire ? As-tu une idée, quelque
chose en tête ? »

Je ne réponds pas, mais tout bas je me dis :

---

1. Jeune élégant content de lui.

Oui, j'ai une idée et quelque chose en tête ! J'ai l'idée que le temps passé sur ce latin, ce grec — ces blagues ! — est du temps perdu ; j'ai en tête que j'avais raison étant tout petit, quand je voulais apprendre un état ! J'ai hâte de gagner mon pain et de me suffire !

Je suis las des douleurs que j'ai eues et las aussi des plaisirs qu'on me donne. J'aime mieux ne pas recevoir d'éducation et ne pas recevoir d'insultes. Je ne veux pas aller au théâtre le lundi, pour que le mardi on me reproche de m'y avoir conduit ; je sens que je serai malheureux toujours avec vous, tant que vous pourrez me dire que je vous coûte un sou !...

Voilà ce que je pense, ma mère.

J'ai à vous dire autre chose encore ; — malgré moi je me souviens des jours, où, tout enfant, j'ai souffert de votre colère. Il me passe parfois des bouffées de rancune, et je ne serai content, voulez-vous le savoir, que le jour où je serai loin de vous !...

Ces pensées-là, à un moment, m'échappent tout haut !

Ma mère en est devenue pâle.

« Oui, je veux entrer dans une usine, je veux être d'un atelier, je porterai les caisses, je mettrai les volets, je balaierai la place, mais j'apprendrai un métier. J'aurai cinq francs par jour quand je le saurai. Je vous rendrai alors l'argent du Palais-Royal, et les trois sous du garçon...

— Tu veux désespérer ton père, malheureux !

— Laissez-moi donc avec vos désespoirs ! Ce que je veux, c'est ne pas prendre sa profession, un métier de chien savant ! Je ne veux pas devenir bête comme N***, bête comme D***. J'aime mieux une veste comme mon oncle Joseph, ma paye le samedi, et le droit d'aller où je veux le dimanche. »

. . . .

« Et tu voudrais ne plus nous voir, tu dis ? »

Elle a oublié toutes les autres colères qui blessent son orgueil, dérangent ses plans, déconcertent sa vie, pour ne se rappeler qu'une phrase, celle où j'ai crié que je ne les aimais pas, et ne voulais plus les voir !

Son air de tristesse m'a tout ému ; je lui prends les mains.

« Tu pleures ? »

Elle n'a pu retenir un sanglot, et avec un geste si chagrin, comme j'en ai vu dans les tableaux d'église, elle a laissé tomber sa tête dans ses mains...

Quand elle releva son visage, je ne la reconnaissais plus : il y avait sur ce masque de paysanne toute la poésie de la douleur ; elle était blanche comme une grande dame, avec des larmes comme des perles dans les yeux.

« Pardon ! »

Elle me prit la main. Je demandai pardon encore une fois.

« Je n'ai pas à te pardonner... j'ai à te demander seulement, vois-tu, de ne plus me dire de ces mots durs. »

Elle baissa la voix et murmura :

« Surtout si je les ai mérités, mon enfant...

— Non, non, dis-je à travers mes pleurs.

— Peut-être, fit-elle. Je veux être seule ce soir, tu peux sortir... Laisse-moi. Laisse-moi. »

Elle me fit donner la clef « pour qu'il puisse rester jusqu'à minuit », avait-elle dit à M. Molay, le propriétaire.

Je pris le premier chemin qui s'ouvrit devant moi, je me perdis dans une rue déserte, et je pensai, tout le soir, aux paroles touchantes qui venaient d'effacer tant de paroles dures et de gestes cruels...

« Jacques ? est-ce que tu veux nous accorder cette grâce d'aller encore au collège ?

— Oui, mère. »

Je ne l'appelai plus que « mère » à partir de ce jour jusqu'à sa mort.

« Ah ! tu me fais plaisir ! Merci, mon enfant ! Vois-tu ! J'aurais tant souffert de voir qu'après avoir fait toutes tes classes tu t'arrêtais avant la fin. C'est pour ton père que ça me faisait de la peine. Tu le contenteras, tu seras bachelier, et puis après... Après tu feras ce que tu voudras... puisque tu serais malheureux de faire ce que nous voulons... »

Il a été décidé, le lendemain du jour où elle avait pleuré, que l'on ne parlerait plus de l'École normale, et que je préparais simplement mon baccalauréat.

J'ai accepté, heureux d'essuyer avec cette promesse et de laver avec ce sacrifice les yeux de la pauvre femme !

Elle ne me parle plus comme jadis.

Elle est si grave et a si peur de me blesser !

« Je t'ai fait bien souffrir avec mes ridicules, n'est-ce pas ? »

Elle ajoute avec émotion :

« C'est toi qui me gronderas maintenant. Tu auras la bourse, d'abord. Ne dis pas non, j'y tiens, je le veux. Puis je suis une vieille femme, tu dois t'ennuyer d'être avec moi tout le temps. Je puis très bien rester à causer avec Mme Molay. Elle me mènera voir les belles choses aussi bien que toi. Je veux que tu aies tes soirées, au moins. Revois tes amis, tes camarades ; va chez Matoussaint. »

J'ai rejoint Matoussaint dans une chambre du Quartier latin, où il demeure avec un homme qui a dix ans de plus que lui, qui est jacobin[1] et qui écrit dans un journal républicain. Il fait une histoire de la Convention[2].

Matoussaint écrit sous sa dictée.

Ils étaient en train de causer gravement. On m'a fait bon accueil, mais on a continué la conversation.

Leurs phrases font un bruit d'éperons :

« Un journaliste doit être doublé d'un soldat. » — « Il faut une épée près de la plume. » — « Être prêt à verser dans son écritoire des gouttes de sang. » — « Il y a des heures dans la vie des peuples. »

Matoussaint et son ami le journaliste, comme nous l'appelons, m'ont prêté des volumes que j'ai emportés jeudi. Le dimanche suivant, je n'étais plus le même.

J'étais entré dans l'histoire de la Révolution[3].

---

1. Républicain, partisan d'une démocratie centralisée (du nom de l'un des principaux partis de la Révolution française de 1789).
2. Assemblée qui gouverne la France révolutionnaire de 1792 à 1795.
3. La prise de conscience politique de Vingtras, présentée ici comme une véritable révélation, offre un double intérêt : d'abord, elle est l'effet d'une *lecture* ; elle résulte du pouvoir des mots ; c'est paradoxalement par le livre que la « victime du Livre », qui a subi la « tyrannie de l'Imprimé » comme une contrainte, trouve le chemin d'une libération. Ensuite, la révélation politique entraîne une *relecture* du passé personnel qui met au premier plan des figures familières de paysans et d'artisans : on est loin du monde ouvrier de la grande industrie. Le peuple selon Vallès est ici celui de la société pré-industrielle ; ce n'est pas le prolétariat urbain.

On venait d'ouvrir devant moi un livre où il était question de la misère et de la faim, où je voyais passer des figures qui me rappelaient mon oncle Joseph ou l'oncle Chadenas[1], des menuisiers avec leurs compas écartés comme une arme, et des paysans dont les fourches avaient du sang au bout des dents.

Il y avait des femmes qui marchaient sur Versailles, en criant que Mme *Veto*[2] affamait le peuple ; et la pique à laquelle était embrochée la miche de pain noir — un drapeau — trouait les pages et me crevait les yeux.

C'était de voir qu'ils étaient des simples comme mes grands-parents, et qu'ils avaient les mains couturées comme mes oncles ; c'était de voir les femmes qui ressemblaient aux pauvresses à qui nous donnions un sou dans la rue, et d'apercevoir avec elles des enfants qu'elles traînaient par le poignet ; c'était de les entendre parler comme tout le monde, comme le père Fabre, comme la mère Vincent, comme moi ; c'était cela qui me faisait quelque chose et me remuait de la plante des pieds à la racine des cheveux.

Ce n'était plus du latin, cette fois. Ils disaient : « Nous avons faim ! Nous voulons être libres ! »

J'avais mangé du pain trop amer chez nous, j'avais été trop martyr à la maison pour que le bruit de ces cris ne me surprît pas le cœur.

Puis je déchirais, en idée, les habits si mal bâtis que j'avais toujours portés et qui avaient toujours fait rire ; je les remplaçais par l'uniforme des *bleus*[3],

---

1. Les deux oncles compagnons menuisiers, associés dès le chapitre III (voir p. 64).
2. Surnom donné à Marie-Antoinette par les sans-culottes au début de la Révolution, en référence au droit de veto par lequel Louis XVI gardait le pouvoir de s'opposer à l'Assemblée constituante.
3. Soldats républicains, opposés aux *blancs*, royalistes.

je me glissais dans les haillons de Sambre-et-
Meuse[1].

On n'était plus fouetté par sa mère, ni par son
père, on était fusillé par l'ennemi, et l'on mourait
comme Bara[2]. *Vive le peuple !*

C'étaient des gens en tablier de cuir, en veste
d'ouvrier et en culottes rapiécées, qui étaient le peuple dans ces livres qu'on venait de me donner à lire,
et je n'aimais que ces gens-là, parce que, seuls, les
pauvres avaient été bons pour moi, quand j'étais
petit.

Je me rappelais maintenant des mots que j'avais
entendus dans les veillées, les chansons que j'avais
entendues dans les champs, les noms de Robespierre ou de *Buonaparte* au bout de refrains en
patois ; et un vieux, tout vieux, avec des cheveux
blancs, qui vivait seul au bout du village, et qu'on
appelait le fou. Il mettait quelquefois sur ses cheveux blancs un bonnet rouge et regardait les cendres d'un œil fixe.

Je me rappelais celui qu'on appelait le *sans-culotte*
et qui ne *tolérait* pas les prêtres. Il était sorti de la
maison le jour où sa femme, avant de mourir, avait
demandé *le bon Dieu.*

Je me souvenais aussi des gestes qu'on avait faits
devant moi, en tapant sur la crosse d'un fusil, ou en
allongeant le canon, avec un regard de colère, du
côté du château.

1. L'armée de Sambre-et-Meuse, constituée par la Convention, remporta la victoire de Fleurus (1794).
2. Joseph Bara (1779-1793) : enfant célébré par la tradition républi-
caine pour son courage héroïque ; il est mort pour avoir crié « Vive la
république ! » alors que ses ennemis le sommaient de crier « Vive le
roi ! »

Et tout mon sang de fils de paysanne, de neveu
d'ouvriers, bondissait dans mes veines de savant
malgré moi !

Il me prenait des envies d'écrire à l'oncle Joseph
et à l'oncle Chadenas... « Soyez sûrs que je ne vous
ai pas oubliés, que j'aurais mieux aimé être avec
vous, à la charrue ou à l'étable, qu'être dans la maison au latin. Mais si vous marchez contre les *aristo-
crates*, appelez-moi ! »

« Tu as l'air tout exalté depuis quelque temps »,
dit ma mère.

C'est vrai — j'ai sauté d'un monde mort dans un
monde vivant. — Cette histoire que je dévore, ce n'est
pas l'histoire des dieux, des rois, des saints, — c'est
l'histoire de Pierre et de Jean, de Mathurine et de Florimond, l'histoire de mon pays, l'histoire de mon village ; il y a des pleurs de pauvre, du sang de révolté,
de la douleur des miens dans ces annales-là, qui ont
été écrites avec une encre qui est à peine séchée.

Comme je profite avec passion de la liberté que
me laisse ma mère ! J'arrive tous les jours rue Jacob
pour mettre le cœur dans les livres qui sont là, ou
pour entendre le journaliste parler du drapeau républicain engagé sur les ponts, et défendu par les bri-
gades au cri de : « *Vive la nation ! — À bas les rois !
— La liberté ou la mort.* »

Être libre ? Je ne sais pas ce que c'est, mais je
sais ce que c'est d'être victime, je le sais, tout jeune
que je suis.

Nous nous imaginons quelquefois avec Matoussaint que nous sommes en campagne, et chacun
fait ses rêves.

Il voudrait, lui, le chapeau de Saint-Just[1] aux armées, les épaulettes d'or et la grande ceinture tricolore.

Moi, je me vois sergent, je dis : *Allons-y ! Eh ! mes enfants !*

On est tous du même pays, autour du même feu du bivouac, et l'on parle de la Haute-Loire.

Je rêve l'épaulette de laine, le baudrier en ficelle.

Je voudrais être du bataillon de la Moselle[2]. Avec des paysans et des ouvriers. L'oncle Joseph serait capitaine et l'oncle Chadenas, lieutenant.

Nous retournerions faire de la menuiserie, ou moissonner les champs « après la victoire ».

Rue Coq-Héron.

Le journaliste nous mène un soir à l'imprimerie, dans le rez-de-chaussée noir où le journal se tire ; il est l'ami d'un des ouvriers.

La machine roule, avale les feuilles et les vomit, les courroies ronflent. Il y a une odeur de résine et d'encre fraîche.

C'est aussi bon que l'odeur du fumier. Ça sent aussi chaud que dans une étable. Les travailleurs sont en manches de chemise, en bonnet de papier. Il y a des commandements comme sur un navire en détresse. Le margeur[3], comme un mousse, regarde le conducteur, qui surveille comme un capitaine.

Un rouleau de la machine s'est cassé. — Ohé ! — oh !

---

1. Saint-Just (1767-1794) : révolutionnaire aux idées radicales, proche de Robespierre pendant la Terreur, commissaire aux armées.
2. Le « bataillon de la Moselle », commandé par Hoche en 1793, s'inscrit dans la légende des armées révolutionnaires.
3. Ouvrier imprimeur qui place le papier en position de tirage sur la machine.

On arrête, — et, cinq minutes après, la bête de bois et de fer se remet à souffler.

J'ai trouvé l'état qui me convient...

J'aurai, moi aussi, le bourgeron[1] bleu et le bonnet de papier gris, j'appuierai sur cette roue, je brusquerai ces rouleaux, je respirerai ce parfum, — c'est grisant, vrai ! comme du gros vin.

Compositeur ? Non. — Imprimeur, à la bonne heure !

Le beau métier, où l'on entend vivre et gémir une machine, où tout le monde à un moment est ému comme dans une bataille.

Il faut être fort, — de grands gestes. Il y a du fer, du bruit, j'aime ça. On gagne sa vie, et l'on lit le premier le journal.

Je n'en parle pas ; je garde pour moi mon projet. Je sens que c'est une force d'être muet, quand ce que l'on veut est ce que les autres ne veulent pas. Je ne dirai rien, mais quelle joie !

Il y a un peu de vanité cruelle dans cette joie-là.

Je pense que je vais être si supérieur aux camarades qui mènent la vie de bohème ! — il n'y a pas à dire — parce qu'ils n'ont pas d'ouvrage sûr ; tandis que moi, je me ferai mes cinq francs par jour vaille que vaille, en ne fatiguant que mes bras.

Je ne dépendrai de personne, et la nuit je lirai, le dimanche j'écrirai. — Je serai d'une société secrète, si je veux. — J'aurai mangé quand j'irai, et je pourrai encore donner quelque chose pour les prisonniers politiques ou pour acheter des armes...

---

1. Blouse de travail en grosse toile.

Vivre en travaillant, mourir en combattant[1] !

« Jacques, j'ai reçu une lettre de ton père, qui décide que nous retournerons à Nantes pour que tu prépares ton baccalauréat avec lui. »

Je n'y pensais plus. J'étais dans la révolution jusqu'au cou, et j'aimais Paris maintenant. Cette imprimerie !... Puis nous avions été manger des *ordinaires* dans des crémeries où il venait des ouvriers qui avaient appartenu aux *Saisons*[2] et qui avaient été mêlés à des émeutes.

La blouse et la redingote s'asseyaient à la même table et l'on trinquait.

Le dimanche, nous allions dans une goguette[3]. *La Lyre chansonnière*[4] ou *Les Enfants du Luth* : je ne me rappelle plus bien.

Je m'ennuyais un peu quand on chantait des gaudrioles ; mais on disait tout à coup : « C'est Festeau[5], c'est Gille[6]. » Et il me semblait entendre dans le lointain la batterie sourde d'un tambour républicain, puis la batterie était plus claire, Gille entonnait, et cette musique tirait à pleines volées sur mon cœur.

Je ne sais pas cependant si je ne préfère pas aux chansons qui parlent de ceux qui vont se battre et

1. Devise des canuts lyonnais lors de leur révolte en 1831.
2. Société secrète dont Barbès et Blanqui furent les principaux chefs.
3. *Goguettes* : sociétés chantantes qui tiennent leurs séances dans des cabarets.
4. En réalité, la *Lice chansonnière*, goguette qui groupait surtout des chansonniers républicains.
5. Louis Festeau (1793-1869), chansonnier républicain, ami de Béranger.
6. Charles Gille (1820-1856), chansonnier, auteur de chansons politiques et satiriques.

mourir, les chansons de batteur de blé ou de forgeron, qu'un grand mécanicien, qui a l'air doux comme
un agneau, mais fort comme un bœuf, chante à
pleine voix. Il parle de la poésie de l'atelier, — le
grondement et le brasier, — il parle de la ménagère
qui dit : « Courage, mon homme, — travaille, — c'est
pour le moutard. »

À un moment, le chanteur baisse la voix. « Fer-
mez la fenêtre », dit quelqu'un. Et l'on salue au
refrain :

Le drapeau que le peuple avait à Saint-Merry[1] *!*

Il y a de la révolte au coin des vers. — Moi, j'en
mets du moins, moi qui, hier, ai ouvert l'*Histoire de
dix ans*[2], qui n'en suis plus à 93. J'en suis à Lyon et
au drapeau noir. Les tisseurs se fâchent, et ils
crient : *Du pain ou du plomb !*

« Jacques, c'est lundi que nous partirons pour
Nantes[3]. »

Un coup de couteau ne me ferait pas plus de mal.

Il y a un mois, je serais parti content, et j'aurais
peut-être craché sur Paris en passant la barrière,
tant j'avais été étouffé là-dedans, tant j'avais eu de
désillusions en voyant mes camarades et mes maîtres.

Mais depuis un mois il y a eu les larmes de ma
mère et, au lendemain de cette scène, la liberté

---

1. Rappel du soulèvement parisien de 1832, consécutif aux obsèques
du général Lamarque : de nombreux insurgés périrent dans le cloître
Saint-Merry après une résistance acharnée.
2. Ouvrage de Louis Blanc, historien et homme politique socialiste,
publié de 1841 à 1844. Vallès y a lu le récit des révoltes ouvrières à
Paris et à Lyon sous la monarchie de Juillet.
3. Dans la vie de Vallès, ce retour se situe en août 1849.

pleine ; de temps en temps quarante sous, pour souper d'un peu de cochon avec des amis, et, le dimanche, d'un bœuf braisé à Ramponneau[1].

J'ai été mêlé à la foule, j'ai entendu rire en mauvais français, mais de bon cœur. J'ai entendu parler du peuple et des citoyens, on disait *Liberté* et non pas *Libertas*[2].

Il a toujours été question de pauvreté autour de moi ; mon père a été humilié parce qu'il était pauvre, je l'ai été aussi, et voilà qu'au lieu des discours de Caton, de Cicéron, des gens en *o, onis, us, i, orum*[3], je vois qu'on se réunit sur la place publique pour discuter la misère et demander du travail ou la mort.

« Hé ! Jean-Marie, puisqu'il n'y a pas de miche à la maison, vaut-il pas mieux *passer le goût du pain*[4] ? »

Retourner là-bas ?

À qui parlerai-je de République et de révolte ?

Est-ce qu'on s'est jamais soulevé à Nantes ? Ce serait autre chose à Lyon !

Oh ! si je n'avais promis à ma mère ! — si elle n'avait pas pleuré !

Si elle n'avait pas pleuré, j'aurais dit : « Je ne veux pas partir. » Le puritain m'aurait placé comme garçon de bureau, comme homme de peine, dans un des journaux. Il y a justement (c'était une chance !),

1. Célèbre cabaret-restaurant du quartier de la Courtille, sur les hauteurs de Belleville (est parisien).
2. « Liberté » en latin. Autrement dit, la liberté dont parlent les professeurs et les livres de classe, le modèle romain de la liberté.
3. Terminaisons principales des noms latins, au nominatif et au génitif.
4. « Mourir », en termes imagés.

il y a une place au *National*[1] ; on donne trente francs par mois pour *tenir la copie*, pour lire à l'homme qui corrige. J'aurais vécu avec ces trente francs-là. Ma besogne faite, je descendais dans l'imprimerie sentir l'encre et le papier, et je demandais aux ouvriers de m'apprendre l'état.

Si j'en parlais à ma mère ?

Je lui en parle.

« Tu m'avais dit, cependant...

— C'est vrai, oui. »

Je vais dire adieu au journaliste et à Matoussaint. Le journaliste me donne du courage.

« Vous reviendrez, mon cher.

— Écrivez-moi, au moins !

— Oui. Même, dit-il en souriant, si c'est pour vous appeler à l'assaut de l'Élysée.

— Surtout dans ce cas, citoyen ! »

XXIV

LE RETOUR

Ah ! que la route est triste !

Ma mère voit bien ma douleur et essaie de me consoler, ce qui m'irrite, et je suis forcé de me retenir pour ne pas la brusquer. Je m'en veux de paraître accablé : je n'ai donc pas de courage !

Non, je n'en ai pas ; les noms de stations criés à la gare m'entrent dans la poitrine comme des coups de corne.

---

1. Grand journal d'opposition sous la monarchie de Juillet, fondé en 1830 par Thiers, Mignet et Armand Carrel. Il cessera de paraître après le coup d'État du 2 décembre.

Beaugency ! Amboise ! Ancenis !

On signale un château, une ruine ; mais c'est tout près de Nantes, cela !

« Jeune homme, nous n'en sommes pas à plus de cinq lieues.

— Oh ! mon Dieu !

— Nous y sommes. »

Comme les rues paraissent désertes ! Sur le quai où nous demeurons[1], il y a deux ou trois personnes qui passent — pas plus. Je reconnais un ancien capitaine sur le banc où je le voyais jadis en allant en classe, puis un nègre en guenilles qui avait des enfants à qui l'on faisait la charité.

Quel silence ! on dirait qu'on est dans une campagne.

Je lève les yeux vers la fenêtre de notre appartement.

Mon père est là, maigre, l'air chagrin, immobile.

Il me repoussait quand j'étais petit et qu'on me jetait dans ses bras pour un baiser.

Aussi, chaque fois qu'il y a la solennité d'un départ ou d'une *retrouvée*, est-ce un embarras pour nous deux !

Il m'offre à embrasser, cette fois, une face pâle, un front de pierre.

Je n'ose pas.

Ma mère nous pousse un peu, j'avance le cou, il tend le sien. Mes cheveux l'aveuglent et sa barbe me pique ; nous nous grattons d'un air de rancune tous les deux.

On monte les escaliers sans dire un mot.

1. À Nantes, Vallès et ses parents demeuraient quai Richebourg.

Mon père arrive derrière ; on dirait une *exécution*
à la Tour de Londres.

Si l'on exécutait tout de suite — mais non — mon
père *prend des temps* de solennité.

C'est le latin. — C'est le souvenir des pères qui
assassinent leurs fils dans l'histoire : Caton[1], Brutus[2]. Il ne pense pas à m'assassiner, mais au fond,
je suis sûr qu'il se trouve lâche, et il voudrait que
son fils, que *Bruticule* lui en sût gré : et, chaque fois
que je fais un geste, ou que je dis un mot un peu
vif, il fronce les sourcils, serre les lèvres (ça doit le
fatiguer beaucoup, ce digne homme !) et il semble
me dire : « Tu oublies donc que tu ne vis que par
charité et que je pourrais te donner un coup de hache, te livrer au licteur ? »

Il reste antique jusqu'à ce que le nez lui chatouille ; ou qu'il ne puisse plus y tenir.

Il s'épuise à la fin, à force de vouloir paraître
amer et il est forcé de se desserrer la mâchoire de
temps en temps.

Jamais il n'a été si Brutus qu'aujourd'hui.

Il a rejeté le gland de son bonnet grec, comme s'il
y avait de la faiblesse dedans, et il se tient dans le
fauteuil comme si c'était une chaise curule.

---

1. Caton l'Ancien (232-147 av. J.-C.) : homme politique romain
célèbre pour sa sévérité inflexible et sa rigueur morale.
2. Lucius Junius Brutus : l'un des fondateurs légendaires de la république à Rome (509 av. J.-C.). Comme ses propres fils complotaient
pour rétablir la royauté, il les condamna à mort et présida, en qualité
de consul, à leur exécution. La scène, racontée par Tite-Live (*Histoire
romaine*, II, 5), a inspiré la poésie et la peinture : Brutus ne quitte pas
sa « chaise curule » et ne détourne pas les yeux quand la hache des
licteurs s'abat sur la tête de ses enfants. Il ne faut pas confondre cette
figure de père « assassin » avec l'autre Brutus, dit Brutus le Jeune, le fils
adoptif de César, qui prit part au meurtre de son père en 44 av. J.-C.
Mais il n'est pas impossible que Vallès joue sur cette signification
réversible du nom : à la violence de Brutus le père répond la révolte de
Brutus le fils, *Bruticule* (nom formé par ajout d'un suffixe de dévalua-
tion qui vient lui-même du latin).

« Vous êtes mon fils, je suis votre père.

— Oh ! oui, tu peux en être sûr, Antoine ! a l'air de dire ma mère.

— Il y avait à Rome une loi (m'écoutez-vous, mon fils ?) qui donnait au père déshonoré, dans la personne d'un des siens, le droit de faire mourir ce... ce... ce *sien... suum.* »

Il s'embrouille.

PHILOSOPHIE

« Tu feras ta philosophie jusqu'à Pâques, et à Pâques tu te présenteras au baccalauréat. »

Telle est la décision adoptée.

On me regarde un peu quand je reparais dans la cour des classes. On m'entoure, et l'on me dévisage. Un garçon qui revient de Paris... jugez !...

Le professeur[1] est un jeune homme qui, sorti le premier de l'École normale, a été reçu à l'agrégation le premier, qui arrive toujours le premier au cours, et qui se présente toujours le premier à l'économat pour toucher ses appointements. Il loge au premier, dans une maison au fond d'une rue lugubre. Au théâtre, il va aux premiers, et au premier rang.

C'est sa mère qui a fait cette combinaison.

« Je veux que tu sois partout, partout, *le premier.* »

Ce professeur me traite assez bien. Il compte sur moi pour faire le péripatéticien chez lui, dans son jardin.

1. Le professeur de philosophie de Vallès à Nantes en 1849-1850, évoqué ici, est Albert Lemoine, futur professeur au lycée Bonaparte.

Il avait du monde autrefois, à qui il faisait tirer de l'eau pour arroser son potager ; il n'a plus personne.

Il pense que moi, fils de collègue — qui suis d'Éleusis[1] aussi, — j'ai l'étoffe d'un disciple et d'un tireur d'eau.

Je ne sais comment il a été nommé à ce poste-là.

Je trouvais mes professeurs de rhétorique ennuyeux à Paris, mais l'on m'assurait qu'il y avait parmi les professeurs de philosophie des gens qui raisonnaient, qui pensaient, qui avaient la tête pleine.

Une fois même, il y en avait un qui était venu serrer la main du *journaliste*, quoique ce journaliste fût républicain.

J'avais grande idée de ces chercheurs de vertu.

Mais celui-ci est vraiment comique !

EN CLASSE

« Monsieur Vingtras, quelles sont les preuves de l'existence de Dieu ? »

Je me gratte l'oreille.

« Vous ne savez pas ? »

Il paraît étonné, il a l'air de dire : « Vous qui arrivez de Paris, voyons ! »

— Gineston, les preuves de l'existence de Dieu ?

— M'sieu, je ne sais pas, il manque des pages dans mon livre.

— Badigeot ?

— M'sieu, il y a le *consensus omnium*[2] !

---

1. Lieu de l'initiation aux mystères sacrés dans l'Antiquité grecque, Éleusis symbolise ici l'Université : l'élève Jacques Vingtras, « fils de collègue », est censé être un initié.
2. « Consentement de tous ».

— Ce qui veut dire ?... » (Le professeur prend les poses de Socrate accouchant son génie[1].)

— Ce qui veut dire... — Pitou, souffle-moi donc !

— Ce qui veut dire (reprend le professeur aidant le malade), que tout le monde est d'accord pour reconnaître un Dieu ?

— Oui, m'sieu.

— Ne sentez-vous pas qu'il y a un être au-dessus de nous ? »

Badigeot regarde attentivement le plafond !

Rafoin y a lancé le matin un petit bonhomme en papier qui pend à un fil au bout d'une boulette de pain mâché.

« Oui, m'sieu, il y a un *bonhomme* là-haut.

— Bonhomme, bonhomme (dit le professeur qui est myope et n'a pas vu ce qui pend au plafond), mais c'est aussi le Dieu de la Bible. Sa droite est terrible ! »

Le mot ne lui a pas déplu, cependant.

« J'aime cette familiarité, tout de même », disait-il en sortant de la classe. Il y a un *bonhomme* là-haut !... Ce cri d'un enfant pour désigner Dieu ! »

Il en a parlé en haut lieu.

« Qu'en dites-vous, monsieur le proviseur ? N'est-ce pas l'enfant qui ne sait rien, parlant comme le vieillard qui sait tout ? — Oui, il y a un *bonhomme* là-haut ! »

À la classe suivante il s'adresse de nouveau à Badigeot et commence en lui rappelant le mot :

---

1. Socrate disait appliquer par le dialogue l'art de la *maïeutique*, de l'« accouchement » intellectuel, transposant au domaine de l'esprit le métier de sa mère, qui était sage-femme. Le philosophe parlait aussi du « génie », ou *démon* (*daïmôn* en grec), qui l'habitait. La formule vallésienne condense ici les deux thèmes en un seul.

« Il y a un bonhomme là-haut ?
— Non, m'sieu, il n'y est plus. »
Il tenait mal et il est tombé.

MON ÂME

Le professeur m'a mis aux *facultés de l'âme*.

Les autres n'y sont pas encore, il fait cela pour moi.

Ce n'est qu'après Pâques qu'on sait comment l'âme est faite dans ce collège-ci.

Il y a sept facultés de l'âme.

« Comptez sur vos doigts, c'est plus facile », dit le maître.

On annonce à Nantes l'arrivée d'un professeur de faculté célèbre, M. Chalmat[1]. Chalmat lui-même est dans nos murs !

Il a connu mon père à Paris, au moment de l'agrégation.

Ils dînaient à côté l'un de l'autre, dans un restaurant à prix fixe. M. Chalmat sortit le premier, oubliant un manuscrit, que mon père prit. Il y avait l'adresse, et il put rapporter le paquet à son propriétaire désespéré.

« Quand vous aurez besoin de moi, dit le philosophe, je suis là. »

Il était là, en chair et en os, par hasard, et par hasard aussi il y avait un appartement meublé dans notre maison, ce qui fit de lui notre voisin.

---

1. Nom légèrement transformé d'Antoine Charma (1801-1869), qui fut ami du philosophe Victor Cousin et publia plusieurs ouvrages de philosophie.

M. Chalmat dormait sur le même carré que nous.

Il dormait peu, et la nuit il parlait tout haut. Je l'entendais qui disait : « Il y en a HUIT, HUIT ! Oui, il y en a HUIT. »

Il voulut me faire un cadeau.

Il nous prit à part, mon père et moi ; il nous parla à cœur ouvert.

« Mes amis, dit-il (il m'honorait moi-même de ce nom), je désire vous payer du service que vous m'avez rendu jadis, en sauvant mon manuscrit. Je n'ai pas de fortune, mais je vous donnerai ce que j'ai, le résultat de vingt ans de réflexions et de travail ! »

Mon père semble dire : « C'est trop. »

« Non, non ! Écoutez-moi bien. »

Nous retenons notre souffle, on aurait entendu voler une mouche.

« On vous dit qu'il y a sept facultés de l'âme ? *Il y en a huit !* »

On me trompait donc ? On me volait d'une ? Pourquoi ? Que signifie ?

« Oui, oui, c'est comme ça », et M. Chalmat me montrait ses cinq doigts de la main droite et trois autres couchés dans la main gauche.

Il a ajouté avec bonté :

« Servez-vous de la découverte, je vous y autorise ; on l'ignore encore, dans deux mois seulement ce sera dans mes livres. »

Rennes[1], *lundi.*

Je suis arrivé ce matin. Demain la version. Mon père voulait me suivre à Rennes, mais il est forcé de rester avec ses pensionnaires.

1. Vallès se présente au baccalauréat à Rennes en avril 1850.

Mardi.

Je suis le second en version.

J'ai *fait* encore trop près du texte, sans cela j'aurais été le premier.

Cette après-midi l'examen.

Je repasse, je repasse, comme si je pouvais avaler le manuel en trois bouchées.

« Monsieur Vingtras ! »

C'est mon tour.

On tire les boules.

« Traduisez-moi ceci, traduisez-moi cela. »

Je traduis comme un ange.

« On voit, dit publiquement le doyen, non seulement que vous avez été bercé sur les genoux d'une tête universitaire, mais encore que vous vous êtes abreuvé aux grandes sources, que vous avez passé par cette belle école de Paris, à laquelle nous avons tous appartenu. (Se ravisant.) Ah ! non, pas tous ; il y a notre collègue M. Gendrel. »

M. Gendrel est le professeur de philosophie. Il est licencié de *province*, docteur ès lettres de *province* ; il n'a pas bu aux fortes sources comme eux, comme moi, et, comme c'est un *cafard*[1], à ce qu'on dit, le doyen le pique chaque fois qu'il le peut. Il m'a pris pour prétexte à l'instant.

M. Gendrel est jaune, jaune comme un coing, avec des lunettes comme celles de Bergougnard.

Je passe par le professeur de mathématiques avant d'arriver à lui.

1. Mouchard, rapporteur (d'où le verbe *cafarder*).

Je ne sais pas grand-chose de ce qu'on me demande, mais l'éloge qu'on vient de m'adresser publiquement engage le professeur à être indulgent.

« Qu'est-ce que le pendule compensateur ?

— C'est un pendule qui compense.

— Bien, très bien ! »

Se penchant à l'oreille du doyen :

« Il est intelligent. »

Se retournant vers moi :

« Et la machine pneumatique, quel est son usage ?

— La machine pneumatique ?...

— Oh ! je ne vous demande pas grands détails. C'est pour faire le vide n'est-ce pas ? Et si l'on met des oiseaux dedans, ils meurent. Bien, très bien ! »

Il reprend :

« Vous avez en géométrie la section d'un cône ? »

Oui, mais il me faut un chapeau pour faire une bonne démonstration, comme avec les plâtres du vieil Italien, et je la fais à la bonne franquette.

Prenant un chapeau qui me tombe sous la main et d'où je retire un vieux mouchoir, je coupe mon cône.

On rit dans la salle parce que la coiffe est très grasse et le mouchoir très sale ; les examinateurs me regardent avec un sourire de bonne humeur.

Le professeur de mathématiques, qui décidément veut faire sa cour au doyen (il doit épouser sa fille), me parle à son tour :

« Monsieur, on voit que vous préférez Virgile à Pythagore, mais comme le disait si bien monsieur le doyen tout à l'heure, vous avez bu aux grandes sources séquanaises[1], et Pythagore même en a profité. »

---

1. *Séquanais* : de la Seine, donc parisien.

Murmure flatteur.

Encore un coup à Gendrel !

C'est à lui que j'ai affaire maintenant.

Il me fixe : ses lunettes flamboient comme des pièces de cent sous toutes neuves.

Il lui prend l'envie de se moucher.

Il cherche son mouchoir, c'est lui que j'ai retiré tout à l'heure et remis dans la coiffe si grasse.

C'était le chapeau de Gendrel.

Je suis perdu !

Il m'en veut pour les allusions que le doyen a lancées contre lui sous mon couvert ; il m'en veut pour la coiffe et le mouchoir.

Il ne me laisse pas le temps de me reconnaître.

« Monsieur, vous avez à nous parler des facultés de l'âme. »

(D'une voix ferme) : « Combien y en a-t-il ? »

Il a l'air d'un juge d'instruction qui veut faire avouer à un assassin, ou d'un cavalier qui enfonce un carré avec le poitrail de son cheval.

« Je vous ai demandé, monsieur, combien il y a de facultés de l'âme ? »

Moi, abasourdi : « Il y en a HUIT. »

. . . .

Stupeur dans l'auditoire, agitation au banc des examinateurs !

Il y a un revirement général, comme il s'en produit quelquefois dans les foules, et l'on entend : *Huit, huit, huit.*

Pi-houit !...

J'attends l'opinion de Gendrel. Il me regarde bien en face.

« Vous dites qu'il y a huit facultés de l'âme ? Vous ne faites pas honneur à la *source des hautes études* à laquelle monsieur le doyen vous félicitait si généreusement de vous être abreuvé, tout à l'heure. Dans le collège de Paris où vous étiez, il y en avait peut-être huit, monsieur. Nous n'en avons que sept *en province*. »

Les examinateurs, qui lui en veulent, ne peuvent cependant accepter ma *théorie des huit* publiquement, et je vais porter la peine d'avoir lancé à un examen une franchise qui avait besoin de volumes et d'hommes célèbres pour la faire accepter.

Le doyen rentre et dit sèchement : « Monsieur Vingtras est appelé à se présenter à une autre session. »

La foule se retire en se demandant qui je suis, ce que je veux, et où l'on en arriverait si l'on jouait ainsi avec l'âme ; je renverse les bases sur lesquelles repose la conscience humaine.

Je n'y tiens pas du tout, moi ! C'est la faute à M. Chalmat, qui m'a dit qu'il y en a huit. Je ne suis pas un instrument aux mains d'une secte ou d'une faction.

J'ai dit ce qu'il m'a dit !

Il n'y a donc que sept facultés de l'âme : j'en perds une, — je m'en fiche, — mais je serai forcé de me représenter devant la faculté de Rennes, — et je ne m'en fiche pas[1]. Je suis bien triste…

Mon père me reçoit, les lèvres serrées, le front plissé, l'œil cave.

---

1. Vallès a effectivement échoué au baccalauréat à Rennes en 1850, probablement à cause de ces « facultés de l'âme ».

C'est qu'il n'est pas seulement blessé dans ma personne ! Il l'est dans son propre orgueil !

Un élève qui lui en veut a retourné le poignard dans la plaie.

Le soir du même jour où l'on apprit que j'étais refusé, on lisait sur notre porte :

À LA BOULE NOIRE[1]

AUBERGE DES RETOQUÉS

AGRÉGATION ET BACCALAURÉAT[2].

(On porte tout de même des participes en ville)

On porte tout de même des participes en ville ! c'est-à-dire qu'on donne des répétitions tout de même et qu'on demande vingt-cinq francs par mois, tout comme si on avait été reçu d'emblée, comme si on avait passé des agrégations du premier coup, et comme si le fils de la maison avait jonglé avec des *blanches* !...

« Jacques, il vaut mieux que tu ne te mettes pas à table avec nous. »

Ma pauvre mère ne vit plus. Elle assiste chaque jour à des scènes pénibles.

Mon père me reproche le pain que je mange.

On m'apporte des provisions dans ma chambre, comme à un homme qui se cache.

« Oh ! je ne veux plus de cette vie ! Je veux repartir pour Paris.

— Dans ces habits ? » dit ma mère en regardant mes hardes.

Je serai donc toujours écrasé par mon costume !

---

1. La *boule noire* obtenue par le candidat à l'examen signifiait l'échec, la boule blanche correspondant à l'admission.
2. Le père de Vallès avait en réalité été reçu à l'agrégation en 1846.

Ah ! je partirai tout de même !

Mon père a eu vent de ce propos.

« S'il part, dis-lui que je le ferai arrêter par les gendarmes. »

Legnagna m'avait déjà menacé d'eux...

Vous voulez faire de moi un gibier de prison, mon père ?

Il a donc le droit de me faire prendre, il a le droit de me traiter comme un voleur, il est maître de moi comme d'un chien...

« Jusqu'à ta majorité, mon garçon ! »

Il a dit cela avec emportement, en tapant sur un livre qui s'appelle le Code[1], je le retrouve le soir dans un coin, ce vieux livre. Je le lis en cachette, à la lueur du réverbère qui éclaire ma chambre.

« *Peut être enfermé, sur l'ordre de ses parents*, etc... »

Me faire arrêter ? — Pourquoi ?

Parce que je ne veux pas qu'il dise que je ne gagne pas la pâtée que je mange, — parce que je ne veux pas qu'il s'amuse à me frapper, moi qui pourrais le casser en deux, — parce que je veux avoir un état, et que ça l'humilie de penser que lui, qui a tant lutté pour avoir une *toge* roussie, il aura un fils qui aura une cotte, un bourgeron !

Il me fera mettre les menottes peut-être et ordonnera aux gendarmes de serrer dur si je résiste. Et cela, parce que je ne veux pas être professeur comme lui.

---

1. Le Code civil définit l'étendue de la « puissance paternelle », considérable à l'époque jusqu'à la majorité de l'enfant. Parmi les « moyens de correction » dont il dispose envers ses enfants en cas de « sujets de mécontentement très graves », le père peut effectivement requérir la détention. Jean-Louis Vallez fera interner son fils après le coup d'État du 2 décembre.

Je comprends. C'est que j'insulte toute sa vie en déclarant que je veux retourner au métier comme nos grands-parents ! Dire que je désire entrer en atelier, c'est dire qu'il a eu tort de lâcher la charrue et l'écurie.

Il me ferait donc conduire de brigade en brigade : si ce n'est pas ce soir, ce sera demain, ou dans un mois. Jusqu'à vingt et un ans, il le peut.

On a pensé à moi pour une leçon.

Mes succès de collège m'ont fait une réputation ; et puis quelques personnes, devinant peut-être le drame muet qui se joue chez nous, veulent me montrer de l'amitié.

L'une de ces personnes s'adresse à ma mère ; c'est une dame qui veut que j'apprenne un peu de latin à son fils. Ma mère a répondu :

« Madame, je serais bien contente s'il pouvait gagner un peu d'argent, parce qu'il se disputerait moins avec son père. Ils sont bons tous deux, dit-elle, mais ils se chamaillent toujours. — Il faudrait, par exemple, que vous parliez à M. Vingtras pour qu'il achète une culotte à Jacques, si vous ne voulez pas (esquissant un sourire) qu'il aille chez vous tout nu — sauf votre respect. Je vous dis ça comme une paysanne ; c'est que je suis partie de bas. — J'ai gardé les vaches, voyez-vous ! »

J'entends cela de la chambre où je suis. Pauvre mère !

La personne qui venait chercher la leçon s'en va, ayant peur de recevoir une carafe à la tête, quelque bouteille égarée de son chemin, — si mon père rentrait et que nous nous prissions aux cheveux. Puis elle ne se sent pas le courage de parlementer pour ma culotte. En un mot, on a gardé des animaux dans notre famille, et elle vient chercher un professeur et non pas un berger.

Ma mère attend une réponse. (On doit lui écrire.)

« Je lui ai pourtant dit ce qu'il fallait dire, fait-elle en croisant les bras ; oh ! ces riches, ces riches !... »

Ah ! cette paysanne !

Ma réputation de fort en thème me fait retrouver pourtant une leçon, mais mon père, afin de m'humilier, ne me laisse pas même prendre dans sa garde-robe une culotte neuve. Mes habits ne tiennent pas.

Je suis forcé de m'asseoir de côté.

Je tremblai si fort un jour où l'on me dit :

« Donnez donc votre leçon dans le jardin, monsieur Vingtras, et ôtez votre paletot. Il fait si chaud ! Vous suez à grosses gouttes.

— Oh ! non, au contraire, merci. »

Je ruisselle.

« Il a l'air timide, un peu inquiet, votre fils, dit-on à ma mère qu'on n'attendait pas, mais qui est venue un jour pour demander si l'on était content de moi et pour parler en ma faveur.

— Ne vous y fiez pas ! et si vous avez des demoiselles qui ont de beaux yeux, ne les laissez pas trop courir quand il est là. Il y a déjà eu des histoires ! Il est parisien pour ça, allez ! et avant même d'aller à Paris, il avait (elle fait des cornes sur son front avec ses doigts), oui, oui, comme je vous dis !... »

On me chasse le lendemain.

Mais j'étais engagé pour un mois, et l'on me paye le mois entier. « Cinquante francs. »

Avec cet argent-là, je vais me commander des habits. Ma mère intervient.

« Je te les ferai moi-même, nous achèterons du drap.

— Oh ! non, par exemple, non !

— Mon fils ne m'aime plus, conte-t-elle, le soir à une voisine qui a sa confiance. — S'il me laissait choisir le drap encore ! »

J'achète un costume tout fait.

Ma mère me suit en cachette et pendant que je traite elle demande à parler en particulier au patron de l'établissement et lui explique mon histoire.

« Donnez-lui du solide », murmure-t-elle, les larmes aux yeux !

Je vois un peu plus de monde, maintenant que je suis propre. Ma mère me prie de l'accompagner chez des gens qu'elle connaît.

Elle est si contente et si fière !

Mais au milieu d'une conversation elle dit tout à coup : « Comme ça fronce ! Et comme on voit qu'il n'y a qu'une demi-doublure ! Si tu te tenais comme ça au moins, ça cacherait ! » (et elle me tire mon gilet pour le faire aller, elle tripote ma cravate).

Claquant la langue tristement, elle ajoute :

« Tu peux te vanter d'avoir choisi du salissant ! Et il n'a seulement pas demandé des morceaux ! »

Mon père sent que je suis ulcéré, et un jour où il me voyait pâlir, il eut peur de mon désespoir.

« Ton fils a voulu s'empoisonner », dit-il à ma mère.

Il en est à croire cela.

La pauvre femme reste muette, glacée.

Il est d'ailleurs las, lui-même, de la vie que nous menons sous le même toit. La maison a l'air d'une maison maudite.

« Dis-lui de m'écrire ce qu'il compte faire. »

C'est le dernier mot qu'il adresse à ma mère, après cette soûleur[1] du suicide.

C'est affreux de prendre cette grande feuille de papier vide pour écrire à son père. Il faut mettre *vous*.

Je dis *vous* pour la première fois.

Je ne vois pas bien avec la chandelle.

« Mère, donne-moi donc une bougie.

— Ça n'éclaire pas mieux, va, c'est un peu plus propre, mais ça éclaire moins bien, et c'est beaucoup plus cher, vois-tu ! »

J'écris à mon père ! je rature, et je rature !

Tout en écrivant, il m'est venu de la sensibilité, j'ai peur de paraître faible.

Je recommence ; c'est difficile et douloureux.

Ah ! ma foi, non ! et je déchire encore...

Je vais mettre deux lignes seulement, — pas deux lignes, — quatre mots. Ça m'évitera ce *vous*, et ce que je veux dire y sera tout de même. J'écris simplement ceci :

JE VEUX ÊTRE OUVRIER.

« Ton père est furieux », me glisse à l'oreille ma mère, qui vient de remettre le bout de papier.

Il me rencontre dans un corridor :

« Tu te f... de moi, dis ?... »

Il lève la main, et j'ai cru qu'il allait m'écraser.

L'abîme est creusé, — il va arriver un malheur.

---

1. Saisissement, frayeur subite.

XXV
LA DÉLIVRANCE

Le malheur est arrivé.

Je sors quelquefois, le soir — bien rarement. Que
dirais-je aux gens que je rencontrerais ? Je n'ai pas
le sou pour aller au café où les collégiens vont. Je
ne veux pas me laisser offrir et ne pas payer : je suis
trop pauvre pour cela. C'est quand j'ai de l'argent
dans ma poche que j'accepte, parce que je sens que
l'on ne me fait pas l'aumône et qu'à mon tour je
puis régaler.

Mais il y a longtemps que je n'ai plus rien —
même un sou.

J'avais fait un peu d'argent avec mes livres de
prix. La *Poésie au seizième siècle*, par Sainte-Beuve,
un Bossuet, et les œuvres de M. Victor Cousin.

Ma mère trouvant cinq francs dans ma poche
m'avait demandé où je les avais pris. Elle avait l'air
de croire que c'était le produit d'un vol ou d'un assassinat. « Il se sera laissé entraîner par les mauvais
conseils. Ce sont les mauvais conseils qui perdent
les jeunes gens. »

Qui me donnerait des conseils ? — Des copains ?
Je suis plus vieux qu'eux, même s'ils ont mon âge.
On ne les a pas battus tant que moi. Ils n'ont pas
connu Legnagna et la maison muette. — Des vieux ?
les collègues de mon père ? Ils ont bien assez à faire
de nouer les deux bouts, et puis ils ne savent que ce
qui se passait chez les anciens et n'ont pas le temps

— à cause des répétitions — de juger ce qui se passe autour d'eux.

J'avais dit à ma mère d'où venaient ces cinq francs.

Elle avait levé les mains au ciel.

« Tu as vendu tes livres de prix. Jacques !... »

Pourquoi pas ? Si quelque chose est à moi, c'est bien ces bouquins, il me semble ! Je les aurais gardés, si j'avais trouvé dedans ce que coûte le pain et comment on le gagne. Je n'y ai trouvé que des choses de l'autre monde ! — tandis qu'avec l'argent, j'ai pu acheter une cravate qui n'était pas ridicule et aller aussi prendre un gloria[1] aux Mille-Colonnes. J'y lis la *feuille* de Paris, qui sent encore l'imprimerie, quand le facteur l'apporte.

Mais je me suis trouvé un soir face à face avec mon père qui passait. Il m'a insulté, d'un mot, d'un geste.

« Te voilà, fainéant ? »

Et il a continué son chemin.

Fainéant ? — Ah ! j'avais envie de courir après lui et de lui demander pourquoi il m'avait jeté entre les dents, et sans me regarder en face, ce mot qui me faisait mal !

Fainéant ! — Parce que, dans le silence glacial de la maison, ce travail de bachot et cet acharnement sur les morts m'ennuient, parce que je trouve les batailles des Romains moins dures que les miennes, et que je me sens plus triste que Coriolan[2] ! Oh ! il ne faut pas qu'il m'appelle fainéant !

1. Café mélangé d'eau-de-vie.
2. Romain condamné à l'exil qui s'était retourné contre Rome, mais avait finalement renoncé à sa vengeance en se laissant toucher par les larmes et les prières de sa mère et de sa femme (ve siècle av. J.-C.).

Fainéant !

Si mon père était un autre homme, j'irais à lui et je lui dirais :

« Je te jure que je vais travailler, bien travailler, mais n'aie plus vis-à-vis de moi cette attitude cruelle ! »

Il me renverrait comme un menteur. J'ai bien vu cela, quand j'étais plus jeune.

Deux ou trois fois quand il allait m'humilier ou me battre, je lui promis, s'il ne le faisait point, de tenir n'importe quelle parole il voudrait. Il avait fait fi de mes engagements, et je lui en avais voulu, tout enfant que j'étais, de si peu croire au courage de son fils.

Aujourd'hui encore il me rirait au nez et il croirait que je caponne[1] !

Allons ! je vivrai à côté de lui comme à côté d'un garde-chiourme, et je travaillerai tout de même ! C'est dit.

Mais le lendemain soir, ma mère venait m'annoncer, tout effrayée, que mon père ne voulait plus que je restasse dehors et que je courusse les cafés comme un vagabond. Il fallait être rentré à huit heures, ou sinon je coucherais dans la rue.

J'y ai couché.

C'est long, une nuit à assassiner, et vers deux heures du matin il a plu. J'étais trempé jusqu'aux os, j'avais les pieds glacés, et je me cachais sous les auvents des portes. J'avais peur aussi des sergents de ville ! J'ai tourné, tourné, autour de la maison. À dix heures, elle avait été fermée, suivant la menace. J'avais trouvé le verrou mis.

---

1. *Caponner* : flatter par ruse se montrer lâche (familier).

Demain encore, je le trouverai tiré si mon père a autant de courage que moi.

Je ne tiens pas à rôder dans les rues. J'aimerais mieux être dans ma chambre, mais on a l'air de me *menacer*. Je ne veux pas paraître avoir peur et je grelotte, et mes dents claquent.

Comme c'est froid, quand le soleil se lève !

Je ne suis rentré que quand mon père devait être au collège, à huit heures et demie du matin.

Il n'était pas sorti. C'est la première fois, depuis la scène sanglante avec ma mère, qu'il a manqué la classe.

M'avait-il vu et m'attendait-il ? Était-il malade de fureur ? La porte était à peine poussée qu'il s'est jeté sur moi. Il était blanc comme un mort.

« Gredin, dit-il, je vais te casser les bras et les jambes ! »

Dans la maison, une heure après.

« Qu'y a-t-il ?

— Il y a le fils Vingtras, qui a voulu assassiner son père ! »

Je n'ai pas essayé d'assassiner mon père. C'est lui qui m'aurait volontiers estropié ; il répétait :

« Je te casserai les bras et les jambes. »

Eh bien, non ! Vous ne casserez les bras et les jambes à personne. Oh ! je ne vous frapperai pas ! Mais vous ne me toucherez point. C'est trop tard ; je suis trop grand.

BAS LES MAINS ! OU GARE À VOUS !

Minuit.

Mon père me fera arrêter, bien sûr.

La prison demain, comme un criminel.

Ma vie sera une vie de bataille. C'est le sort de celles qui commencent comme cela. Je le sens bien.

Je ne resterais en prison qu'une semaine, pas plus, que je serais tout de même montré au doigt pour longtemps dans cette province.

L'idée m'est presque venue d'en finir.

Si je me tuais cette nuit, pourtant, ce serait mon père qui m'aurait assassiné !

Et qu'ai-je fait de mal ? des fautes de quantité[1] et de grammaire, voilà tout. Puis j'ai, sur un faux renseignement, dit qu'il y avait huit facultés de l'âme quand il n'y en a que sept. — Voilà pourquoi je me pendrais à cette fenêtre ?

Je n'ai pas un reproche à m'adresser.

Je n'ai pas même une bille *chipée* sur la conscience. Une fois mon père me donna trente sous pour acheter un cahier qui en coûtait vingt-neuf ; je gardai le sou. C'est mon seul vol. Je n'ai jamais *rapporté*, oh ! non ! ni *cané*[2] quand il fallait se battre.

Si c'était à Paris, encore ! En sortant de prison, on me serrerait la main tout de même. Ici, point !

Eh bien ! *je ferai mon temps* ici, et j'irai à Paris après ; et quand je serai là, je ne cacherai pas que j'ai été en prison, je le crierai ! Je défendrai les DROITS DE L'ENFANT, comme d'autres les DROITS DE L'HOMME.

Je demanderai si les pères ont liberté de vie et de mort sur le corps et l'âme de leurs fils ; si M. Vingtras a le droit de me martyriser parce que j'ai eu peur d'un métier de misère, et si M. Bergougnard peut encore crever la poitrine d'une Louisette.

1. Voir n. 3, p. 290.
2. *Caner* : avoir peur, fuir.

Paris ! oh ! je l'aime !

J'entrevois l'imprimerie et le journal, la liberté de se défendre, la sympathie aux révoltés.

L'idée de Paris me sauva de la corde ce jour-là. Je tourmentais déjà ma cravate.

Encore des cris, des cris ! C'est deux jours après.

Ma mère, éperdue, entre dans ma chambre.

« Jacques, viens, viens ! »

On était en train d'insulter mon père. Il avait, quelques jours auparavant, frappé un de ses élèves, et voilà que dans la maison où la veille il avait failli me tuer, les parents de l'enfant calotté venaient exiger une réparation. On voulait que M. Vingtras fît des excuses, demandât pardon ; et comme M. Vingtras balbutiait, on lui mettait le poing sous le nez.

Ils étaient deux, le père et le frère aîné, un vieux et un jeune.

« Qu'y a-t-il ?

— Il y a, disait le jeune, que votre père s'est permis de gifler mon frère. S'il n'était pas si décati, c'est moi qui le giflerais.

— Malheureux ! »

Je l'ai pris à bras-le-corps. Ah ! il ne pèse pas lourd ! et le vieux non plus. Par la porte, allons ! Un peu plus, ils étaient en morceaux.

Ils amassaient du monde dans la rue.

« Viens donc, me crie le frère aîné écumant.

— Eh ! je viens ! »

On nous a séparés à grand-peine. Il a dix-huit ans, c'est un saint-cyrien, il est courageux, mais je le *règle*. Je le tiens comme j'ai vu l'oncle Chadenas tenir des cochons. Je ne veux pas lui faire de mal,

maintenant qu'il est à terre. Seulement il bouge
encore. On me tire par les cheveux.

On me l'a à peine ôté des mains qu'il me jette une
carte par-dessus la foule.

« Si c'était devant une épée, tu ferais moins le
fier. C'est l'épée qui est mon arme, à moi » et il ges-
ticule, et il en conte !...

L'imbécile !

« Hé, Massion, veux-tu aller lui dire que s'il ne se
tait pas, je vais le *casser* de nouveau, mais que s'il se
tait, je me battrai à l'épée avec lui ? »

Prairie de Mauves, 7 heures du matin.

Ça s'est arrangé sans que chez nous on en sût
rien. Tout le collège en parle, par exemple, mais
mon père est au lit avec la fièvre — le médecin a
même ordonné qu'on le laissât reposer, ce qui me
donne ma liberté.

J'ai trouvé des témoins : tous ceux de mes anciens
condisciples qui ont un brin de moustache et veulent entrer à Saint-Cyr ou à la Navale s'offrent pour
la chose.

« Vous êtes bien jeune, dit quelqu'un mêlé aux
pourparlers.

— J'ai dix-huit ans. »

Je mens de deux ans, voilà tout[1].

On se demande tout bas si au dernier moment je
ne *fouinerai*[2] pas devant Saint-Cyr.

---

1. Vallès a bien dix-huit ans en 1850, après l'échec au baccalauréat
raconté au chapitre XXIV. Soit il se rajeunit ici pour mettre en valeur
la précocité de cet « acte d'homme » fondateur ; soit il déplace dans le
temps un épisode en réalité plus ancien, mais plus significatif, du
point de vue de la composition du roman, s'il est ainsi mis en rapport
avec la « délivrance » finale : *L'Enfant* ne prétend pas, dans tous les
cas, à l'exactitude autobiographique.
2. *Fouiner* : fuir, s'esquiver.

Ils ne savent pas que la vie m'embête, qu'un duel est comme un paletot neuf non choisi par ma mère, que c'est la première fois que je fais acte d'homme. C'est que j'en ai envie ; nom d'un tonnerre ! Si le saint-cyrien ne voulait plus, je l'y forcerais.

Je suis ému tout de même ! Je vais peut-être avoir l'air si gauche ? Mais je me ferai tuer tout de suite si l'on rit.

Nous sommes sur le terrain.

« Avancez, messieurs ! »

Les témoins sont plus inquiets que nous, et puis ils ont peur de rater le cérémonial.

L'autre ne vient donc pas ?... Il a engagé le fer, puis a fait un bond en arrière et il me laisse là.

J'ai l'air d'un chien qui a perdu son maître.

Il ne vient pas, j'avance.

Cri du médecin !

« Quoi donc ?

— Vous êtes blessé.

— Moi ?

— Vous avez la cuisse pleine de sang. »

Je ne sens rien.

« Recommençons, recommençons ça ! »

Et croyant que c'est le grand genre de bondir en arrière comme a fait l'autre, je bondis.

« Mais c'est un saltimbanque ! » dit le chirurgien.

Enfin on m'amène à lui. Je ne sais pas encore pourquoi.

« Le gras de la cuisse traversé !

— Vous croyez ?

— Et quinze jours sans marcher ! »

Oh ! je n'ai pas grand endroit où aller !

Je suis donc blessé, il paraît. En effet, ça saigne.

Le saint-cyrien me serre la main et me dit : « Je regrette… »

Moi, je ne regrette rien. C'est un quart d'heure de passé, et j'ai vu que ça ne me faisait pas plus qu'un cautère sur une jambe de bois.

J'avais laissé un mot à ma mère le matin : « Je suis chez un camarade. »

Elle a même fait cette remarque :

« C'est mal pendant que son père est malade. »

Je suis revenu en voiture. Il a fallu de l'argent pour cette voiture ; je n'en avais pas. En arrivant, j'ai dû demander trente sous à ma mère qui m'a cru fou.

« Il prend des voitures, maintenant ! »

L'escalier est noir.

J'ai monté en me tenant la jambe, sans rien dire, et, sous prétexte de migraine (on croit que j'ai bu), je suis allé me fourrer dans mon lit.

Mais une voisine — à peine étais-je dans les draps — lui a conté toute l'histoire. Ma mère lâche le chevet de son époux pour le mien.

« Jacques, tu *as été en duel* !

— Et mon père, comment va-t-il ? »

Il est dans la chambre à côté de la mienne depuis ce matin. Le médecin a fait observer qu'il y avait plus d'air. Ma mère retourne à lui.

Je ne comprends pas bien ce qu'ils disent, mais on parle de moi, elle raconte l'histoire. Je saisis des bribes.

Un bruit qui se faisait dans l'escalier s'éteint et j'entends tout.

C'est mon père qui parle avec émotion :

« Oui, quand il sera guéri, il partira.

— Pour Paris ?

— Pour Paris. — Il n'est pas blessé grièvement, n'est-ce pas ? Ce n'est rien, au moins ?

— Je t'ai dit que non. »

Un silence.

« C'est pour moi qu'il s'est battu... Après la scène de la veille !... »

Il semble que sa voix tremble.

« Oui, oui... il vaut mieux que nous nous séparions. De loin, nous ne nous querellerons pas. De près, il me haïrait !... Il me hait peut-être déjà ! Mais c'est plus fort que moi ! Ce professorat a fait de moi vieille bête qui a besoin d'avoir l'air méchant, et qui le devient, à force de faire le croquemitaine et les yeux creux... Ça vous tanne le cœur... On est cruel... J'ai été cruel.

— Comme moi, dit ma mère... Mais je le lui ai dit un jour à Paris, je lui ai presque demandé pardon, et si tu avais vu comme il a pleuré !

— Toi, tu as su lui dire, moi je ne saurais pas. J'aurais peur de *blesser la discipline*. Je craindrais que les élèves, je veux dire que mon fils ne rie de moi. J'ai été pion, et il m'en reste dans le sang. Je lui parlerai toujours comme à un écolier, et je le confondrai avec les gamins qu'il faut que je punisse pour qu'ils me craignent et qu'ils n'attachent pas des rats au collet de mon habit... Il vaut mieux qu'il parte.

— Tu l'embrasseras avant de partir.

— Non. Tu l'embrasseras pour moi. Je suis sûr que j'aurais encore l'air *chien*[1] sans le vouloir. C'est le professorat, je te dis !... Tu l'embrasseras... et tu

1. Voir n. 2, p. 60.

lui diras, en cachette, que je l'aime bien... Moi, je n'ose pas. »

« Madame, madame !
— Quoi donc !
— Il y a les agents en bas !
— Les agents ! »
Il y a, en effet, des étrangers dans l'escalier, et j'entends parler.

« Nous venons pour emmener votre fils.
— Parce qu'il s'est battu ? »
Elle remonte vers mon père.

« Plus bas, plus bas, mon amie, c'est moi qui avais écrit pour qu'on se tînt prêt à l'arrêter, depuis huit jours déjà !... J'avais signé après cette scène... Oh ! j'ai honte... Il n'entend pas, dis, au moins, à travers la cloison ? »

. . . .

J'entends.

Quel bonheur que j'aie été blessé et que je sois couché dans ce lit. Je n'aurais jamais su qu'il m'aimait.

Ah ! je crois qu'on eût mieux fait de m'aimer tout haut ! Il me semble qu'il me restera toujours, de ma vie d'enfant, des trous de mélancolie et des plaies sensibles dans le cœur !

Mais aussi j'entre dans la vie d'homme, prêt à la lutte, plein de force, bien honnête. J'ai le sang pur et les yeux clairs, pour voir le fond des âmes ; ils sont comme cela, ai-je lu quelque part, ceux qui ont un peu pleuré.

Il ne s'agit plus de pleurer ! Il faut *vivre*.

Sans métier, sans argent, c'est dur ; mais on verra. Je suis mon maître à partir d'aujourd'hui. Mon père avait le droit de me frapper... Mais malheur maintenant, malheur à qui me touche ! — Ah ! oui ! malheur à celui-là !

Je me parle ainsi, la cuisse tendue dans mon lit de blessé.

Huit jours après, le chirurgien vient, défait le bandage et dit :

« Grâce à mon pansement — un nouveau système — vous êtes guéri ; vous pouvez vous lever aujourd'hui et vous pourrez sortir demain. »

Ma mère remercie Dieu.

« Oh ! j'ai eu si peur !... S'il avait fallu te couper la jambe ! — Je vais t'apprendre une nouvelle maintenant... »

Elle me conte tout ce que je sais, ce que j'ai entendu à travers la cloison.

« Tu vas me quitter ! » dit-elle en sanglotant.

Je veux me lever tout de suite pour ramasser un peu mes livres, faire ma petite malle, et je lui demande mes habits.

Ce sont ceux du duel.

Ma mère les apporte. Elle aperçoit mon pantalon avec un trou et taché de sang.

« Je ne sais pas si le sang s'en ira... la couleur partira avec, bien sûr... »

Elle donne encore un coup de brosse, passe un petit linge mouillé, fait ce qu'il faut — elle a toujours eu si soin de ma toilette ! — mais finit par dire en hochant la tête :

« Tu vois, ça ne s'en va pas... Une autre fois, Jacques, mets au moins ton vieux pantalon ! »

DOSSIER

1840. Décembre : la famille Vallez quitte Le Puy pour
Saint-Étienne ; le père y a été nommé maître élémentaire de septième au collège royal. Il y ensei-
gnera jusqu'en 1845 la grammaire française, le
latin et le grec, l'histoire sainte.

1840-1845. Jules poursuit sa scolarité au collège royal où
enseigne son père. Bon élève, il remporte de nombreux prix. L'atmosphère familiale se dégrade :
Jean-Louis Vallez a une aventure extra-conjugale.
Deux fugues du fils, sans conséquences.

1845. Jean-Louis Vallez, qui échoue à l'oral de l'agrégation de grammaire, obtient une mutation pour le
collège royal de Nantes. En décembre, la famille
fait le voyage — jusqu'à Orléans en diligence, puis
d'Orléans à Nantes en bateau à vapeur.

1845-1848. Jules Vallès se retrouve élève au collège de
son père, qui est reçu à l'agrégation de grammaire
(1846). Nombreux prix dans les disciplines classiques.

1848. Février : révolution à Paris (chute de Louis-Philippe : fin de la monarchie de Juillet et proclamation
de la République), manifestations républicaines à
Nantes. Vallès, enthousiaste, fait partie d'un « club
républicain de la jeunesse de Bretagne et de Vendée ». Juin : il est favorable à l'insurrection ouvrière,
qui est écrasée dans le sang à Paris. Septembre : ses
parents l'envoient à la pension Lemeignan à Paris ;
il suit les cours du lycée Bonaparte (aujourd'hui
Condorcet).

1849-1850. Vallès découvre la vie politique de la capitale,
mais n'obtient pas de bons résultats. Mme Vallez
vient à Paris chercher son fils, pour le ramener à
Nantes, où il fait sa philosophie. Échec au baccalauréat : Vallès se trompe peut-être sur le nombre
des « facultés de l'âme ». Vives tensions entre le père
et le fils.

1851. Mars : Jean-Louis Vallez laisse son fils regagner
Paris : c'est la « délivrance » sur laquelle se clôt *L'En-
fant*. Vallès milite avec des amis républicains au
« Comité des Jeunes », et tente de résister au coup

CHRONOLOGIE

1807. Naissance du père de Jules Vallès, Jean-Louis Vallez, à Vourzac (Haute-Loire), dans une famille de paysans. Envoyé au séminaire, il se détournera de la prêtrise pour l'enseignement.

1829. Mariage de Jean-Louis Vallez et de Julie Pascal, née en 1804, issue de la paysannerie pauvre, des environs du Puy en Haute-Loire également.

1832. Le 11 juin, naissance au Puy de Jules Vallès (ainsi orthographié sur l'acte d'état civil ; l'écrivain adulte substituera ce *s* au *z* paternel), troisième enfant des époux Vallez, après deux garçons morts très jeunes.

1832-1837. Jean-Louis Vallez gagne très modestement sa vie, au Puy, comme « maître d'études » au collège communal, et comme professeur à l'Institution de sourds-muets. Le couple a quatre autres enfants, dont seule survivra Marie-Louise, née en 1835.

1837-1840. Jean-Louis Vallez devient maître d'études provisoire, puis maître élémentaire provisoire au collège royal du Puy. Jules Vallès, après l'école primaire, rejoint le collège de son père où il est « fils de pion ». Enfance entre deux pôles : prisons de la maison familiale et de l'école d'une part, échappées heureuses à la campagne d'autre part, à Farreyrolles (dans la famille maternelle) ou à Chaudeyrolles (chez le grand-oncle prêtre, Thomas Vallez).

DOSSIER

d'État de Louis-Napoléon Bonaparte, le 2 décembre. Son père le rappelle à Nantes et le fait interner comme aliéné mental.

1852. Après deux mois d'asile, Vallès est enfin libéré. Il se remet à ses études et obtient son baccalauréat. Il peut repartir pour Paris, où il doit suivre des études de droit.

1853. Vallès essaie d'entrer dans les milieux littéraires, et renoue avec ses amis républicains. Mêlé à des complots contre Napoléon III, il fait un mois de prison. La santé mentale de sa sœur Marie-Louise se détériore : elle sera bientôt internée. Ses parents se séparent : Jean-Louis Vallez est nommé au lycée impérial de Rouen.

1854-1856. Vallès échoue à ses examens de droit, rompt avec son père, accumule les dettes ; il lit beaucoup et collabore à de petites revues.

1857. En relation avec certains milieux d'affaires, Vallès prépare un livre sur la Bourse quand son père meurt (18 avril). L'événement le confirme dans ses révoltes : Jean-Louis Vallez est mort comme il a vécu, en victime ; pour vivre libre, il faut lutter. Et Vallès écrit son premier livre, *L'Argent*, qui est moins une célébration de la richesse qu'une protestation contre l'idéalisation romantique de la pauvreté. L'ouvrage est remarqué : c'est le véritable début de l'activité littéraire de Vallès. Comme chroniqueur, il collabore à une nouvelle revue, *Le Présent*, où il signe « Max ».

1858-1859. Vallès collabore au *Figaro*. Il écrit une comédie (*Les Amours de paille*) et un drame (*Le Neveu de Vautrin*), sans parvenir à les faire jouer. Marie-Louise Vallez meurt dans l'asile où elle était internée, près du Puy.

1860-1862. Articles dans *Le Figaro* : « Le Dimanche d'un jeune homme pauvre », « Les Réfractaires », « Lettre de Junius », « Les Victimes du livre ». Première rencontre avec Hector Malot. Liaison avec Joséphine Lapointe. Difficultés financières persistantes, auxquelles Vallès tente de remédier par un emploi administratif à la mairie de Vaugirard. Endetté, il quitte Paris pour être « pion » au collège de Caen.

1863-1864. À Caen, Vallès reprend des études de lettres, mais échoue à la licence. De retour à Paris, il reprend son travail à la mairie et écrit des articles littéraires pour *Le Progrès de Lyon*.

1865. Vallès prononce une conférence sur Balzac qui fait du bruit, pour ses « digressions politiques blâmables » contre le régime. Il doit renoncer à son emploi administratif. Prend fin, par ailleurs, la collaboration au *Progrès de Lyon*. Mais Vallès écrit pour *Le Figaro* (« Les Irréguliers de Paris »), pour *L'Époque* (dont il est pendant deux mois l'envoyé spécial en Angleterre), pour *L'Événement* ; et il publie un recueil de ses chroniques, sous le titre *Les Réfractaires*, qui rencontre un certain succès.

1866. Vallès collabore brièvement à *La Liberté* d'Émile de Girardin : son article « Le Général Yusuf », trop explicite sur certaines méthodes « barbares » de pacification coloniale, vaut au journal un avertissement. Publication de *La Rue*, nouveau recueil d'articles. Collaboration au *Courrier français* et au *Nain jaune*.

1867. Vallès fonde son propre journal, *La Rue*, dont plusieurs numéros seront interdits. Il écrit par ailleurs dans *La Situation*.

1868. Vallès éprouve des difficultés croissantes à s'exprimer librement : *La Rue* doit cesser de paraître en janvier ; il est condamné à un mois de prison pour « injures publiques » à la police en février, à deux mois pour « excitation à la haine et au mépris du gouvernement » en octobre. Impossible de le faire taire cependant : en prison, il crée le *Journal de Sainte-Pélagie*.

1869. Vallès tente de lancer de nouveaux journaux, éphémères : *Le Peuple*, *Le Réfractaire*. En mai, il est candidat « socialiste révolutionnaire » aux élections législatives dans la circonscription du modéré Jules Simon, qui le devance de très loin. Projet, non concrétisé, d'une *Histoire de vingt ans* (1848-1868) en plusieurs volumes. Mais des publications plus modestes annoncent la Trilogie de *Jacques Vingtras* par leur inspiration autobiographique : *Le Testament d'un blagueur*, dans l'hebdomadaire *La Parodie* d'André Gill, *Pierre Moras*, qui paraît en feuilleton dans *Paris-journal*.

1870. Articles de Vallès dans *La Marseillaise* de Rochefort. Il participe à la manifestation qui suit l'assassinat de Victor Noir (janvier), et tente de relancer *La Rue*, pour quelques numéros seulement. En juillet, c'est la guerre avec la Prusse. Lors du désastre de Sedan et de la chute de l'Empire (septembre), Vallès manifeste avec l'extrême gauche à Paris. Membre du « Comité central républicain » et chef d'un bataillon de la Garde nationale, il prend une part active à la tentative d'insurrection du 31 octobre en occupant, pour une nuit, la mairie du XIXe arrondissement « au nom de la Commune ».

1871. Janvier : Vallès participe à la rédaction de *L'Affiche rouge*, proclamation révolutionnaire contre le gouvernement. Février : Thiers devient chef du pouvoir exécutif. Vallès lance *Le Cri du peuple*, qui attaque les « charlatans politiques » et l'Assemblée de Bordeaux. Le 12 mars, il est condamné à six mois de prison pour l'affaire du 31 octobre, et *Le Cri du peuple* est suspendu. Mais la proclamation de la Commune, le 18 mars, annule de fait ces condamnations : *Le Cri du peuple* reparaît dès le 21 mars, et Vallès est élu à la Commune, où il siègera à la commission de l'enseignement. Favorable à la liberté de la presse, il se range parmi les modérés. Pendant la « Semaine sanglante », il prend part aux combats. Les troupes versaillaises, victorieuses, multiplient les exécutions sommaires : deux faux Vallès sont fusillés. Mais ayant réussi à se cacher, il parvient à s'enfuir en Belgique, puis en Angleterre.

1872. Depuis Londres, Vallès reprend contact, non sans difficultés, avec des journaux français : ses « Lettres de l'exil » (signées X) paraissent dans l'éphémère journal *La Constitution* de Portalis. Le 9 mars, mort de sa mère à Farreyrolles : il sera affecté par cette nouvelle, apprise avec retard. En tant qu'acteur de la Commune, il est condamné à mort par contumace (juillet). Voyage en Suisse, où prend corps le projet d'une pièce : *La Commune de Paris*. Reprise d'une correspondance régulière avec Arthur Arnould et Hector Malot.

1873-1875. De retour à Londres, Vallès souffre de l'exil et de la misère. Il ne parvient pas à se faire publier en France, où on l'a radié de la Société des gens de lettres. D'une liaison avec une institutrice d'origine belge, naît une fille, Jeanne-Marie, qui meurt à dix mois (le 2 décembre 1875). Vallès rêve de créer son propre journal, et songe à une « grande machine romanesque » retraçant le parcours de sa génération.

1876. Nouveau départ : Vallès annonce à Malot l'*Histoire d'un enfant* qu'il a entrepris d'écrire et qui va devenir *Jacques Vingtras, I*. En octobre, le manuscrit de *L'Enfant* est achevé, et Malot prospecte pour le faire publier. Vallès projette déjà une suite : *Vingtras, II* et *III*. Parallèlement, il renoue avec la presse parisienne : *L'Événement* publie une série de chroniques sous le titre *La Rue à Londres*.

1877. Articles de Vallès signés Jean La Rue dans le journal *Le Radical*, qui disparaît en juin. Tractations pour l'édition de *Vingtras, I*.

1878. Vallès rédige *Vingtras, II* (*Le Bachelier*), et publie des articles dans *Le Réveil*, *La Marseillaise*, *Le Voltaire*. Du 25 juin au 3 août, *Jacques Vingtras, I* paraît en feuilleton dans *Le Siècle* sous le pseudonyme de La Chaussade. L'image de la famille choque les abonnés : la revue ne publiera pas la suite. Mais Malot est en contact avec l'éditeur Charpentier pour une édition de *L'Enfant* en volume, et Zola assure Vallès de son soutien.

1879. La suite de *Jacques Vingtras*, *Le Bachelier*, paraît en feuilleton dans *La Révolution française*, sous le titre *Mémoires d'un révolté*, signé Jean La Rue. Même signature pour *Jacques Vingtras, I*, qui paraît en volume chez Charpentier, en mai, avec sa dédicace. Vallès publie une « Lettre ouverte au président de la République », dans *La Révolution française*, qui fait scandale. Il part pour Bruxelles en août ; *La Rue* renaît, pour quelques numéros seulement. Nouvelle collaboration au *Voltaire*, et début du feuilleton « Le Candidat des pauvres » dans le *Journal à un sou.*

1880. Vallès, toujours à Bruxelles, publie *Les Blouses* en feuilleton dans *La Justice* de Clemenceau. Il fait la connaissance de la journaliste Séverine, dont l'amitié va jouer un rôle capital dans ses dernières années de travail et d'action. La loi d'amnistie des communards condamnés est votée le 10 juillet : le 13, Vallès rentre en France. Il peut parler en son nom : « Je suis *moi* de nouveau. »

1881. Vallès collabore au *Citoyen français*, dans lequel il publie en feuilleton *La Dompteuse*. Il reprend sa collaboration au *Réveil*. La troisième édition de *Jacques Vingtras, I*, chez Charpentier, comporte pour la première fois *L'Enfant* en sous-titre et le nom de Jules Vallès sur la couverture. Avril-mai : *Jacques Vingtras, II : Le Bachelier* est publié à son tour en volume chez le même éditeur. En septembre, voyage au « pays » : Vallès revoit Saint-Étienne, Le Puy, les lieux de son enfance.

1882-1884. Vallès reprend une activité journalistique et littéraire intense : articles et chroniques dans *Le Réveil* et *Le Matin* ; première version de *L'Insurgé* (*Jacques Vingtras, III*) dans *La Nouvelle Revue* de Juliette Adam ; résurrection du *Cri du peuple* qui, sous sa direction, redevient un organe socialiste révolutionnaire de premier plan, avec la collaboration de Jules Guesde et la fidèle assistance de Séverine.

1885. Atteint de diabète, de plus en plus malade, Vallès est très affecté en janvier par l'attaque de deux policiers, les frères Ballerich, contre la rédaction du *Cri du peuple*. Il meurt le 14 février. Le 16, un cortège

de dizaines de milliers de personnes, mené par les
anciens communards, suit « le corbillard des pauvres » jusqu'au Père-Lachaise.

1886. Mai : Séverine assure la publication de *L'Insurgé*
chez Charpentier.

NOTICE

Premières esquisses

Le projet et la pratique du récit d'enfance existent chez Vallès bien avant *L'Enfant*. Dès ses débuts dans le journalisme, en 1857, le chroniqueur débutant livre des souvenirs personnels : il lui arrive ainsi de s'accorder une « petite vengeance » en évoquant, à la première personne, la vie de collège qu'il a subie (*Le Présent*, 15 octobre 1857). La « Lettre de Junius », en 1861, va plus loin : on demande à Vallès un pamphlet ; il répond par le récit condensé et déguisé de sa vie, dans une de ces lettres dues à des auteurs divers et publiées sous le pseudonyme commun de « Junius » (*Le Figaro*, 7 novembre 1861) : une tante qui estime qu'il ne faut pas « gâter les enfants », un oncle qui se prend pour un « *paterfamilias* antique », voilà les futurs parents Vingtras — ou les anciens parents Vallez. Le noyau narratif et thématique de *L'Enfant* est bien là. En 1866, certains chapitres de *La Rue* (« La Rue de province », « Souvenirs ») reprennent des chroniques largement consacrées à des moments heureux de l'enfance en Haute-Loire.

Mais c'est *Le Testament d'un blagueur*, récit inachevé paru en feuilleton dans *La Parodie* en 1869, qui constitue l'esquisse la plus nette de *L'Enfant* à venir. Sans doute le « blagueur » qui raconte son enfance, Ernest Pitou, s'est-il suicidé : c'est par la fiction du testament découvert après sa mort que l'on accède à son récit, et Vallès maintient ainsi la distance entre ce personnage et lui-même. Mais il est déjà question de la bonne Mlle Balandreau, qui fait croire qu'elle va fouetter l'enfant pour mieux le protéger des coups de sa mère ; le petit Ernest est affublé de vêtements ridicules qui suscitent une « curiosité malsaine » ; il part à Paris poursuivre ses études, comme « bête à concours », chez Legnagna... Autant d'épisodes, de situations, de noms qui annoncent clairement la destinée de Jacques Vingtras. Certains paragraphes entiers seront même repris sans changement : les notes du texte signalent les principaux emprunts. La tentation autobiographique répond donc indiscutablement à une nécessité intérieure, chez Vallès, avant la Commune et l'exil. Mais elle est contenue sous les masques de la fiction, et elle n'aboutit qu'à des textes dispersés et inachevés.

Vers le roman (1874-1875)

C'est pendant l'exil à Londres, après 1871, que Vallès donne véritablement consistance à l'idée d'une histoire de sa vie convertie en roman. Les lettres qu'il adresse au fidèle Hector Malot permettent de suivre la gestation du projet qui va aboutir à *L'Enfant*. Le proscrit est soumis à la double contrainte de conditions matérielles difficiles et d'un silence politique imposé. Vallès doit écrire pour vivre, et trouver le moyen de renouer avec le public français ; mais il n'est pas question, pour un communard condamné à mort par contumace, de signer de son nom et de « faire de la politique ». Reste la « littérature », à condition de dissimuler son identité. Reste le récit de vie, à condition de ne pas se montrer en personne. Reste le roman. L'idée germe dans une lettre de 1874 : « J'ai donc résolu d'essayer un bout de gazette ! Je n'y ferai de la politique qu'au point de vue pittoresque, dans un roman qui prendra même une forme joyeuse et sera non à la sauce rouge mais à la sauce verte : *Les Farceurs de Paris*. Si vous avez lu la *Parodie* de Gill, vous jugerez du ton du roman futur par le ton du *Testament d'un blagueur* dont j'ai publié là quelques chapitres. »

Entre l'*histoire*, qui risque de réveiller les passions et d'effrayer les éditeurs, et les *mémoires*, portés à dévoiler un « moi » exposé à trop de haines et d'interdits, le *roman* offre une heureuse solution de compromis : « Il reste le roman, le roman qui tient de l'histoire et des mémoires, qui mêle *Les Confessions* de Jean-Jacques et *Le Conscrit* de Chatrian, qui peut jeter *David Copperfield* des bancs de l'école sur le chemin de Sheridan, qui s'appelle *Les Mystères de Paris* ou *Les Misérables* » (lettre à Malot de 1875). Dessein ambitieux : Vallès envisage à cette date d'écrire une « grande *machine* ». La résignation s'est transformée en résolution ; le roman, choisi par défaut, pourrait bien s'élever aux dimensions d'une épopée sociale : « J'ai mon plan, mon but : je vise à écrire une œuvre capitale où sera reflété le caractère, où sera raconté le malheur de ma génération. [...] Ce sera le couronnement de ma vie » (*ibid.*). Le ton est nouveau : la recherche d'un compromis sous la contrainte a ouvert à Vallès, paradoxalement, de vastes horizons. Il ne s'agit plus seulement de « blaguer ».

« *Histoire d'un enfant* » : la rédaction (1876)

Mais il faut tenir compte des dures réalités : Hector Malot ne croit pas trop à cette « machine » impubliable. En 1876, Vallès en revient donc au projet, plus réaliste à court terme, d'un roman personnel, centré sur l'histoire de son enfance : « [...] la politique ne sera qu'incidente et viendra tard. Ce que je veux faire, c'est un bouquin intime, d'émotion naïve, de passion jeune — que tout le monde pourra lire, même dans le monde de mes ennemis, et qui aura cependant sa portée sociale. J'appellerai cela d'un nom d'homme : *Jacques Vingtras* [...]. Ce sera l'histoire d'un enfant [...]. Je resterai plus près de l'école et du collège : je m'en tiendrai aux souffrances d'un fils brutalisé par son père et blessé, tout petit, dans le fond de son cœur. Mon histoire, mon Dieu — ou presque mon histoire » (lettre du 12 mars 1876). Le programme est arrêté ; la rédaction est lancée. Vallès s'oriente vers un roman apolitique, même si certains des titres auxquels il pense indiquent une révolte à venir : « *Enfance d'un fusillé* [...] ou *d'un réfractaire* ou *d'un révolté*, ou simplement *Histoire d'un enfant* » (lettre du 23 mai 1876). Vallès renonce à l'épopée d'une génération engagée dans son temps : le livre sera plus « vert » que « rouge ».

Le 1er juillet, Vallès annonce à Malot, qui se charge de trouver un éditeur en France, l'envoi de l'*Histoire d'un enfant* : l'essentiel du roman est donc achevé, au bout de quatre mois d'un travail intense. Vallès, épuisé, expédie en France un manuscrit « couvert de blessures » du fait des corrections hâtives. Enfin, *L'Enfant* est né : « J'ai accouché d'un manuscrit couturé, rapiécé, saigné, hâtif et laid [...] » (lettre de juillet 1876). Mais ni le titre, ni l'éditeur, ni le nom d'auteur ne sont encore fixés. Et la fin du roman connaît encore des coupures et des remaniements : elle ne sera vraiment achevée qu'en octobre 1876.

Le roman n'est donc pas le fruit d'une révélation, d'une illumination soudaine : ses sources profondes sont antérieures à la Commune, et son élaboration résulte de longues tractations et de renoncements douloureux. Il reste finalement en retrait par rapport à un projet plus vaste. À peine Vallès a-t-il fini l'*Histoire d'un enfant* qu'il écrit : « [...] je tiens à commencer le livre, le grand [...] » (lettre d'octobre 1876) — comme si le livre achevé n'était qu'une parenthèse, ou une étape, avant l'*Histoire d'une génération*, la vaste fresque hugolienne toujours programmée. Vallès a écrit *L'Enfant* dans le souci d'être vite publié, pour des raisons alimentaires évidentes : à ses yeux, le résultat ne correspond pas à l'œuvre rêvée, même s'il est satisfaisant d'être enfin reconnu comme un véritable écrivain. Si *Vingtras* est pour nous un chef-d'œuvre, ce n'est pas en raison d'une métamorphose subite du petit journaliste en grand romancier. Sans doute a-t-il fallu chez Vallès un concours de facteurs déterminants — une personnalité affermie depuis peu, à travers l'épreuve de la Commune ; la mort de sa mère en 1872, de sa fille Jeanne-Marie en 1875 ; la maturation de la mémoire dans sa sensibilité d'exilé — pour que *L'Enfant* advînt. Mais le moteur de l'écriture se situe moins dans la conscience close du sujet que dans sa tension vers un public constamment visé, à la fois craint et désiré, à conquérir ou à reconquérir, à provoquer ou à convertir. C'est ce dialogue entre l'auteur et ses lecteurs qui se poursuit, non sans heurts, lorsque *L'Enfant* paraît.

« Jacques Vingtras » : les publications (1878-1884)

Après maintes démarches, Malot parvient à vendre *l'Histoire d'un enfant* au journal *Le Siècle* en septembre 1876. Mais il faut attendre encore près de deux ans avant de voir ce dernier annoncer, en juin 1878, la publication de *Jacques Vingtras*, écrit par un certain La Chaussade. Le feuilleton paraît sous ce pseudonyme du 25 juin au 3 août ; le titre en est *Jacques Vingtras*, et le sous-titre : « Les Beaux Jours de mon enfance ». L'effet sur les lecteurs ne se fait pas attendre : beaucoup écrivent pour protester contre cette image immorale et grossière de la famille. *Le Siècle* affronte la colère de ses abonnés, malgré les corrections et les censures auxquelles Vallès avait consenti pour amortir le choc : « Je ne sais si tu as lu *Les Beaux Jours de mon enfance* », écrit-il à Arthur Arnould, « mais les abonnés du *Siècle* l'ont lu, et ç'a été une tempête de colère, un volcan d'indignation ! Il est question de supprimer l'œuvre, de la suspendre du coup... Un véritable scandale, quoi ! [...] Dieu sait pourtant si j'ai *rogné* ! J'ai rogné, je rogne, je rognerai encore. Je rogne ce que je préfère, je rogne le *vivant*, je rabote le relief. C'est douloureux ! » (lettre de juillet 1878).

Tout en suivant à distance cet accueil des lecteurs, Vallès prépare par l'intermédiaire de Malot l'édition de *Vingtras, I* en volume, en même temps que la publication de la suite, *Vingtras, II*, en feuilleton. Pour le premier, l'accord est conclu avec l'éditeur Charpentier en octobre 1878, et l'originale paraît en mai 1879. Vallès signe maintenant Jean La Rue, et ouvre le roman sur la dédicace qui ne figurait pas dans le feuilleton du *Siècle*. Après son retour en France en 1880, il retrouve enfin son nom. La deuxième édition du roman, en 1881, porte donc sa signature, en même temps que le titre définitif : *Jacques Vingtras : L'En-*

fant. La troisième édition, revue par l'auteur, est publiée par Quentin, illustrée par douze eaux-fortes de Renouard, en 1884 : elle rétablit des notations qui avaient été supprimées par *Le Siècle* et introduit un certain nombre de corrections de style. Telle est la version qui est lue aujourd'hui.

L'accueil et la fortune du texte

Dès la parution en feuilleton, *L'Enfant* a suscité des réactions de scandale. Moins de dix ans après la Commune, l'œuvre dérange par le procès qu'elle instruit contre deux piliers de l'ordre social : la famille et l'école. Vallès a eu beau diluer le rouge des idées politiques dans l'innocence apparente d'une histoire d'enfance, il tient lui-même à sa « thèse », soulignée dans l'épigraphe et explicite en fin de roman : la lutte pour les « droits de l'enfant ». Dans ce contexte polémique de la réception immédiate, on juge donc le communard, bien vite identifié sous les pseudonymes ; on juge la critique sociale, au nom de valeurs morales et idéologiques. On juge rarement le roman.

Seul Zola, dès juin 1879, livre un point de vue franchement positif, tout en regrettant que Vallès se soit égaré en politique : « Je désire qu'on lise ce livre. Si j'ai quelque autorité, je demande qu'on le lise, par amour du talent et de la vérité. Les œuvres de cette puissance sont rares. Quand il en paraît une, il faut qu'elle soit mise entre toutes les mains. Et maintenant, comment un homme du talent de M. Jules Vallès a-t-il pu gâter sa vie en se fourvoyant dans la politique ? Jamais je ne lui pardonnerai » (*Le Voltaire*, 24 janvier 1879).

La plupart des critiques se taisent, ou prononcent une condamnation sans appel. Du côté de la défense des valeurs familiales menacées, on retiendra d'abord le jugement d'Edmond de Goncourt : « Une vilaine et rancunière humanité entre aujourd'hui en scène dans le livre de Vallès, qui vient de paraître. La mère, jusqu'à présent, était sacrée ; la mère, jusqu'à présent, avait été épargnée par l'enfant qu'elle avait porté dans ses flancs. Aujourd'hui c'en est fini en littérature de la religion de la famille, et la révolu-

tion commence contre elle. *Vingtras* est un livre symptoma-
tique de ce temps » (*Journal*, 10 juin 1879). Léon Bloy
reprochera plus tard à Vallès, avec plus de véhémence
encore, de déshonorer ses parents : « Non content de les
peindre hideux, il les badigeonne de ridicule, et, quand il
a rencontré le ridicule, il s'y baigne avec délices, il s'y
plonge, il s'y vautre comme un cochon noir. Il fait avec
les entrailles maternelles ce que Rabelais conseille de
faire avec plusieurs autres choses dans un chapitre fort
célèbre » (*Le Chat noir*, 12 janvier 1884[1]). Et Ferdinand
Brunetière, après avoir situé le roman de Vallès au croise-
ment du naturalisme et du « petit journalisme » (« du Zola
moins puissant [...], et du Rochefort moins spirituel »),
stigmatise ce livre « infâme » : « D'autres n'eussent pas écrit
s'ils n'avaient pas aimé ; lui, au contraire, s'il n'avait pas
haï. C'est dans l'injure qu'il a cherché sa seule inspiration,
et, s'il l'a quelquefois trouvée, c'est dans l'insulte, en enché-
rissant sur ce que l'auteur des *Châtiments* ou l'auteur des
Odeurs de Paris avaient dit avant lui, mais, pour s'ouvrir
une carrière nouvelle, en crachant, de plus qu'eux, sur ce
qu'ils avaient encore respecté... » (*La Revue des Deux Mon-
des*, 1er mars 1885).

Après la mort de Vallès, les passions s'apaisent, et les
jugements critiques accordent plus d'attention au style.
Des écrivains conservateurs reconnaissent son originalité.
Ainsi, Paul Bourget reconnaît l'art avec lequel Vallès, doué
du « pouvoir de traduire sa sensibilité avec des mots »,
sait restituer les sensations : « Ce qui ressuscite dans son
esprit, quand il songe, ce sont des couleurs, des sons, des
odeurs, le tout d'une manière très intense à la fois et très
bornée, car ces images ne lui servent pas d'instrument
pour sortir de lui-même [...]. La sensation est copiée telle
quelle, ou plutôt elle s'est inscrite toute seule dans cette
prose. De là dérive un autre caractère de ce style, qui est
la recherche et la trouvaille de la comparaison purement
physique. Les associations d'idées sont ici des associations
d'images, et d'images d'objets... » (*Études et portraits*, t. I,
1928). Ce style vallésien, au début du XXe siècle, touche

1. Voir aussi la n. 2, p. 41.

ainsi paradoxalement des lettrés, des bourgeois cultivés, plus que le public populaire.

L'Enfant conquiert un plus large public dans les années trente, en même temps que s'engagent de véritables études critiques, comme la thèse de Gaston Gille, qui permettent de mieux comprendre la fiction de Vingtras, dans sa spécificité, à la lumière de la réalité de Vallès. Depuis les années soixante, la recherche vallésienne a pris tout son essor grâce aux travaux de Roger Bellet, consacrés d'abord aux écrits journalistiques, puis étendus à tous les aspects de l'écriture de Vallès — son histoire, ses thèmes structurants, ses figures obsédantes. La publication des deux volumes de la Pléiade, la fondation et le développement d'une « Association des Amis de Jules Vallès », l'organisation, par Roger Bellet encore, de plusieurs colloques internationaux, coïncident depuis lors avec une large diffusion de la Trilogie de *Jacques Vingtras*, reconnue en outre par l'institution scolaire. L'œuvre se prête à des lectures psychanalytiques (depuis Béatrice Didier) ou à une réflexion sur les formes de l'énonciation autobiographique (avec Philippe Lejeune) ; elle suscite une étude des procédures rhétoriques (chez Hélène Giaufret-Colombani) ou plus récemment une enquête approfondie sur l'image de l'Antiquité classique (chez Corinne Saminadayar-Perrin)... Ces approches fort diverses témoignent de sa richesse.

BIBLIOGRAPHIE

Éditions des œuvres de Jules Vallès

VALLÈS Jules, *Œuvres complètes*, publiées sous la direction de Lucien Scheler, Paris, Éditeurs français réunis, 1950-1972, 15 volumes. – Le volume consacré à la *Correspondance avec Hector Malot* (éd. de Marie-Claire Bancquart, 1968) éclaire la genèse de *L'Enfant*.
VALLÈS Jules, *Œuvres complètes*, édition revue, annotée et préfacée par Lucien Scheler et Marie-Claire Bancquart, Paris, Livre-Club Diderot, 1969-1970, 4 volumes.
VALLÈS Jules, *Œuvres*, édition établie, présentée et annotée par Roger Bellet, Paris, Gallimard, Bibliothèque de la Pléiade, 1975-1990, 2 volumes. – Le tome II rassemble les œuvres de 1871-1885, dont *L'Enfant*. C'est l'édition la plus complète, parfaitement actualisée.

Biographies

BELLET (Roger), *Jules Vallès*, Paris, Fayard, 1995.
GALLO (Max), *Jules Vallès ou la révolte d'une vie*, Paris, Robert Laffont, 1988.
GILLE (Gaston), *Jules Vallès (1832-1885). Ses révoltes, sa maîtrise, son prestige*, Paris, Jouve (rééd. Flammarion), 1941.
ROUCHON (Ulysse), *La Vie bruyante de Jules Vallès*, Saint-Étienne, éd. de « La Région illustrée », 3 volumes, 1935-1939.

ZIMMERMANN (Daniel), *Jules Vallès l'Irrégulier*, Paris, Le Cherche-Midi Éditeur, 1998.

Ouvrages critiques

BANCQUART (Marie-Claire), *Jules Vallès*, Paris, Seghers, « Écrivains d'hier et d'aujourd'hui », 1971.

BELLET (Roger), *Jules Vallès, Journalisme et Révolution*, Tusson (Charente), Éditions du Lérot, 1987.

BONNEFIS (Philippe), *Jules Vallès. Du bon usage de la lame et de l'aiguille*, Lausanne, L'Âge d'Homme, 1982.

DENTZER-TATIN (Chantal), *Jules Vallès. Les mots de l'enfance révoltée*, Neyzac, Éditions du Roure, 1991.

DISEGNI (Silvia), *Jules Vallès : du journalisme au roman autobiographique*, Paris, L'Harmattan, 1996.

GALLINA (Bernard), *Jules Vallès et l'expérience du roman*, Paris, Schena-Nizet, 1992.

GIAUFRET-COLOMBANI (Hélène), *Rhétorique de Jules Vallès : les figures de la dénomination et de l'analogie dans « L'Enfant »*, Genève, Slatkine, 1984.

GUILLEMIN (Henri), *Du courtisan à l'insurgé*, Paris, Arléa, 1990.

MAROTIN (François), *Histoire d'une génération ou les années de formation de Jules Vallès (1845-1867)*, Paris, L'Harmattan, 1997.

SAMINADAYAR-PERRIN (Corinne), *Modernités à l'antique : parcours vallésiens*, Paris, Champion, 1999.

STIVALE (Charles), *Œuvre de sentiment, œuvre de combat : la Trilogie de Jules Vallès*, Lyon, Presses universitaires de Lyon, 1988.

Revues et colloques

Revue *Europe*, numéros consacrés à « Jules Vallès » :
   — n° 144, décembre 1957 ;
   — n° 470-471-472, juin-juillet-août 1968.
Colloque Jules Vallès 1975, Université Lyon II, Presses universitaires de Lyon, 1976.

Les Amis de Jules Vallès, Revue d'études vallésiennes, publiée par l'Association « Les Amis de Jules Vallès » (Université de Saint-Étienne) et dirigée par Roger Bellet de 1984 à 1998. 28 numéros parus, de décembre 1984 à décembre 1999. On trouvera notamment les Actes des deux principaux colloques internationaux consacrés à Vallès, avec de nombreuses études sur *L'Enfant*, dans les numéros suivants :
— n° 2 (octobre 1985) : Colloque du Centenaire (Saint-Étienne, 1985) : « Jules Vallès écrivain : le journaliste et le romancier » ;
— n° 16 (juin 1993) : IIe Colloque international Jules Vallès (Clermont-Ferrand, 1992) : « Rhétorique, politique, imaginaire » (sous la direction de Roger Bellet et François Marotin).
Lectures de « L'Enfant » de Jules Vallès, Colloque de Reims, 1990, sous la direction de Pierre Pillu, Paris, Klincksieck, 1992.

Articles et préfaces

BANCQUART (Marie-Claire), « Jules Vallès et le peuple », revue *Romantisme*, n° 9, 1975.
BELLET (Roger), « L'image de l'école chez Jules Vallès », *Revue des sciences humaines*, n° 174, 1979-II.
BONNEFIS (Philippe), Préface de *L'Enfant*, Paris, L. G. F., Le Livre de poche, 1985.
CARASSUS (Émilien), Introduction de *L'Enfant*, Paris, Garnier-Flammarion, 1968.
DIDIER (Béatrice), « *L'Enfant* de Jules Vallès », revue *Europe*, mars 1974.
DUBOIS (Jacques), « La caricature d'une société dans *L'Enfant* de Jules Vallès », *Revue des langues vivantes*, n° 5, 1958.
LEJEUNE (Philippe), « Le récit d'enfance ironique : Vallès », *Je est un autre*, Paris, Seuil, coll. « Poétique », 1980.
REDFERN (Walter), « Le jeu de mots dans la trilogie de Jules Vallès », revue *Europe*, avril 1973.
VIALA (Alain), Préface de *L'Enfant*, Paris, Pocket, 1990.

NOTE SUR LA PRÉSENTE ÉDITION

Le texte de *L'Enfant* présenté ici est celui de l'édition Quentin de 1884, la seule qui ait été revue et corrigée par les soins de l'auteur.

La présente édition, dans son ensemble, a largement tiré parti des travaux remarquables de Roger Bellet, décédé en 1998 — ouvrages critiques, articles, biographie de Vallès, édition des *Œuvres* dans la Pléiade — : que sa mémoire, bien vivante pour tous les amis et lecteurs de Jules Vallès, soit ici saluée.

L'ENFANT

DOSSIER

Composition Nord Compo.
Impression Bussière Camedan Imprimeries
à Saint—Amand (Cher), le 4 août 2000.
Dépôt Légal : août 2000.
Numéro d'imprimeur : 003512/1.

ISBN 2-07-041287-3./Imprimé en France.

9422 6

L'ENFANT

DOSSIER